fortran structuré et méthodes numériques

Stéphane Faroult
Ingénieur de l'École Centrale
de Paris

Didi
Maître ès sciences ir
Université d

DUNOD
informatique

ISBN: 2-89315-009-8

ISBN: 2-04-016483-9

«I have nothing to offer but blood, toil, tears and sweat.»

«Je n'ai rien d'autre à offrir que du sang, un dur labeur, des larmes et de la sueur.»

Churchill, House of Commons, May 1940

Avant-propos

Ce livre est destiné à un public « scientifique » (étudiants, ingénieurs...), a priori ignorant de la programmation et désireux d'acquérir des bases solides et rapidement utilisables en Fortran structuré et en méthodes numériques.

Il a un triple but : d'une part, munir le lecteur des connaissances en programmation qui font aujourd'hui partie du bagage normal d'un ingénieur, et ensuite, grâce à ces connaissances, aborder les méthodes numériques qu'il aura, sinon à programmer, au moins à utiliser; enfin, et surtout, lui faire acquérir, à travers la présentation de ces méthodes, les mécanismes qui permettent de passer de la description parfois abstraite d'un problème à sa forme algorithmique.

Ce livre, initialement rédigé comme le support d'un cours enseigné au département d'Informatique de l'Université d'Ottawa (Canada) et destiné aux étudiants des différents départements de Génie de ladite Université, se subdivise donc en deux parties distinctes : programmation et méthodes numériques.

Programmation

Cet ouvrage s'appuie sur différents dialectes de Fortran 77 : la « norme » officielle, naturellement, mais également VS Fortran (IBM), VAX Fortran (Digital Equipment) et Watcom Fortran (développé par l'Université de Waterloo, Ontario).

L'objet de cet ouvrage n'est pas de former des programmeurs, encore moins des spécialistes Fortran. L'accent est mis avant tout sur les structures, que l'on retrouve dans la plupart des langages autres que Fortran, et les différences de syntaxe entre les divers variantes de Fortran abordées sont expliquées et illustrées, de manière à ce que le lecteur soit prêt à passer, comme il en aura vraisemblablement l'occasion dans sa vie professionnelle, d'un dialecte à un autre sans traumatisme excessif.

La première partie du présent livre n'est donc pas à considérer comme un « manuel de référence Fortran », le langage n'étant qu'un moyen commode d'appliquer des concepts.

Cet ouvrage abordant beaucoup de matière nouvelle (aucune connaissance antérieure de la programmation n'est supposée), les auteurs ont délibérément choisi de complètement oublier certaines instructions ou particularités de Fortran qui ne font pas partie du strict minimum pour survivre, préférant insister lourdement sur les bases et ne pas noyer le lecteur sous un flot de détails. Ce manuel est cependant auto-suffisant et permet de virtuellement programmer n'importe quoi, et en particulier tout ce qui constitue la deuxième partie de l'ouvrage.

Méthodes numériques

La deuxième partie, dont Stéphane Faroult est seul coupable (inutile de maudire Didier Simon), est à considérer avant tout comme un prétexte pour appliquer les concepts vus dans la première partie. Accessoirement, elle est l'occasion d'avoir un premier contact avec l'analyse numérique et des méthodes utiles en ingéniérie.

En général les livres de méthodes numériques peuvent se rattacher à deux grandes écoles : les livres français, sous un titre modeste, démontrent d'habitude les choses les plus simples à grands coups d'axiome de Zorn dans des espaces de Banach et ignorent totalement la signification du mot « organigramme »; les livres américains, qui donnent plutôt dans le « Advanced Numerical Analysis for Nobel Prize Recipients », énumèrent les formules en montrant sur un exemple qu'elles fonctionnent (c'est de la caricature, mais à peine). Les premiers sont intellectuellement satisfaisants (quand on arrive à comprendre, ce qui nécessite d'ordinaire un très sérieux bagage mathématique), mais manifestement peu concernés par la pratique; les deuxièmes sont pratiquement utiles mais ne donnent pas les moyens de comprendre ce qu'il faut faire quand tout ne fonctionne plus bien (cas fréquent) et sont parfois frustrants.

En dépit d'une tendance très nette à pencher d'un côté, heureusement contrebalancée par les efforts de critiques consciencieux, l'auteur a essayé pour ce livre de respecter l'équilibre entre les deux écoles. Le lecteur jugera!

Il y a donc deux aspects parallèles :

— A court terme, algorithmes et programmation; beaucoup d'algorithmes sont donnés, pratiquement aucun programme. C'est au lecteur de savoir passer de l'un à l'autre.

— A moyen terme, l'aspect «référence»; cela explique que toute cette partie semblera peut-être un peu théorique, surtout par rapport à la partie «programmation».

Il suffit toutefois de comprendre l'idée générale de la méthode et de pouvoir suivre son déroulement.

Les auteurs souhaitent exprimer toute leur reconnaissance à ceux à qui ils ont confié les illisibles photocopies de listings du «premier jet» de la première partie, avec pour mission de leur les rendre surchargées de rouge.

Ils ne sauraient trop remercier leurs assistants Marie-Claude Deslandes et Georges Maheu qui se sont montrés d'une efficacité redoutable dans cet exercice, et dont les remarques et corrections ont amené la révision de bon nombre de pages; ils remercient aussi leur assistante Joanne Bérubé et Valery Faroult qui ont également revu cette partie.

Les remarques des étudiants du cours CSI 1701 donné pendant l'automne 84 (qui ont utilisé une version parente de cette première partie) ont également été utiles pour la révision.

La deuxième partie doit beaucoup à messieurs Adams, Darboux, Gauss, Jordan, Kutta, Lagrange, Legendre, Milne, Newton, Riemann, Runge, Simpson, Taylor, Tchebychev, Weierstrass, et sans doute trois ou quatre autres que S. Faroult a oubliés. L'auteur ignore si le lecteur qui atteindra, hagard, la dernière page débordera de la reconnaissance qui est justement due aux mathématiciens précités. En dépit d'un tempérament d'un optimisme délirant, il ne parvient pas à se défaire d'un léger doute à ce sujet. Quoi qu'il en soit, sans eux cette deuxième partie n'existerait pas.

Voilà pour le fond. Pour la forme, il souhaite soumettre à la vénération publique les noms de ceux qui, plutôt que de lire des bandes dessinées comme n'importe qui, se sont plongés résolument dans des échantillons plus ou moins complets et toujours aussi illisibles de sa prose et lui ont fait part de leurs commentaires, qui lui ont valu de passer plus longtemps que prévu les yeux dans les yeux avec un programme de traitement de texte : ses assistants Jean-François Lapointe et Michel Brazeau, son collègue Russ Short et plus spécialement Georges Maheu (encore lui), Stephan Adam et Suzanne Marquis, qui ont affronté la lecture de 90 % de cette deuxième partie, ce qui est particulièrement méritoire quand on n'y est pas forcé. Il est tout spécialement reconnaissant à Stephan Adam et à Suzanne Marquis, dont la seule connexion avec ce cours remontait aux trois mois de martyre qu'il leur avait fait subir. Leur bonne volonté l'a vivement touché et la pertinence de leurs remarques l'a fait se féliciter, dans son immoralité profonde, de leur avoir proposé un surcroît de travail qu'ils ne lui devaient en rien.

Outre leurs lecteurs, les auteurs aimeraient également remercier Peter Hickey sans lequel ils n'auraient jamais réussi à se dépêtrer de ces §%$* & de caractères accentués, de ces &"?/!§ de formats de disquettes et de vitesses de transmission entre micro-ordinateur et imprimante. Ils ont particulièrement apprécié sa bonne humeur et sa disponibilité pour les tirer d'affaire en dépit de toutes les tâches plus nobles qui l'attendaient.

« Last but not least », ils remercient Jacques Raymond, Directeur du département d'Informatique de l'Université d'Ottawa, pour ses encouragements dans leurs divagations littéraires.

Enfin, les réactions, les remarques et les expressions des humeurs (bonnes ou mauvaises) des étudiants qui ont survécu au cours CSI 1590 donné pendant la session d'hiver 1984 ont été présentes à l'esprit de S. Faroult pendant la majeure partie de la rédaction. Si le présent livre reçoit, ce que D. Simon et lui espèrent, l'agrément de ses lecteurs, ils n'auront pas souffert en vain.

SF et DS

Rendons à César ce qui appartient à César, et au Dr T. I. Ören, également de l'Université d'Ottawa, la paternité des modèles d'organigrammes utilisés à travers tout ce livre, et que les auteurs ont légèrement adaptés pour les besoins de la cause.

Bibliographie

Ce livre, cela a été dit, ne couvre pas tout ce que l'on peut trouver dans Fortran. Le lecteur désireux de se spécialiser davantage pourra, surtout s'il souffre d'insomnie, se reporter aux manuels de référence des constructeurs pour VS Fortran et VAX Fortran.

En ce qui concerne Watcom Fortran, beaucoup plus répandu en Amérique du Nord qu'en Europe, on pourra se reporter à Waterloo Watcom Fortran, Tutorial and Reference Manual par Dirksen et Welch, publié par Watfac publications, dont la partie « Tutorial » n'est pas excitante mais dont la partie « Reference » est tout à fait décente et donne beaucoup d'exemples.

Pour les méthodes numériques un livre mérite d'être cité : Introduction to Computing, de Dick, Lawson et Smith (publié par Reston) qui utilise Watfiv (un Fortran structuré pas très éloigné de Fortran 77 et auquel il est fait référence dans ce livre) et qui aborde un certain nombre de méthodes de complexité modérée de manière intéressante, et assez orientée algorithmique. En dépit de quelques recoupements, il aborde des sujets (modélisation en particulier) complémentaires de ceux développés ici.

Les exercices qui ornent la fin de la plupart des chapitres de la première partie sont affectés d'un certain nombre d'étoiles qui indiquent leur niveau de difficulté :

* signifie trivial, application directe du chapitre,
** simple.

En principe, ces deux types d'exercices ne sont destinés qu'à vérifier que les idées importantes du chapitre ont été assimilées.

A partir de ***, il faut commencer à réfléchir un peu. Les réponses aux plus fondamentaux de ces exercices (c'est-à-dire ceux que les auteurs ont su faire) sont données en annexe. Les exercices corrigés sont repérés par le caractère >.

Table des matières

1

Introduction

Πόθεν οὖν ἄρξασθαι δεῖ;

— Ἂν συγκαθῇς, ἐρῶ σοι ὅτι πρῶτον δεῖ σε τοῖς ὀνόμασι παρακολουθεῖν.

« Par où donc faut-il commencer? — Si tu consens, je te dirai que tu dois d'abord comprendre les mots. »

Epictète, *Entretiens*

On rencontre aujourd'hui l'informatique un peu partout : elle intervient peu à peu dans notre vie quotidienne, où on la voit surtout dans l'administration et les services (banque, commerces...).

Elle s'insinue en fait de manière beaucoup plus discrète dans une foule d'autres domaines; par exemple, votre voiture, l'avion que vous avez emprunté pendant vos dernières vacances, vos skis..., de plus en plus d'objets ont été conçus et fabriqués grâce à l'informatique; le pont sur lequel vous passez à probablement, s'il est assez récent, été calculé grâce à un ordinateur et des programmes. Tout le monde se trouve aujourd'hui confronté à l'informatique et les ingénieurs, quelle que soit leur spécialité, sont en première ligne.

Qu'est-ce que l'informatique?

On présente souvent l'informatique comme la science des ordinateurs (computer science). Cette approche donne beaucoup d'importance à la machine. Aussi préférons-nous une définition plus générale :

l'informatique est l'ensemble des techniques du traitement automatique des informations.

Ici nous avons d'un côté l'homme, indispensable pour déterminer quelles informations traiter, et comment; de l'autre la machine qui permet un traitement rapide et automatique.

De plus cette définition montre comment le terme informatique a été créé :

INFORMAtion
autoMATIQUE

La question qu'il est légitime de se poser est : que signifie au juste le terme « information »?

Quand on parle d'« informations » dans la vie courante, on fait plutôt référence à ce que l'on peut voir à la télévision, entendre à la radio ou lire dans les journaux. Typiquement, c'est une bonne grosse catastrophe qui fait grand bruit pendant quelques heures.

Cette conception de l'information est extrêmement réductrice; en fait, nous désignerons par information tout renseignement sur le monde extérieur. Tout ce que nous percevons par nos cinq sens est de l'information, sous des formes variées. La voix nous sert à transmettre de l'information à des gens qui utiliseront l'ouïe pour la recevoir.

Le problème fondamental avec l'information, c'est de pouvoir la transmettre : elle ne prend en effet sa valeur qu'en circulant; à quoi sert de faire une découverte géniale si vous n'en parlez à personne? C'est comme si vous n'aviez rien découvert. Nous ajouterons donc que l'information est un renseignement associé à la communication.

Communiquer n'est pas simple, et présuppose tout un ensemble de codes et de règles. Le jour où vous devrez discuter d'un problème technique (ou autre) avec un collègue ne parlant pas le français, il vous faudra vous débrouiller pour vous faire comprendre, et pour le comprendre. S'il ne parle pas l'anglais non plus, cela risque d'être très dur : ou vous vous mettez au japonais en 10 leçons, ou vous passez par un interprète (ce qui peut être une bonne solution si vous ne voyez le collègue en question que tous les six mois, mais pas si vous travaillez tous les jours avec lui).

Avec un ordinateur, c'est un peu la même chose : il faut lui fournir l'information sous une forme qu'il puisse comprendre; si vous n'avez besoin de sortir avec lui des sentiers battus que très rarement, vous pourrez toujours utiliser un interprète (informaticien), si vous arrivez à mettre la main dessus. En revanche, et c'est le cas le plus vraisemblable, si vous voulez bien utiliser votre ordinateur et souvent, il vous faut apprendre son langage. La différence avec un être humain est qu'il ne fera aucun effort pour interpréter ce que vous lui direz, et si ce que vous lui dites n'est pas rigoureusement correct dans son langage (heureusement assez simple), il refusera de comprendre ou répondra n'importe quoi. De plus, l'étendue des domaines dans lesquels il est susceptible de « comprendre » n'est pas infinie.

Il comprend « oui », il comprend « non », « peut-être » le plonge dans une perplexité terrible. Il faut pour lui que l'information soit quantifiable, c'est-à-dire qu'elle puisse être mise d'une manière ou d'une autre sous la forme de chiffres.

Autre point absolument essentiel, l'information doit être exempte d'ambiguïté. C'est principalement ce qui empêche l'ordinateur de comprendre le langage humain; il existe un exemple célèbre de tentative de traduction automatique par ordinateur : partant de la phrase anglaise

« The spirit is willing but the flesh is weak » (l'esprit est fort mais la chair est faible) on arrivait en russe à quelque chose qui signifiait « La vodka est prête mais la viande est pourrie ». Lorsqu'un mot a deux significations possibles (comme « spirit » en anglais) on peut décider quelle est la bonne en voyant ce qui a le plus de sens. La notion de « sens » dépasse les capacités de la machine, qui ne saura traiter que ce qui est « mécaniquement » décidable, dans l'état actuel de l'art.

L'ordinateur est donc la principale machine pour traiter des informations et dans ce sens il est puissant. Cependant il a ses limites que les informaticiens essaient de pousser petit à petit.

L'informatique est une science, ce n'est pas l'informaGique. Et l'ordinateur, c'est « rien qu'une machine ben ordinaire »...

2

Environnement informatique

« Venez, vous dont l'œil étincelle
Pour entendre une histoire encore. »

Hugo, *Odes et Ballades*

Avant de nous attaquer froidement à la programmation à proprement parler, nous allons rapidement survoler quelques aspects de ce qui constitue le monde de l'informatique : deux sujets classiques d'abord, à savoir comment est organisé un ordinateur, puis un historique du matériel et des langages; cet historique nous conduira assez naturellement à une présentation de l'industrie informatique, des constructeurs et de leur place sur le marché, puis des sociétés de services, et enfin de l'informatique dans l'entreprise.

2.1. L'architecture des ordinateurs

De quoi un ordinateur se compose-t-il? Très grossièrement, on peut dire que le cerveau d'un ordinateur, que l'on appelle l'unité centrale (en anglais CPU, Central Processing Unit), est constitué de deux parties distinctes :

⋆ La mémoire centrale, dans laquelle sont rangées, non seulement les données à traiter, mais aussi les instructions indiquant quels sont les traitements à leur appliquer.

⋆ La partie « active », désignée sous le nom de processeur, qui va chercher en mémoire centrale les instructions, puis les données auxquelles elle fait subir le traitement adéquat avant d'aller les ranger de nouveau en mémoire centrale. Une étude fine du processeur permet de distinguer une « unité de commande », qui s'occupe des instructions, et une « unité arithmétique et logique » qui n'est pas fondamentalement quelque chose de mieux qu'une vulgaire calculatrice et qui opère sous la supervision de l'unité de commande. Quand l'ensemble du processeur est réalisé sur une seule « puce » électronique, on l'appelle un micro-processeur.

L'unité centrale

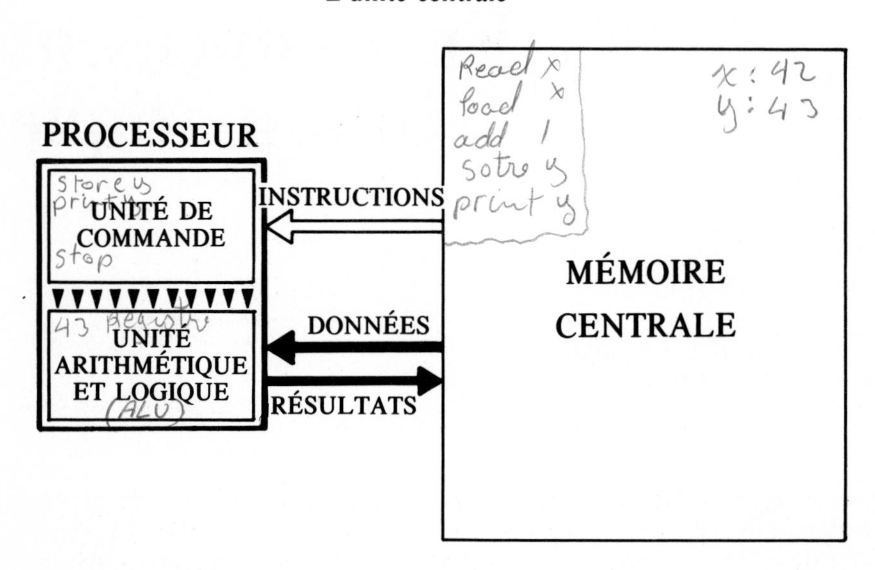

Tout cela est certes très intéressant, mais il faut reconnaître que la vie intime du processeur et de la mémoire centrale n'aurait pas grand intérêt si nous ne pouvions y ajouter notre grain de sel. C'est très bien d'avoir un tas de choses en mémoire centrale, encore faut-il être capable d'aller y mettre nos données — et nos instructions, parce que la machine ne fera jamais que ce qu'on lui aura demandé de faire (ce qui ne correspond pas toujours à ce que l'on veut qu'elle fasse!) — et, une fois qu'elle les aura traitées, d'aller y récupérer nos résultats.

Les constructeurs de matériel informatique, qui pensent à tout, se sont heureusement penchés sur la question pour nous fournir des unités d'échange (ou canaux) qui sont des espèces de passerelles entre l'unité centrale et le monde extérieur dans lequel nous nous trouvons par la force des choses.

Ces unités d'échange, habilement pilotées par l'unité de commande, transfèrent les informations entre (le plus souvent) le processeur et ce qu'on appelle les périphériques, le processeur s'occupant ensuite des rangements en mémoire centrale, ou encore directement entre la mémoire et les périphériques.

Nous venons d'employer à deux reprises le terme de « périphérique », il serait judicieux de le définir. Du point de vue égoïste de l'ordinateur, l'univers se compose de deux grandes catégories d'objets : ceux qui sont faits pour lui être connectés (les périphériques), et les autres.

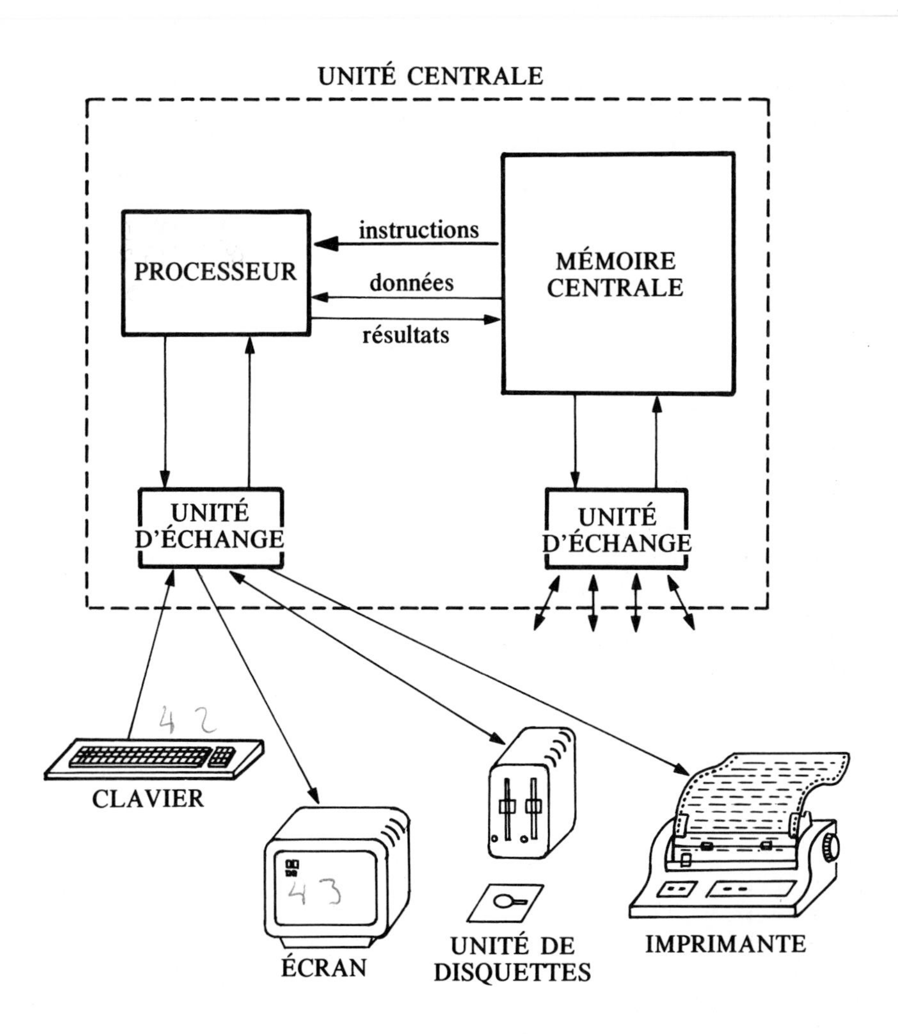

L'ordinateur

Un écran est un périphérique, un clavier aussi. Une pelle à neige n'est pas un périphérique; c'est un peu pour ça qu'il sera rarement fait mention de pelle à neige par la suite, mais beaucoup plus de clavier et d'écran.

Si nous voulons être précis, nous devons encore distinguer parmi les périphériques ceux qui servent à transférer de l'information de l'extérieur vers l'ordinateur, ceux qui servent à la transférer de l'ordinateur vers l'extérieur, et ceux qui fonctionnent dans les deux sens.

Un clavier appartient typiquement à la première espèce : vous l'utilisez pour rentrer vos commandes ou vos données, mais il ne vous sert à rien pour lire vos résultats, que vous irez chercher sur un écran ou parmi les kilomètres de papier crachés par l'imprimante, tous deux des périphériques de la deuxième famille.

Un support magnétique fonctionne lui dans les deux sens : on peut l'enregistrer, et l'on peut y lire ce qui y a été inscrit. L'analogie avec du matériel de Hi-Fi est assez facile : si l'amplificateur correspond à l'unité centrale, la platine fait pendant au clavier («l'information musicale» ne peut aller que dans le sens disque-amplificateur), les enceintes à l'écran, et le magnéto-cassette à une bande ou à un disque magnétique.

Le processeur apparaît dans tout ce qui précède comme un élément très actif; il l'est encore plus quand plusieurs personnes travaillent en même temps sur le même ordinateur. En effet, on a alors recours à ce que l'on appelle le «temps partagé» (time-sharing). Le processeur décode des instructions pour un utilisateur et commence à traiter ses données pendant quelques fractions de seconde, puis passe à d'autres utilisateurs avant de revenir au premier et ainsi de suite.

Comme l'ordinateur travaille très vite, on ne s'en aperçoit pas (sauf quand il y a trop de monde pour ses capacités et qu'il ne sait plus alors où donner de l'unité centrale). Évidemment, il ne faut pas que toutes les instructions, toutes les données et tous les résultats soient mélangés. Chaque fois que l'on change d'utilisateur, il faut mémoriser où l'on en était pour pouvoir reprendre le travail lorsque l'on reviendra à l'utilisateur que l'on vient de quitter. Ce n'est pas la peine d'entrer dans les détails pour que vous compreniez qu'il y a là toute une cuisine extrêmement compliquée.

Allégorie du système d'exploitation

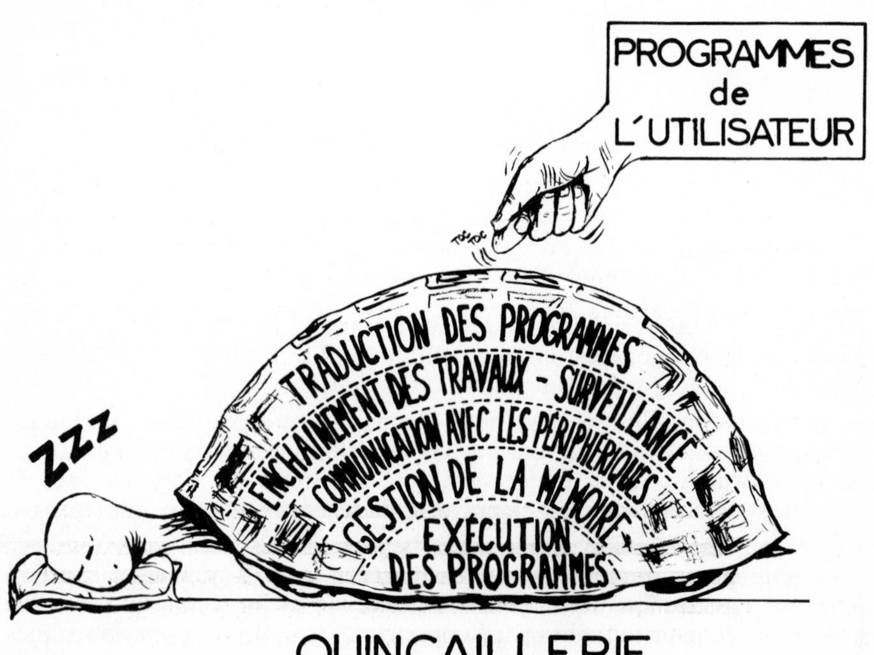

Qui se charge de cette cuisine? Un ensemble d'instructions spécial, prioritaire, qui a été écrit par les gens qui ont construit la machine et qui la pilote, via le processeur. Les instructions que vous voudrez faire exécuter à la machine ne pourront l'être qu'avec la bénédiction des instructions qui gèrent l'ensemble de la machine et des périphériques. On regroupe ces instructions sous le nom de système d'exploitation. Il porte d'habitude un nom évocateur du style MVS, VM (pour les grosses machines), VMS, UNIX (pour les machines moyennes), CP/M ou MS-DOS (pour les micro-ordinateurs). Quel qu'il soit, les utilisateurs se plaignent toujours et par tradition de sa lenteur.

Le système est fondamental, bien qu'il soit presque totalement invisible pour l'utilisateur. C'est un peu lui le chef d'orchestre à l'intérieur de la machine. Une de ses caractéristiques importantes est qu'il est construit en couches successives : à la base sont l'électronique et le matériel; les circuits électriques permettent de développer des instructions « de base », qui permettent à leur tour d'en créer de plus puissantes, elles-mêmes à l'origine d'instructions encore plus puissantes et ainsi de suite; petit à petit, à force d'utiliser des couches de plus en plus élevées, on arrive à faire abstraction de la quincaillerie.

Lorsque vous écrirez un programme, vous n'aurez absolument pas besoin de savoir à quoi ressemble la machine qui va l'exécuter. En fait, il pourra tourner sur des machines totalement différentes, fabriquées par des constructeurs différents. La partie du système avec laquelle vous serez en contact (la partie émergée de l'iceberg!) est formée des commandes qui s'affichent lorsque vous vous connectez. Ces commandes pourront varier avec les installations sur lesquelles vous travaillerez.

2.2. L'évolution de l'informatique

Il n'est pas nécessaire de préciser que l'on n'est pas passé du boulier à ce qui vient d'être décrit du jour au lendemain. On peut distinguer deux ascendances distinctes pour l'ordinateur : on peut le considérer à la fois comme l'héritier des machines à calculer et des automates.

Les machines à calculer font remonter leur arbre généalogique à Pascal, qui a réalisé au milieu du XVIIe siècle une machine à base d'engrenages qui additionnait et soustrayait. Cinquante ans plus tard, Leibniz, qui trouvait sans doute que ce n'était pas la meilleure des machines possibles, l'a améliorée et rendue capable de multiplier et de diviser. Les machines à calculer ont dû ensuite attendre l'avènement de l'électricité et de l'électromécanique pour réellement évoluer.

Les automates étaient la concrétisation d'un concept extrêmement important en informatique, l'enchaînement automatique des traitements. Leur vogue a été très grande au XVIIIe siècle en particulier; pour la petite histoire, un célèbre concepteur d'automates, le baron Wolfgang von Kempelen, exhibait à l'époque napoléonienne un automate qui jouait aux échecs, et battait la plupart de ses adversaires humains. L'automate en question était une supercherie, mais la machine qui joue aux échecs n'est plus aujourd'hui un mythe... L'enchaînement automatique s'est également retrouvé dans l'orgue de barbarie, le piano mécanique ou le métier à tisser (Jacquard) : en effet dans tous ces cas on a codifié un ensemble d'actions à effectuer sur un support quelconque (carton perforé, etc.) que la machine exécute ensuite, *les unes après les autres, dans l'ordre où elles ont été inscrites.*

Le premier à tenter d'appliquer cette notion d'enchaînement automatique aux machines à calculer fut le mathématicien anglais Charles Babbage, qui vers 1850 prévoyait une machine qui sur le plan logique correspondait à ce qui allait apparaître 90 ans plus tard. Malheureusement pour lui, la technologie de l'époque était insuffisante pour faire passer ses projets du plan à la réalisation pratique, ce qui fait que ce Léonard de Vinci de l'informatique s'est ruiné à ces projets et a été totalement incompris de son temps.

L'ordinateur moderne naît aux environs de la Deuxième Guerre mondiale, et l'on en attribue principalement la paternité à un mathématicien américain d'origine hongroise, John von Neumann. Il a eu l'idée, à partir des mémoires que l'on commençait à réaliser à l'époque, de mettre la suite des instructions à exécuter en mémoire, comme les données, au lieu de les avoir sur un support extérieur comme l'avait imaginé Babbage. Cela ne vous saute peut-être pas aux yeux, mais cela offrait des perspectives assez fantastiques.

Les militaires, toujours pratiques, avaient suffisamment de soucis à l'époque pour s'intéresser à ce qui pourrait leur apporter un minimum d'aide; les calculs nécessités par le développement d'un produit comme la bombe atomique rendaient les calculateurs électriques et l'ordinateur très séduisants. Les premières équipes de recherche n'eurent donc pas trop de problèmes financiers. On vit apparaître assez rapidement ce que l'on appelle la première génération d'ordinateurs. Quelques dates :

1944 Réalisation de Mark I, par une équipe de l'université Harvard et une société de machines de bureau nommée IBM. Mark I était plutôt une grosse calculatrice électro-mécanique.

1949 Réalisation à Cambridge (UK) de EDSAC, d'après les travaux de von Neumann.

1951 Premier ordinateur commercialisé (UNIVAC), par la société Sperry.

On s'accorde généralement pour dire que cette première génération des temps héroïques de l'informatique se termine vers 1958. Elle était caractérisée sur le plan technologique par l'emploi des lampes (comme dans les vieux appareils de radio ou les téléviseurs du Paléolithique). L'ordinateur typique de la première génération pesait 25 tonnes, occupait un bloc de maisons (sur trois étages), tombait en panne tous les quarts d'heure en moyenne et la mention de son prix n'était pas recommandée aux personnes fragiles sur le plan cardiaque. Quant à ses performances, elles approchaient (sous réserve de panne en cours de route) celles d'une calculatrice programmable de bas de gamme d'aujourd'hui.

La deuxième génération, génération de transition qui se place de 1959 à 1962 environ, est caractérisée essentiellement par le développement de la technologie des transistors (inventés en 1947) qui :
— amélioraient très sérieusement la fiabilité;
— diminuaient de manière impressionnante la taille des machines;
— multipliaient la vitesse de calcul par un coefficient entre 2 et 100.

La troisième génération, à partir de 1962, a vraiment vu l'essor de l'informatique : les transistors ont été remplacés par les circuits intégrés (de plus en plus intégrés), qui marquaient un progrès encore supérieur à celui qui avait été obtenu précédemment. Le temps partagé, que commençaient à rendre possible les performances des machines, a été introduit en 1965, et les différentes innovations se sont présentées à un rythme accéléré.

On peut faire remonter la quatrième génération à l'apparition du micro-processeur au début des années 70; en fait, beaucoup de spécialistes de l'informatique n'ont réalisé qu'ils n'étaient plus dans la troisième génération que lorsque les Japonais ont commencé à mentionner vers 1980 une «cinquième génération» (encore à venir) assez floue. Le micro-processeur a conduit assez logiquement à l'ordinateur qui l'utilise comme unité centrale, le micro-ordinateur, qui n'a vraiment fait parler de lui que vers 1975. A part le micro-ordinateur, les principales réalisations marquantes ont été du domaine du télétraitement (c'est-à-dire que l'on peut aujourd'hui travailler sans problème à Tokyo sur un ordinateur physiquement situé à Amsterdam ou San Francisco) et des télécommunications, domaine qui a encore un bel avenir devant lui.

Pour résumer brièvement les progrès qui ont été réalisés dans le domaine technologique depuis l'âge de l'ordinateur taillé, disons que si l'automobile avait subi la même évolution pendant les 30 dernières années, une Rolls-Royce pourrait parcourir 1 000 000 km avec un seul litre d'essence et coûterait un peu moins d'une livre sterling (le lecteur traduira dans la monnaie qui lui est habituelle)...

En même temps que le matériel (hardware), le logiciel (software), c'est-à-dire tout ce qui est programmes, systèmes d'exploitation, etc. évoluait de manière moins spectaculaire peut-être mais tout aussi importante. Aux premiers temps on communiquait avec l'ordinateur au moyen de 0 et de 1; quand on voulait lui faire additionner 2 et 2 on lui envoyait quelque chose du style :

00001111010100100001000101100011...

Les informaticiens sont des gens doués d'une grande patience, mais l'accumulation des dépressions nerveuses fit très rapidement adopter un codage différent, où chaque lettre ou chiffre représentait une combinaison différente de 4 zéros ou uns, et qui était transformé, sans erreur, en ce qu'il y a plus haut par un programme de traduction. Les programmes avaient alors l'encourageante apparence suivante :

0F 92 11 A3... (cela correspond aux 0 et 1 précédents).

Ce genre de codage, que l'on appelle le codage hexadécimal, a été utilisé un certain temps, jusqu'au jour où l'on s'est dit que, quitte à écrire un programme de traduction, il pourrait peut-être traduire en 0 et en 1 quelque chose de plus lisible, et l'on a créé un langage que l'on appelle l'assembleur, qui est très dépendant de la machine sur lequel on l'utilise, et qui a en général une forme du style :

```
LOAD B
ADD C
MOVE A,H
...
```

Hem! Encore légèrement ésotérique... Néanmoins l'assembleur permettait (aux spécialistes) des réalisations intéressantes, et l'on trouve toujours aujourd'hui des gens (qui deviennent rares) pour l'utiliser. Les reproches que l'on pouvait lui faire sont tout de même nombreux :
— c'est assez difficile à bien utiliser;
— du coup, la productivité des programmeurs est faible;
— quand il y a une erreur, on s'amuse pour la corriger;
— quand on change de machine, il faut tout réécrire.

Le terrain était mûr pour l'étape suivante, à savoir l'introduction des langages dits «de haut niveau». Dès 1956, Backus, un chercheur d'IBM, créa FORTRAN (pour FORmula TRANslator) dont les différents Fortrans que nous utiliserons dans ce livre, sont des arrière-arrière-arrière... petits-fils.

La somme de 2 et de 2 s'écrit en Fortran :

```
SOMME=2+2
```

ce qui est nettement plus sympathique que ce que nous avons pu voir jusque-là. Fortran était initialement prévu pour les calculs scientifiques (d'où son nom). Il présentait l'avantage énorme, à partir du moment où sa grammaire était précisément définie, de pouvoir «tourner» sur n'importe quelle machine; il suffisait que cette machine dispose d'un programme (en assembleur par exemple) capable de traduire ce langage «universel» en instructions spécifiques du matériel. Ce programme de traduction est appelé compilateur. On parvient ainsi à ce qu'on appelle la portabilité des programmes : on pouvait se permettre d'écrire des programmes d'envergure puisque le jour où la machine sur laquelle on les avait écrits serait technologiquement dépassée (ça arrive très vite...) et remplacée, on pourrait les utiliser sur la nouvelle machine avec dans le pire des cas quelques modifications mineures. Et bien sûr, les programmes devenaient beaucoup plus faciles à écrire, et à corriger.

Fortran était un langage prévu pour les applications scientifiques; même s'il a connu des versions différentes — et ce n'est sans doute pas fini — le besoin s'est fait sentir de langages soit plus adaptés à des applications non scientifiques (COBOL pour la gestion), soit offrant des facilités absentes de Fortran; on peut citer en vrac PL/1, APL, BASIC, Pascal, ALGOL...

En fait, il fut une époque (vers le milieu des années 60) où toute compagnie et toute université se sentait obligée de créer son propre langage. Pendant ce temps-là sortait en général une nouvelle version de

Fortran qui assimilait la plupart des bonnes idées des autres langages couramment disponibles, tout en tâchant de rester compatible avec la version précédente. A tel point qu'un célèbre professeur d'Informatique d'Oxford est cité pour avoir dit qu'il ignorait à quoi ressemblera le langage de programmation de l'an 2000, mais qu'il s'appellera certainement Fortran!

Il existe aujourd'hui des programmes en Fortran (Fortran IV en particulier, une version maintenant ancienne mais qui a été très populaire) qui couvrent à peu près tous les domaines du génie.

Ce livre présente différents avatars de Fortran 77, qui est la version la plus moderne (en attendant la prochaine...) de Fortran : VAX Fortran (Digital), VS Fortran (IBM), Watcom Fortran (Université de Waterloo, Ontario), en montrant leurs différences par rapport à la « norme » Fortran 77. Nous ferons également référence à Fortran IV ainisi qu'à Watfiv, autre produit de l'Université de Waterloo qui est très répandu en Amérique du Nord.

A l'heure actuelle, la tendance est à une différenciation des langages en langages pour spécialistes et en langages pour non spécialistes.

Les langages pour spécialistes se subdivisent en langages « classiques », reposant sur les mêmes structures, tels que ceux cités plus haut (plus quelques autres), et en langages « d'intelligence artificielle » (LISP, Prolog, ...) qui font appel à des manières de penser très différentes et appartiennent encore largement au domaine de la recherche.

Les langages pour non-spécialistes (du moins, dans une certaine mesure!) sont assez développés dans le domaine de la gestion (interrogation de bases de données); dans le domaine scientifique, il reste encore beaucoup à faire. En fait, la plupart des ingénieurs maîtrisent aujourd'hui assez bien au moins un langage comme Fortran et ils n'hésitent pas, pour une application pas trop compliquée, à programmer eux-mêmes quand ils ne trouvent pas un programme à leur goût sur le marché. Cela peut sembler curieux, mais ce sont peut-être certains ingénieurs en informatique qui programment le moins!

2.3. L'industrie informatique

L'industrie informatique, qui en quelques décennies a pris un poids comparable à celui des industries les plus anciennes et les mieux établies, est dominée, et de loin, par un constructeur : IBM. Certains n'hésitent pas à parler à son sujet de monopole, affirmation naturellement rejetée avec vigueur par la compagnie en question.

Il est très intéressant d'avoir une vue légèrement rétrospective. Dans les premiers temps, IBM avait une place tout à fait comparable aux autres constructeurs; si vous vous rappelez l'historique qui a été fait précédemment, c'est Sperry, et non IBM, qui a commercialisé le premier ordinateur. En fait, Sperry vendait plus d'ordinateurs au début des années 50 que n'en vendait alors IBM.

La différence entre Sperry et IBM est que Sperry est resté relativement fidèle à l'esprit des premiers temps de l'informatique où l'ordinateur était avant tout un instrument scientifique; les dirigeants d'IBM ont eu assez de clairvoyance pour prévoir toutes les applications de gestion de l'informatique et se sont orientés très nettement dans cette direction tout en soignant particulièrement leur réseau commercial : plutôt que de vanter les performances de leurs machines, les ingénieurs commerciaux d'IBM apportaient à leurs clients « des solutions ».

Cette politique a porté ses fruits, et pendant que ses principaux concurrents dans le domaine des gros ordinateurs (Burroughs, Sperry — également connu sous le nom d'Univac —, NCR, Control Data et Honeywell) « végétaient » — du moins par rapport aux possibilités du marché — IBM se taillait la part du lion, jusqu'à arriver parmi les dix premières sociétés mondiales. Tous les constructeurs nommés ci-dessus ont chacun développé des architectures différentes, des codages de l'information différents, bref des machines assez peu compatibles (passer de IBM à Burroughs ou l'inverse est le cauchemar de tout département informatique).

Le succès d'IBM a suscité dans le courant des années 60 la floraison de toute une gamme de constructeurs qui faisaient du « compatible » (sous-entendu : compatible IBM), d'abord des périphériques, puis, à partir de 1970, également des machines. Leur production allait du vulgaire plagiat à du matériel profondément original ou même technologiquement plus avancé, mais qui pour l'extérieur se comportait en tout comme un produit IBM, le but du jeu étant de faire au moins aussi bien que le modèle, et moins cher. C'est un jeu dangereux auquel certains se sont cassés les reins : une modification de la politique des prix d'IBM (qui de toutes façons baisse de 20 % les prix de ses grosses machines tous les ans) ou une innovation importante pouvait tout renverser.

Ce qui précède couvre principalement la montée en puissance d'IBM, à savoir de la fin des années 50 au tout début des années 70. Vers cette époque, le progrès technologique a favorisé l'émergence des « minis », des ordinateurs qui sous une taille réduite cachaient des performances qui dépassaient celles des gros ordinateurs sortis seulement quelques années auparavant. Ils n'exigeaient souvent plus de salle climatisée, et sans être totalement presse-boutons ils permettaient de se passer de toute l'équipe de spécialistes nécessaire pour faire fonctionner une grosse machine.

Leur succès a été très grand dans l'industrie (contrôle de processus, gestion de production, conception assistée par ordinateur...) et dans les universités. La plupart des applications scientifiques s'exécutent sur ce genre de machines, dont on peut dire qu'elles sont les plus utilisées par les ingénieurs en général. On les utilise également abondamment dans les gestions de réseaux de télétraitement. Le leader de cette catégorie est Digital (souvent mentionné sous le nom de DEC pour Digital Equipment Corporation) qui s'est hissé à une vitesse exceptionnelle à la place de deuxième constructeur (que Burroughs lui a repris en rachetant Sperry); il faut néanmoins citer d'autres constructeurs importants, tels que Hewlett-Packard, Data General ou Pr1me (entre autres) qui ont également très bien réussi dans cette gamme. Ces constructeurs commencent à avoir, en particulier DEC, des ambitions dans le domaine des machines surpuissantes.

L'apparition des micro-ordinateurs a encore légèrement bouleversé les données. Les pionniers comme Tandy (alias Radio-Shack), qui dominait très largement à l'origine, ont vu leurs parts d'un marché en très forte expansion diminuer avec le succès d'Apple tout d'abord (l'Apple II a été plusieurs années l'archétype de l'ordinateur individuel) mais surtout avec l'entrée dans la danse des grands constructeurs qui, après avoir été sceptiques au début, se sont lancés à fond, ce qui a fait des vagues.

Le succès le plus phénoménal est celui d'IBM encore une fois, qui en deux ans a capturé 25 % du marché. Digital a également réussi une percée très importante, aux États-Unis du moins.

Ce n'est évidemment pas un hasard si les nouvelles puissances qui émergent au royaume du micro-ordinateur sont celles qui dominent déjà dans les catégories supérieures : l'idée d'une entreprise qui achète des micros est en général de les connecter à la machine principale, qui dessert toute l'entreprise, voire à tout un réseau de machines différentes. Certains travaux seront ainsi traités sur le micro-ordinateur, ce qui soulagera la grosse machine à laquelle on ne fera plus appel que quand cela sera vraiment nécessaire. Pour faciliter les connexions, la démarche qui semble logique est souvent d'acheter des micro-ordinateurs de la même marque que la machine principale; en fait on peut virtuellement connecter (presque) n'importe quoi à n'importe quoi, mais cela facilite les choses de n'avoir qu'un fournisseur.

Ces connexions de toutes sortes seront au cœur de l'informatique de demain. Cela a des conséquences intéressantes sur le plan de l'industrie; l'informatique en est arrivée à un stade où elle finit par empiéter sur les télécommunications et la bureautique, et réciproquement. Certains attendent avec excitation l'affrontement IBM-AT&T. Pour l'instant, la quasi-totalité des grands constructeurs a établi des accords avec des sociétés spécialisées dans les télécommunications (l'absorption pure et simple étant une forme extrême de l'accord). Il ne faut pas négliger des sociétés comme Wang ou Xerox qui sont arrivées à l'informatique par la bureautique.

Il est temps de remarquer que toutes les compagnies citées plus haut sont américaines. Que se passe-t-il dans le reste du monde?

Si l'on excepte, comme toujours, les Japonais qui sont les seuls a avoir pénétré le cercle fermé des dix premières entreprises informatiques mondiales, grâce à Fujitsu, à NEC (Nippon Electric Company) et à Hitachi, les constructeurs non américains font pour l'instant assez piètre figure. La plupart des pays de l'OCDE possèdent UN grand constructeur national, compagnie de taille généralement importante, souvent lourdement subventionnée, et qui essaie timidement de ne pas avoir l'air trop ridicule face à la filiale locale d'IBM. Les constructeurs européens font néanmoins des efforts louables pour travailler ensemble, ne serait-ce qu'à l'élaboration de standards. Ils nouent aussi souvent des liens avec des concurrents américains d'IBM, ou des constructeurs japonais.

Néanmoins, dans le domaine des télécommunications, domaine qui prend chaque jour plus d'importance, il existe un nombre respectable de «poids-lourds» hors des USA : on peut citer entre autres Northern Telecom au Canada, Philips aux Pays-Bas, Ericsson en Suède, Thomson et CIT-Alcatel en France, etc.

Dans le domaine apparenté à l'informatique qu'est la «robotique», il faut aussi préciser que les Suédois sont, avec les Japonais auxquels ils vendent sans complexes leurs machines, extrêmement avancés; leur compagnie dominante en la matière s'appelle ASEA.

2.4. L'industrie des services

Le développement de l'informatique a entraîné l'apparition de toute une industrie du service informatique qui prend en général deux formes :
— Soit la fourniture de «ressources informatiques».
— Soit la fourniture de prestations intellectuelles.

La fourniture de «ressources informatiques» prend elle-même deux formes très liées : l'informatique, c'est du matériel et du logiciel, et l'on trouve des compagnies pour fournir les deux.

En effet, une compagnie dont les besoins en puissance de calcul ne justifient pas l'achat d'une grosse machine (l'ordre de grandeur du prix est le million de dollars pour un «haut de gamme») peut s'adresser à une autre compagnie qui dispose de machines puissantes auxquelles sont connectés en temps partagé plusieurs clients. Ces clients reçoivent ensuite chaque mois une facture correspondant au nombre d'unités utilisées; l'unité est un mélange assez mystérieux prenant en compte différents paramètres techniques.

Les mêmes sociétés de service mettent aussi assez souvent à la disposition de leurs clients, moyennant finances, des programmes qu'elles ont développés, et qu'elles vendent parfois aux sociétés qui disposent de machines.

Certains constructeurs offrent ce genre de services, ainsi qu'un assez grand nombre de compagnies indépendantes : parmi les premières mondiales, on peut citer Tymshare (USA), Geisco (USA), EDS (USA), Cisi (France), SG2 (France), Scicon (GB), ...

Beaucoup de ces compagnies sont nées du département informatique de gros consommateurs d'ordinateurs, qui ont trouvé ce moyen pour davantage rentabiliser leurs investissements. Ainsi, Geisco est une filiale de General Electric, la Cisi une filiale du Commissariat à l'Énergie Atomique Français, SG2 une filiale de la Société Générale (banque) et Scicon enfin une filiale de British Petroleum.

La fourniture de prestations intellectuelles recouvre tout ce qui est programmes. Les premiers à vendre des programmes sont les constructeurs, qui écrivent bien sûr les systèmes d'exploitation fournis avec les machines, mais aussi beaucoup d'autres programmes dits «utilitaires» et des programmes d'application. Néanmoins, comme l'essentiel du revenu des constructeurs provient de la vente de matériel, la branche du logiciel n'était pas jusqu'à présent considérée comme très « noble » chez eux; il semblerait que les choses soient en train d'évoluer.

D'autres programmes sont issus d'entreprises qui les ont écrits pour leurs propres besoins : les deux principaux programmes de conception assistée par ordinateur commercialisés par IBM, Cadam et Catia, sont nés le premier chez Lockheed et le second chez Dassault; il existe d'autres exemples de ce style.

Enfin, certaines compagnies sont spécialisées dans la fourniture de programme soit en « sur-mesure », soit en « prêt-à-porter ». Le sur-mesure est le domaine des grandes réalisations informatiques, pour le compte de gouvernements ou d'administrations par exemple. Les grands noms dans ce domaine sont Computer Sciences (USA) et Cap-Gemini Sogeti (France). Le domaine privilégié du prêt-à-porter est la micro-informatique (mais pas seulement elle), où apparaissent même des éditeurs de logiciel. Les compagnies les plus connues en micro-informatique s'appellent Microsoft, Digital Research (aucun rapport avec le constructeur), Micropro, Ashton-Tate, Lotus Development, Borland International, Lifeboat (éditeur), ...

2.5. La tendance dans les entreprises

Les entreprises ont commencé par informatiser leur gestion; mais, surtout au cours des années 70, les ordinateurs et terminaux ont fait de plus en plus partie du paysage des usines et des bureaux d'études. C'est là que l'on a commencé à parler de CAO, puis de CFAO, termes abscons qui signifient, le premier Conception Assistée par Ordinateur, et le second Conception et Fabrication Assistées par Ordinateur (les Anglo-Saxons parlent de CAD/CAM, ce qui n'est guère mieux). Dans la plupart des grandes entreprises, ce sont aujourd'hui des tables traçantes qui dessinent les plans des automobiles, avions, etc. de demain, et le même programme qui aide l'ingénieur à concevoir déterminera les mouvements et la programmation de la machine de production. On parle alors de CIM (Computer Integrated Manufacturing) qui se développe en particulier sous l'impulsion de grands industriels comme General Motors ou Boeing, qui définissent des règles et des normes pour que les différentes machines puissent dialoguer — en particulier une norme appelée MAP (Manufacturing Automation Protocol).

Il reste encore toutefois beaucoup à faire en informatique dans le domaine du génie : par exemple, les programmes de gestion pullulent pour les micro-ordinateurs. Les programmes scientifiques sont quasi-inexistants en comparaison.

Il est des signes néanmoins qui ne peuvent laisser insensible quiconque s'intéresse à l'informatique : IBM témoigne d'un intérêt de plus en plus marqué pour l'informatique scientifique, ce qui n'est pas sans inquiéter les petites compagnies qui prospéraient jusqu'ici tranquillement dans ce domaine peu fréquenté.

3

Utilisation de la mémoire

« Nous ne travaillons qu'à remplir la mémoire »

Montaigne, *Essais*, livre I

3.1. Les types de données

Les informations traitées par l'ordinateur sont plus précisément appelées des données. Un programme, qui est un ensemble d'instructions, exécute un travail sur les données et produit des résultats (en principe).

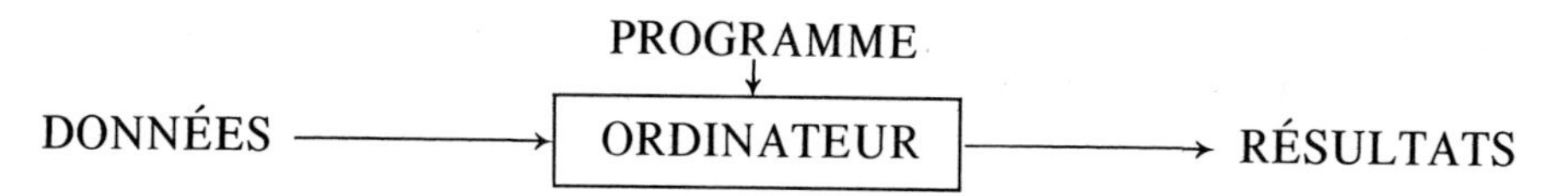

L'ordinateur tel que nous l'utiliserons manipule des nombres (informations numériques) et du texte, désigné en informatique sous le terme : chaînes de caractères (informations alpha-numériques). Ces deux familles se différencient simplement par l'usage que l'on en fait : les nombres pour les calculs et les chaînes de caractères pour représenter les mots.

Les langages de programmation classiques (notamment Fortran) acceptent ces deux familles de données et partagent les numériques en deux classes.

Nous nous retrouvons donc avec les trois types de données suivants : les ENTIERS sont des nombres positifs ou négatifs :

12 −3576 0 1230495867

les RÉELS sont des nombres positifs ou négatifs ayant une partie décimale (éventuellement composée de 0 uniquement; dans ce cas on fait simplement suivre le nombre d'un point) :

10.5   230.   −2.6941   0.00457

C'est un point décimal que l'on utilise (comme avec les calculatrices) et non une virgule.

Lorsque les réels sont trop grands, Fortran les met sous notation scientifique, par exemple :

3 500 000 000 000 000

s'écrira   .35E16.

La première partie est la mantisse (.35), la seconde est l'exposant (E16). L'exposant est composé de la lettre E suivie d'un entier qui représente la puissance de dix par laquelle est multipliée la mantisse (E3 signifie que la mantisse sera multipliée par 1000).

Les nombres servent pour les calculs qui sont effectués à l'aide des opérations classiques (addition, soustraction, multiplication, division, élévation à la puissance) et de fonctions mathématiques non moins classiques (sinus, cosinus, racine carrée, logarithme, exponentielle...) :

19.3902 + 28938 − 309685.55 * 289.02
SIN(138.) * 3.14 + TAN(20.5)

Remarque
Le signe de la multiplication se note * en langage informatique pour éviter la confusion avec la lettre X. L'élévation à la puissance se note **.

Les CHAINES DE CARACTÈRES sont formées de séries de caractères mis entre apostrophes :

'ALLO' 'OU VAS TU AUJOURD''HUI'.

Lorsque la chaîne de caractères comporte déjà une apostrophe nous devons la mettre en double.

Les opérations sur les chaînes de caractères se limitent essentiellement à la juxtaposition, la fragmentation, l'extraction de sous-chaînes... Elles sont peu utilisées par les ingénieurs, mais beaucoup plus en gestion (traitement de texte).

3.2. Mémoire centrale

Les données sont lues par l'ordinateur puis stockées dans sa mémoire centrale. La mémoire centrale contient donc les données, mais aussi le programme qui traite ces données et le système d'exploitation qui supervise le travail.

<table>
<tr><td>programme</td><td rowspan="2">données</td></tr>
<tr><td>système</td></tr>
</table>

Utilisation de la mémoire centrale

Sous quelle forme ces données sont-elles contenues? Eh bien, l'ordinateur est une machine électrique (la preuve est qu'il faut le brancher!) et l'on peut facilement y regarder s'il y a de la tension ou s'il n'y en a pas.

Pour faire la mémoire on a eu l'idée d'utiliser un «bidule» électronique (le bistable) qui mémorise le fait «tension» ou «pas tension». Ces deux états sont symbolisés par 1 et par 0 et ont conduit à l'utilisation du langage binaire.

On a défini le bit (binary digit) comme l'élément binaire de base, c'est-à-dire quelque chose qui peut valoir soit 0, soit 1; ainsi, un bistable permet de représenter un bit. Une mémoire centrale est une fourmilière de bits. Par raison de commodité, on ne considère pas d'ordinaire les bits individuellement mais par paquets de huit, que l'on appelle des octets. Sur les grosses machines, on parle même de mots, qui sont des ensembles d'octets.

Une des caractéristiques principales d'un ordinateur est la capacité de sa mémoire centrale, que l'on donne d'habitude en octets : par exemple, 4,194,304 octets (cela correspond toujours à une puissance de 2, le chiffre magique de l'informatique). Comme pour les autres unités de mesure, on a défini des multiples, le «kilo octet» (Ko), qui est égal non à 1000 mais 1024 octets (1024=2**10) et le «méga octet» (Mo), égal à 1024 Ko. Ainsi se réfère-t-on plus souvent aux 4 194 304 octets cités plus haut comme à 4 096 Ko, ou 4 Mo.

Dans le cas particulier du micro-ordinateur, on sépare encore la mémoire en ROM (Read Only Memory, mémoire «morte») et en RAM (Random Access Memory, mémoire «vive»). On ne peut que lire ce qui se trouve en ROM, et qui est stocké là de manière permanente (c'est là que se trouvent en partie ou en totalité les instructions du système d'exploitation); on peut lire et écrire en RAM (c'est là que sont rangés les programmes et les données de l'utilisateur), mais tout disparaît avec le courant. Les gros ordinateurs n'ont pour ainsi dire pas de ROM, on charge le système d'exploitation depuis un périphérique à chaque mise en route de la machine.

Lorsque l'on dispose de bits, il suffit de trouver un codage pour représenter tout ce que l'on veut mettre en mémoire.

Un codage n'est pas compliqué, il suffit de s'entendre sur des conventions. Les codages pour représenter les numériques et alphanumériques en binaire utilisent l'octet comme élément de base.

Un codage pour les entiers est facile à imaginer : en prenant un octet, il est naturel de convenir que

00000000	signifie	0,
00000001		1,
00000010		2,
00000011		3, etc.

(c'est ce que l'on appelle la base 2).

Pour les nombres négatifs des conventions similaires sont utilisées. On voit tout de suite que l'on ne peut pas représenter des nombres très grands (cela dépend du nombre d'octets que l'on se réserve pour le codage).

Pour les réels, on est forcé d'adopter un codage différent : on décide que, sur le paquet d'octets réservé pour coder le réel, tel bit indique le signe de la mantisse, tel à tel bit sert à coder la mantisse (un peu comme les entiers), etc. Cela devient rapidement compliqué.

Pour les chaînes de caractères, il existe en pratique deux conventions de codage, une utilisée par IBM et les compatibles, l'E. B. C. D. I. C. (Extended Binary Coded Decimal Interchange Code) et une utilisée par les autres, l'A. S. C. I. I. (American Standard Code for Information Interchange). Si vous voulez transmettre du texte d'un ordinateur IBM vers un ordinateur Digital, il faut tout traduire... (il y a des programmes pour cela). Qui parlait de compatibilité?

Nous avons maintenant une idée de la manière dont sont mémorisées les données en mémoire centrale (les instructions des programmes sont codées de manière similaire) mais pour effectuer un traitement avec ces mêmes données, il nous faut un moyen de les repérer parmi tous les autres octets. La mémoire peut en fait être considérée comme un ensemble de boîtes, gérées par le système.

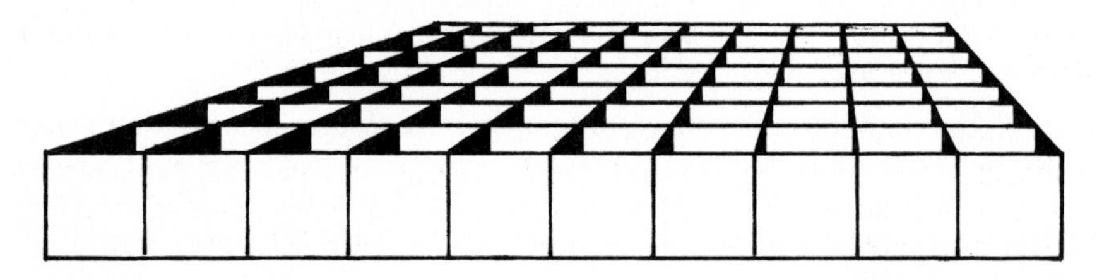

Nous allons demander au système de nous attribuer une « boîte » (c'est-à-dire un nombre d'octets variable selon la taille de la machine) et pour reconnaître cette boîte, nous lui donnons un nom.

Nous mettons des données dans cette boîte et comme la représentation est binaire, le système va coder ces données, avec un code différent suivant que l'on a affaire à un entier, un réel ou une chaîne de caractères. Donc notre donnée, une fois mise dans sa boîte réservée, n'est plus qu'une suite de 1 et de 0. Lorsque nous voulons récupérer l'information, le problème est de savoir comment la décoder.

Nous avons donc besoin d'ajouter sur la boîte le type des données qu'elle peut mémoriser, par exemple, « marquer » la boîte différemment selon le type de la donnée. Comment la marquer?

Une première solution serait de dire : « laissons le système d'exploitation marquer la boîte au moment où les données sont mises dedans ».

L'ennui, c'est que cela ne peut mener qu'à une grande confusion dans le programme. Ce n'est pas la solution retenue pour Fortran.

Une deuxième solution serait : « donnons des noms différents suivant le type des données, de telle manière qu'en voyant le nom de la boîte on sache ce qu'elle contient ».

C'est le procédé qu'emploie Basic et qu'employait Fortran IV : pour lui, donner à une boîte un nom commençant par I, J, K, L, M ou N signifiait que l'on allait mettre des entiers dedans, lui donner un nom commençant par une autre lettre signifiait qu'elle allait contenir des réels. Fortran IV ne connaissait pas les chaînes de caractères en tant que telles, il fallait les glisser honteusement par paquets de quatre lettres dans des boîtes pour entiers (toute une aventure!). On pouvait redéfinir la signification des lettres.

La troisième solution (la bonne!) est de dire : « disons explicitement à la machine que la boîte qui porte tel nom contiendra tel type de données ».

C'est ce qui est adopté dans Pascal, et que nous utiliserons.

3.3. La déclaration des variables

Le langage Fortran est là pour répondre à nos besoins et met à notre disposition des instructions de déclaration pour réserver une boîte en lui donnant un nom de notre choix. Par exemple si nous voulons réserver une boîte ayant le nom NOTE et contenant des entiers, on écrira :

```
INTEGER   NOTE
```

INTEGER est un mot clef Fortran, c'est-à-dire un mot défini dans le langage qui indique à l'ordinateur de réserver un espace mémoire ayant le nom NOTE et qui contiendra des entiers.

De même, il existe un mot clef pour chacun des deux autres types de données définis en Fortran : REAL réserve la place pour un réel et CHARACTER réserve la place pour un caractère; pour une chaîne de caractères, il faut en plus indiquer le nombre maximum *n* de caractères susceptibles de composer la chaîne, par un **n* derrière le nom de la boîte. Une même instruction peut bien sûr réserver plusieurs boîtes du même type.

Par exemple, si nous avons besoin de mémoriser les nom et numéro d'un étudiant, son âge et le total de ses frais d'inscription, nous écrirons les instructions suivantes :

```
CHARACTER   NOM*20,   NUMERO*6
INTEGER     AGE
REAL        FRAIS
```

Précisons maintenant un peu les choses, et après avoir intuitivement approché les notions de gestion des données en mémoire, familiarisons-nous avec le jargon des informaticiens.

L'un des intérêts des programmes est de pouvoir les faire marcher (les exécuter) plusieurs fois. A chaque fois les données seront différentes et donc les boîtes qui permettent de les mémoriser auront des contenus différents. Le contenu de la boîte peut varier aussi nous appelons variable cette boîte, en terme informatique. Les instructions INTEGER, REAL et CHARACTER servent à déclarer des variables.

Ces instructions de déclaration ne font que réserver de la place en mémoire centrale : exactement comme avant d'aller au théâtre vous réservez vos places. Nous verrons dans les deux prochains chapitres comment nous pouvons mettre des données dans les variables; chaque chose en son temps.

Le nom que l'on donne à une variable lors de sa déclaration s'appelle un identificateur. Le programmeur a le libre choix dans l'utilisation des identificateurs, simplement nous vous demandons de donner à vos variables des noms qui ont un sens et correspondent à ce que l'on utilise d'ordinaire.

Si par exemple vous avez à écrire un programme faisant usage de la loi d'Ohm (pour mémoire, U = R * I), absolument rien ne vous empêche d'appeler la différence de potentiel ZX3W ou C3PO et le reste à l'avenant. C'est simplement idiot : si quelqu'un passe après vous pour modifier votre programme, il perdra beaucoup de temps à chercher ce que vous voulez bien pouvoir faire, alors que des appellations « classiques » lui auraient facilité la tâche.

La construction des identificateurs obéit à quelques règles :
— Un identificateur doit *commencer par une lettre* et ne doit comporter *que des chiffres ou des lettres (A à Z).* VS Fortran, VAX Fortran, Watcom Fortran et Watfiv acceptent aussi le signe $. Donc C3PO est un identificateur stupide mais valide alors que 2PI n'est pas accepté et Fortran vous dira alors quelque chose du genre « illegal identifier » et refusera d'aller plus loin.
— Il est *interdit d'utiliser deux fois le même identificateur* dans les déclarations : deux boîtes en mémoire auraient alors le même nom et Fortran ne saurait pas de quelle variable vous voulez parler quand vous utiliseriez ce nom.

Les règles ci-dessus sont impératives. Nous devons y ajouter trois recommandations importantes :
— Déclarer toutes les variables utilisées.

Ceci est obligatoire pour les variables de type chaînes de caractères. Pour les variables numériques, s'il n'y a pas de déclaration, Fortran 77 appliquera les vieilles règles de Fortran IV et supposera qu'elles sont soit entières, soit réelles suivant la première lettre de leurs noms (I, J, K, L, M, N pour les entiers et les autres lettres pour les réels). Cette particularité est une caractéristique fossile (c'est-à-dire héritée des versions antérieures de Fortran). Il n'en sera jamais tenu compte par la suite.
— Ne pas utiliser les mots clefs de Fortran comme identificateurs (ceux que nous connaissons comme ceux que nous verrons par la suite). Ceci est une interdiction absolue avec Watcom Fortran.
— La version officielle de Fortran 77 (la « norme ») contraint à l'utilisation de noms de variables de six caractères au maximum (la règle était la

même avec Fortran IV). Un certain nombre de versions permettent cependant d'avoir des noms parfois beaucoup plus longs (VS Fortran et Watfiv : 6 caractères maximum, Fortran CDC : 7 caractères, VAX Fortran : jusqu'à 31, Watcom Fortran : jusqu'à 79). Même si l'on dispose d'une telle version, il vaut mieux dans la mesure du possible essayer de se limiter à des noms relativement courts. Des noms trop longs sont particulièrement empoisonnants à utiliser dans des formules mathématiques. Vous imaginez la formule d'Einstein sous la forme

```
ENERGIE = MASSE * VITESSEDELALUMIERE ** 2 ?
```

ENERGIE (bien que faisant 7 lettres) est un bon identificateur, plus clair que E, MASSE est un excellent exemple, mais VITESSEDELALUMIERE est un identificateur délirant, bien que valide avec certains Fortrans.

Des identificateurs « raisonnables » étant choisis, nous vous conseillons fortement de préciser après les déclarations, à l'aide de commentaires, l'usage prévu pour chaque variable.

Remarque
Nous pouvons mettre des commentaires où nous voulons dans un programme, il suffit de mettre le caractère * en première colonne (c'est-à-dire en première position sur la ligne), pour dire à Fortran de ne pas chercher à interpréter cette ligne comme une instruction. Les commentaires sont particulièrement importants en informatique, c'est quasiment le seul moyen de s'éviter des migraines terribles quand on relira son programme dans six mois. Ne soyez pas avare d'explications.

Exemple

```
      REAL ENERGIE, MASSE, C
*
* ENERGIE : energie totale de la particule
* MASSE   : masse de la particule
* C       : vitesse de la lumiere dans le vide
*
```

3.4. La déclaration des tableaux

Supposons que nous voulons mémoriser les longueurs de 15 poutres qui composent une structure métallique. Nous pouvons déclarer ces longueurs de la manière suivante :

```
REAL LONG1, LONG2, LONG3...
```

C'est un peu fastidieux et si votre structure comporte 200 poutres, cela devient franchement horrible. Il est donc nécessaire d'avoir la possibilité de déclarer facilement une liste de variables semblables. En Fortran, les vecteurs ont été définis pour cela. Pour pouvoir mémoriser les 15 longueurs de poutres, nous ferons la déclaration suivante :

```
REAL LONG(15)
```

Le nombre 15 indique le nombre d'éléments, c'est la dimension du vecteur.

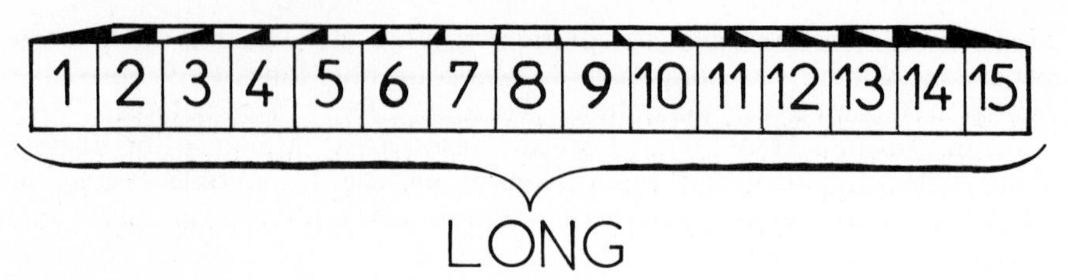

Cette instruction n'est toujours qu'une réservation mémoire : au lieu de réserver de la place pour une boîte, on réserve de la place pour 15.

Pour repérer la longueur d'une poutre parmi les 15 qui sont mémorisées, nous allons utiliser un indice, un marqueur. Par exemple, si nous voulons avoir la longueur de la cinquième poutre, nous nous référerons à LONG(5). Il ne faut pas confondre ceci et la déclaration, qui donne simplement le nombre total de cases.

Nous pouvons aller plus loin, et utiliser des matrices, c'est-à-dire spécifier deux dimensions :

```
REAL POUTRE(15, 2)
```

permet par exemple de réserver 2 fois 15 cases en mémoire pour ranger les caractéristiques de poutres. On peut se représenter l'ensemble de ces cases sous la forme d'une matrice à 15 lignes et 2 colonnes, chaque ligne correspondant à une poutre distincte dont on mettra (par exemple) la longueur en colonne 1 et le poids (ou le moment d'inertie, ou toute autre caractéristique qui nous intéresse) en colonne 2.

Ainsi, POUTRE(5, 2) repère le poids (deuxième caractéristique) de la cinquième poutre.

Les vecteurs et matrices sont regroupés sous le terme tableaux. Les vecteurs sont des tableaux ayant une seule dimension, les matrices ont deux dimensions. Nous pouvons imaginer des tableaux avec trois, quatre dimensions ou même davantage, mais pour l'instant c'est une autre histoire...

3.5. Conventions d'écriture

3.5.1. Caractères employés

Certains Fortrans (VS Fortran, Watfiv...) suivent rigoureusement la version officielle de Fortran 77 et se refusent à comprendre des mots-clés ou des identificateurs qui ne seraient pas tapés en MAJUSCULES.

D'autres en revanche acceptent parfaitement les minuscules (VAX Fortran, F77 sous UNIX, Watcom Fortran...). Watcom Fortran prend même la liberté de convertir les mots-clés en minuscules quand il les reconnaît.

COMME UN TEXTE EN MAJUSCULES EST PÉNIBLE A LIRE ET DONNE EN PLUS GRAPHIQUEMENT L'IMPRESSION DÉSAGRÉABLE QUE L'AUTEUR EST EN TRAIN DE HURLER (la preuve!) nous adopterons dans ce livre et à partir de maintenant la convention suivante :

— Nous écrirons tous les mots-clés en minuscules.
— Nous écrirons tous les identificateurs en majuscules.

Ceci pour plus de lisibilité des programmes.

Soit par exemple :

```
character NOM*20, NUMERO*6
integer AGE
```

Si jamais vous faites partie des malheureux dont le Fortran n'accepte pas les minuscules, pensez bien à tout taper en majuscules.

3.5.2. Présentation des programmes

La plupart des Fortrans exigent que les instructions commencent à partir de la septième position sur la ligne. Les six premières positions sont réservées pour des usages spéciaux (comme par exemple l'indication de commentaire par un « * » en première position).

Exemple

```
         1         2         3
123456789012345678901234567890
      real MASSE
*   MASSE : masse de la particule
```

Quelques Fortrans (en particulier VS Fortran et Watcom Fortran) permettent de commencer à taper les instructions dès la première position.

ATTENTION :

Dans ce cas-là pour VS Fortran c'est un caractère " en première position qui indique un commentaire.

3.6. Exercices

> ***1.** Dans chacun des cas suivants, déclarer une variable qui va contenir :

a) La masse du Soleil.

b) La distance focale d'une lentille.

c) Le nom d'un élément de la table de Mendeleiev (table des éléments atomiques).

d) La température moyenne en Celsius de chaque mois de l'année.

e) Le nombre d'électrons et le nombre de nucléons (protons + neutrons composant le noyau) d'un atome.

f) Une résistance.

g) La distance Halifax-Vancouver.

h) Les noms de tous les éléments de la table de Mendeleiev (N. B. : il y en a 103).

> ***2.** Parmi les déclarations suivantes, certaines sont valides, d'autres pas. Faites votre choix :

a) integer A AB, ABC

b) reel MOYENN

c) integer ACC.

d) character ENTIER*3

e) real PI*R**2

f) integrer VOLUME

g) real, PERIOD, PULSAT

h) real 1POIDS

i) real VEC5, VEC(5)

j) real MATRIX (10 5)

k) integer COORD(TROIS)

l) character TRUC(2, 10, 3)

4

Affectation et expressions arithmétiques

« Je crois que deux et deux sont quatre, Sganarelle, et que quatre et quatre sont huit. »
Molière, *Don Juan*

4.1. Affectation avec une constante

Une première façon de mettre quelque chose dans une boîte, variable ou élément d'un tableau est l'affectation. Par exemple si nous voulons mettre la valeur 3.14159 dans la variable PI, nous écrivons l'instruction suivante :

```
PI=3.14159
```

Le nombre 3.14159 s'appelle une constante par opposition à une variable. Comme il contient un point décimal, c'est une constante réelle (tout nombre comportant un point décimal, même si celui-ci n'est suivi d'aucun chiffre, est reconnu comme réel). Le type de la constante doit être en accord avec le type de la variable qui la reçoit. Pour être plus précis nous devons réécrire notre exemple :

```
real PI
PI=3.14159
```

PI est une variable réelle et nous lui affectons une constante réelle. Nous ne pouvons pas écrire :

```
real PI
PI = 'trois point quatorze et des poussieres'
```

Dans ce cas, la constante est de type chaîne de caractères. Pour être cohérent, il faudrait écrire :

```
character TEXTE*40
TEXTE = 'trois point quatorze et des poussieres'
```

Comme les entiers et les réels sont de la famille des nombres, Fortran est plus indulgent lors des affectations entre entiers et réels :

```
      real G
*
* G : Acceleration de la pesanteur
*
      G = 10
```

Cette affectation sera interprétée en convertissant l'entier 10 en réel 10.00000...

```
      integer G
*
* G : Acceleration de la pesanteur
*
      G = 9.81
```

Dans cette affectation, Fortran prend la partie entière du réel 9.81, c'est-à-dire 9. La variable entière contient alors 9, et non pas 10 qui est pourtant l'entier le plus proche.

Lorsqu'une variable est déclarée, nous demandons, et obtenons, une boîte. La boîte est vide, mais nous ne savons pas représenter le vide en machine; un bit vaut toujours soit 0, soit 1 mais jamais «rien». Donc nous dirons qu'une variable qui vient d'être déclarée a une valeur indéterminée, indéfinie. La première fois que nous mettons quelque chose dans la variable, nous disons que la variable est initialisée. Lorsque nous affectons une autre valeur, la précédente valeur est effacée et la variable contient la nouvelle donnée.

```
real MASSE
MASSE = 85.3
MASSE = 92.
```

A la fin de ces 3 instructions, la variable contient la valeur 92.0000... et nous n'avons plus aucune trace de la donnée 85.3.

Tout ce que nous venons de dire pour les variables s'applique aux éléments des vecteurs et des matrices, qui ne sont jamais que des variables simples regroupées sous un nom collectif. Par exemple, nous pouvons imaginer devoir conduire des tests de dureté en métallurgie sur des échantillons de différents alliages. Pour ce genre de tests, on ne se contente pas d'ordinaire d'un essai : on répète plusieurs fois l'expérience avec chaque échantillon, et l'on prend comme dureté la moyenne des résultats obtenus (leur dispersion permet d'avoir une estimation de l'erreur commise). Nous allons utiliser un vecteur pour mettre les noms (de code) de cinq échantillons, puis une matrice pour contenir les résultats des tests de dureté, convertis en note entière sur 100, pour chaque échantillon et pour trois expériences successives. Nous avons les déclarations suivantes :

```
character NOM(5)*6
integer DURETE(5, 3)
```

Si notre troisième échantillon est baptisé FeNi et que ses résultats aux deux premiers tests sont respectivement de 84 et de 82, nous avons les affectations :

```
NOM(3) = 'FeNi'
DURETE(3, 1) = 84
DURETE(3, 2) = 82
```

4.2. Affectation avec une variable

Une autre façon de mettre une donnée dans une variable est de recopier le contenu d'une autre variable qui a déjà été affectée, et ceci que les variables en question soient des variables simples ou des éléments de tableaux. Si l'on reprend l'exemple des tests de dureté, on peut supposer que la troisième expérience redonne, pour notre échantillon numéro 3, le même résultat que la première.
On peut alors écrire :

```
DURETE(3, 3) = DURETE(3, 1)
```

Comme il y avait 84 dans la boîte DURETE(3, 1), on recopie en fait cette valeur dans la boîte DURETE(3, 3), ce qui permet d'avoir la même valeur dans les deux boîtes. Le contenu de la variable DURETE(3, 1) n'a *pas changé.*

ATTENTION :
L'affectation se fait toujours de la partie droite de l'égalité vers la gauche.

4.3. Échange entre deux variables

Le sujet de ce paragraphe aura plus d'applications, lorsque nous aurons vu davantage d'instructions Fortran, mais comme c'est un raisonnement classique en informatique, il est utile de commencer à se familiariser avec lui.

Prenons d'abord une analogie pour sentir un peu le problème. Supposons que vous avez demandé à votre petite sœur (que vous exploitez honteusement) de recopier sur une cassette A des cantates de Bach et sur une cassette B du « heavy metal » (particulièrement heavy). Vous vous apercevez avec horreur à l'audition que par un de ces hasards malencontreux dont les petites sœurs ont le secret, une cantate s'est égarée sur la cassette B et un morceau de rock sur la cassette A. Heureusement, les deux morceaux ont la même longueur; la solution est donc d'*échanger les deux morceaux entre les deux cassettes.*

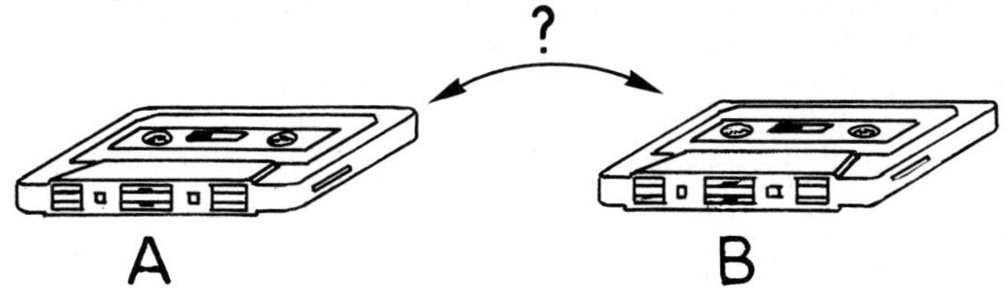

Il nous vient naturellement à l'esprit de prendre une troisième cassette sur laquelle il n'y a rien d'important (appelons-là cassette de secours) et de procéder de la façon suivante :

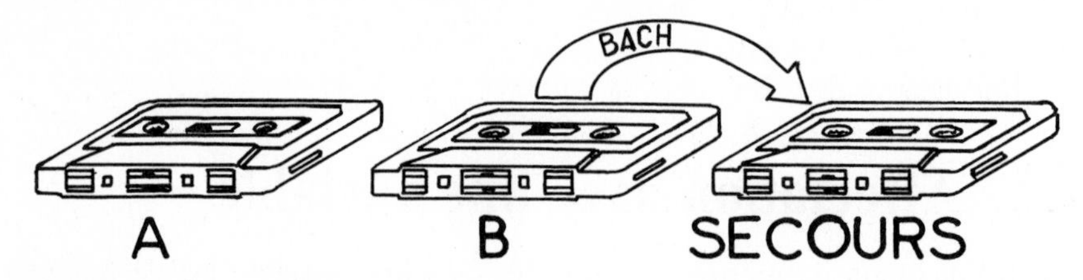

1. Recopier la cantate isolée depuis la cassette B sur la cassette de secours.

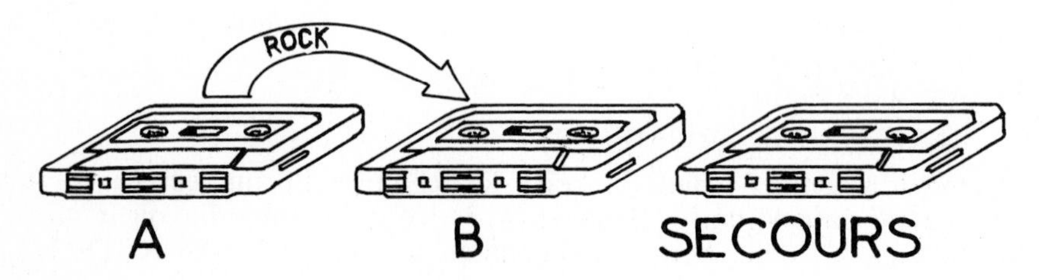

2. Recopier le morceau de rock depuis la cassette A sur la cassette B, à l'endroit où était la cantate.

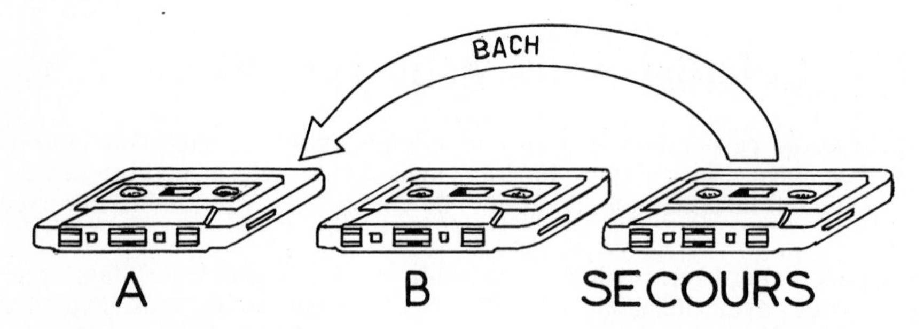

3. Recopier la cantate depuis la cassette de secours sur la cassette A, à l'endroit où était le rock.

Ce traitement peut paraître un peu lourd et pourtant avec nos hypothèses c'est la seule façon de remettre les choses à leur place. Avec des boîtes en mémoire il faudra procéder exactement de la même manière, sinon (et c'est la seule différence avec l'analogie) qu'on transfère tout le contenu de la variable d'un coup. Il faut là aussi utiliser une variable intermédiaire.

L'échange des contenus des cassettes pourrait s'écrire en Fortran :

```
      character K7A*12, K7B*12, K7SEC*12
*
* K7A et K7B : representent les cassettes A et B
* K7SEC : represente la cassette de secours
*
```

```
K7A = 'Heavy metal'
K7B = 'Bach'
K7SEC = K7B
K7B = K7A
K7A = K7SEC
```

Au bout du compte, la variable K7A contient la chaîne de caractères 'Bach' et la variable K7B la chaîne de caractères 'Heavy metal'.
Que contient alors la variable K7SEC?

Si l'on n'avait pas utilisé K7SEC, on aurait perdu, en l'« écrasant », le contenu de K7A ou celui de K7B, tout comme on aurait eu le même problème avec les cassettes si l'on n'avait par eu recours à une cassette auxiliaire.

4.4. Expressions arithmétiques

Les premiers ordinateurs ont été créés pour calculer (les anglophones appellent les ordinateurs « computers » (calculateurs)), et Fortran a été conçu pour les applications scientifiques.

Un calcul s'écrit en Fortran à l'aide d'expressions arithmétiques. Une expression arithmétique est une combinaison d'opérandes et d'opérateurs. L'opérateur indique l'opération à effectuer :

+ pour l'addition
− pour la soustraction
* pour la multiplication (x est une lettre)
/ pour la division
** pour l'élévation à la puissance.

ATTENTION :
La division ne s'effectue pas de la même manière avec les entiers et les réels. Lorsque l'on divise un entier par un entier, le résultat est le quotient de la division euclidienne, c'est-à-dire tout ce qui devrait précéder le point décimal.

Par exemple :

5./2. donne 2.5 (normal)
5/2 donne 2 (même résultat qu'avec des réels, moins ce qu'il y a après le point décimal).

Où cela surprend plus, c'est lorsque l'on se retrouve avec 0 après avoir effectué une opération comme 1/4, ou 1/N avec N entier; c'est une source d'hilarité sans fin lorsque l'on oublie ce genre de particularité dans un programme.

Pour une division « mixte » (réel divisé par un entier ou entier divisé par un réel), tout se passe comme si l'on avait une division entre deux réels.

Les opérandes sont les termes auxquels s'appliquent les opérations :
— des constantes entières ou réelles,
— des variables entières ou réelles,
— des éléments de tableaux entiers ou réels.

Les termes d'opérateur et d'opérande peuvent sembler bien pompeux pour désigner ce que l'arithmétique recouvre de plus simple, mais ce sont les termes consacrés; il est parfois utile de connaître les « bons » termes.

Donc

```
345+567
MASSE*G
3.14*DIAMET
```

sont des expressions arithmétiques. Elles combinent deux opérandes et un opérateur, ce sont des expressions « simples ».

Il est important de remarquer que lorsque l'on résoud (ou que l'on essaie de résoudre, c'est l'intention qui compte...) un problème de physique, on essaie d'abord d'obtenir une expression littérale, mettant en jeu différents termes représentés par des symboles (du style $V = R*I$); on passe d'ordinaire ensuite à l'application numérique, où l'on substitue des valeurs numériques aux symboles (par exemple, si R vaut 100 ohms et I vaut 3 ampères, on déduit brillamment que V vaut 300 volts).

En programmation, on peut dire que la personne qui programme fait le calcul littéral et charge la machine de l'application numérique. Par conséquent, la machine essaie de calculer toute expression lorsqu'elle la rencontre, et toute variable *doit* être initialisée; en d'autres termes, *il doit y avoir quelque chose dans chacune des boîtes utilisées dans une expression lorsque l'instruction est exécutée.*

Nous pouvons bien sûr écrire des expressions arithmétiques plus complexes pour réaliser des calculs plus importants. Le problème classique qui va alors se poser est celui de la priorité des opérateurs :

3 + 5 * 2

est une expression valide, mais reste à savoir comment Fortran va l'interpréter. En effet, on peut analyser cette expression de deux façons :

```
3 + 5 * 2             3 + 5 * 2
  8   * 2      OU     3 +  10
     16                  13
```

Quel est le bon résultat?

L'analyse de cette expression est un exemple parfait d'ambiguïté, et donc le genre de situation pour lequel il faut définir des règles pour pouvoir sortir la machine de l'impasse.

Lorsque l'on regarde ce que l'on fait communément, on trouve de suite que nous avons l'habitude d'effectuer la multiplication avant l'addition et donc de trouver que 3 + 5 * 2 font 13. Cela a été également défini en Fortran en donnant une *priorité sur les opérateurs.* Les opérations s'effectueront dans l'ordre suivant :

**	en premier
* et /	en deuxième
+ et −	en troisième

Avec ces règles, nous avons enlevé l'ambiguïté précédente mais nous n'avons pas encore tout résolu.

En effet

```
50 / 5 * 5      50 / 5 * 5
  10  * 5       50 /  25
    50             2
```

Nouvelle ambiguïté.

Fortran possède une autre règle pour ce cas. *Lorsque les opérateurs ont la même priorité, les calculs s'effectuent de gauche à droite.* Le résultat que produit Fortran pour l'expression précédente est donc 50.

Avec ces deux règles, Fortran peut analyser sans problème des expressions arithmétiques plus complexes, par exemple :

22 + 5*6 − 2**3/4 − 5*3 donne sans ambiguïté 35.

Si nous voulons préciser l'ordre des calculs nous pouvons utiliser les parenthèses. Toute expression entre parenthèses est effectuée en priorité.

Donc (3 + 5)*2 donne 16.

Les parenthèses augmentent aussi la lisibilité du programme, alors ne vous en privez pas. Elles sont en fait la solution la plus élégante.

Par rapport à

22 + 5*6 − 2**3/4 − 5*3.

22 + (5*6) − (2**3) / 4 − (5*3) est bien plus facile à lire!

(Incidemment, l'ajout d'espaces dans l'expression n'est pas non plus étranger à l'amélioration de la lisibilité).

Aux opérateurs il faut également ajouter les fonctions (que nous aurons l'occasion de voir ultérieurement plus en détail). Une fonction s'emploie, comme il est traditionnel, en invoquant son nom et en mettant entre parenthèses l'opérande (qui prend alors plutôt le nom d'argument) ou l'expression auquel on l'applique; ce qui fait que, pour éviter les confusions, il est totalement déconseillé de donner à un tableau le nom d'une fonction, même si en pratique on peut appeler un tableau SIN ou COS. On a tout intérêt à considérer les noms de fonctions comme des noms réservés (un peu comme les mots-clés).

Fortran dispose ainsi de la plupart des fonctions mathématiques usuelles : Si l'on désigne par X un argument réel (réel est important, les fonctions qui suivent ne peuvent s'appliquer à des entiers) :

SQRT(X) est la racine carrée (SQuare RooT) de X (qui doit naturellement être positif ou nul)

SIN(X), COS(X) et TAN(X) représentent respectivement le sinus, le cosinus et la tangente de X, supposé en radians.

ABS(X) est la valeur absolue de X

INT(X) est la partie entière de X

ALOG(X) est le logarithme népérien (ou naturel) de X (qui doit être strictement positif).

Il y en a d'autres...

La réponse à cette question n'est pas facile, mais pourquoi à votre avis la fonction correspondant au logarithme s'appelle-t-elle ALOG et non LOG? (Indication : les noms des fonctions suivent les mêmes règles que les noms des variables, et cette fonction existait déjà au temps de Fortran IV.)

Dans les exemples précédents nous n'avons utilisé que des constantes entières. Les mêmes règles s'appliquent bien sûr pour les variables et les éléments des tableaux ayant les types « entier » ou « réel ». Pour l'illustrer, écrivons un programme qui calcule la portée d'un projectile connaissant l'angle de tir et la vitesse du projectile à la sortie de la gueule du canon :

```
      real VITIN, ALPHA, G, PORTEE
*
* VITIN   : Vitesse initiale (a la sortie du canon), en m/s
* ALPHA   : Angle de tir (en degres, par rapport a l'horizontale)
* G       : Acceleration de la pesanteur en m/(s**2)
* PORTEE  : Portee du projectile en m
*
* Initialisation des donnees
* ------------------------------------
      G = 9.81
      ALPHA = 30.
      VITIN = 500
*
* Calcul. Le canon est suppose a l'origine du repere.
* ------------------------------------------------------------------------
* Conversion de l'angle en radians
*
      ALPHA = ALPHA*2*3.14 / 360
*
      PORTEE = 2*VITIN*VITIN*COS(ALPHA)*SIN(ALPHA) / G
      end
```

Ce qui précède est un magnifique programme, que la machine exécutera instruction par instruction.

Tout programme doit se terminer par l'instruction end, ceci pour dire à Fortran de s'arrêter, sinon il veut toujours exécuter une autre instruction...

Quelle est la valeur de la portée? La réponse n'est pas instantanée. Une bonne habitude pour voir comment se comporte un programme est de faire la simulation de son exécution, c'est-à-dire de jouer le rôle de l'ordinateur et d'effectuer bêtement, stupidement et successivement les instructions. Pour cela nous utilisons un tableau qui montre les différentes variables et leur évolution.

Reprenons l'exemple précédent :

Lors de la déclaration d'une variable, nous obtenons une boîte qui a un contenu indéterminé. Par convention, nous représenterons ce contenu indéterminé par ??

	VITIN	ALPHA	G	PORTEE
real VITIN, ALPHA, G, PORTEE				
G =9.81	??	??	9.81	??
ALPHA = 30.	??	30.	9.81	??
VITIN = 500	500.	30.	9.81	??
ALPHA=ALPHA*2*3.14 / 360	500.	0.523	9.81	??
PORTEE = 2*VITIN*VITIN* & COS(ALPHA)*SIN(ALPHA) / G	500.	0.523	9.81	22067.28
end				

Simuler l'exécution d'un programme est la meilleure façon de savoir ce qu'il fait réellement. Et c'est la solution la plus efficace pour trouver les erreurs lorsqu'un programme ne fonctionne pas bien.

Remarque
Lorsqu'une instruction ne peut pas tenir sur une seule ligne, on indique à Fortran que l'instruction se continue sur la ligne suivante (appelée ligne de continuation). Pour cela, on met n'importe quel caractère autorisé (par exemple « C » ou « + » qui existent toujours, ou « & » qui est admis par certains Fortrans) en sixième position de la ligne de continuation. Pour les Fortrans qui permettent de commencer n'importe où c'est légèrement différent :
— avec Watcom Fortran on met un & en première position de la ligne de continuation;
— avec VS Fortran on met un signe – à la fin de la ligne qui est continuée.

4.5. Quelques utilisations classiques

Lorsque nous manipulons un ensemble de données, il est souvent utile de les compter. Nous définissons alors une variable pour répondre à cette fonction. Au début du traitement nous *l'initialisons* avec 0, puis nous lui ajoutons 1 chaque fois que nécessaire.

```
      integer COMPTE
      COMPTE = 0
      ...
*  premier traitement
      ...
      COMPTE = COMPTE + 1
*  deuxième traitement
      COMPTE = COMPTE + 1
      ...
```

Nous prenons le contenu de la variable COMPTE, nous lui ajoutons 1, puis nous mémorisons le nouveau résultat dans la même variable COMPTE.

Ajouter 1 à une variable s'appelle incrémenter cette variable, l'incrémentation est une action très fréquente en programmation.

L'indice est en informatique une notion assez similaire à celle du même nom en mathématiques, où un indice sert à différencier des éléments qui sinon s'appelleraient du même nom. Jusqu'à présent, nous n'avons utilisé pour désigner un élément de tableau que des constantes. Il est en pratique parfaitement possible d'utiliser le nom d'une variable entière, ou même une expression simple, comme indice. Le numéro de l'élément qui nous intéresse sera le contenu de la variable indice, ou le résultat de l'expression.

Si l'on veut repérer la position d'un point dans l'espace par ses coordonnées cartésiennes dans un repère donné, on peut très bien écrire directement :

```
      real POSIT (3)
*
* POSIT contient les coordonnees d'un point
* Coordonnee 1 : Axe OX
* Coordonnee 2 : Axe OY
* Coordonnee 3 : Axe OZ
*
      POSIT (1)=10.
```

ou bien utiliser une variable X pour réaliser le même traitement de façon plus générale :

```
      real POSIT (3)
      integer X, Y, Z
*
* POSIT contient les coordonnees d'un point
* Coordonnee 1 : Axe OX (indice X)
* Coordonnee 2 : Axe OY (indice Y)
* Coordonnee 3 : Axe OZ (indice Z)
*
      X=1
      Y=2
      Z=3
      POSIT (X)=10.
```

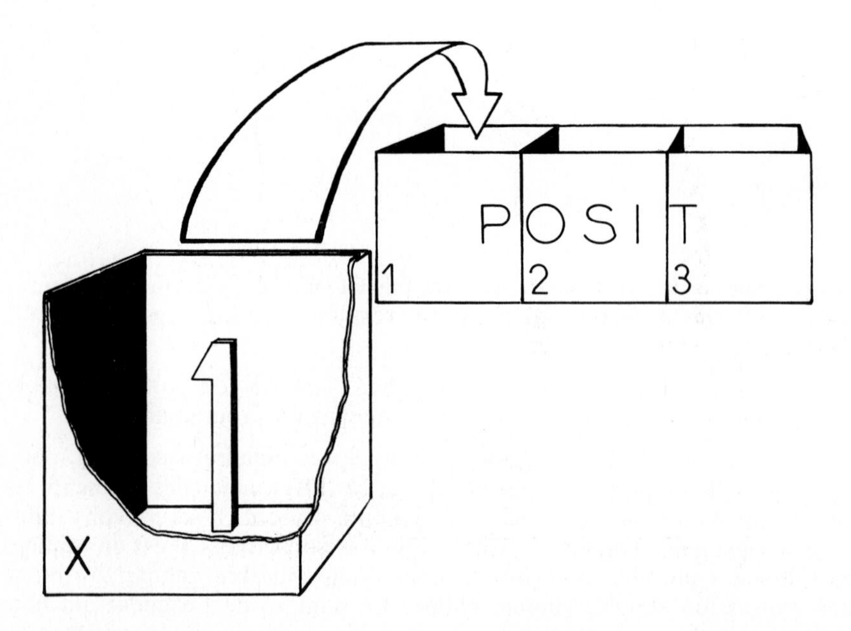

La deuxième programmation est dans l'état actuel de nos connaissances un peu plus lourde, son intérêt apparaîtra pleinement dans les prochains chapitres. Cependant, il faut déjà s'habituer à de telles instructions qui ne sont pas tout à fait naturelles.

En allant un peu plus loin, regardons les différentes possibilités dans la manipulation des indices. Si l'on veut mettre 5 comme coordonnée suivant l'axe OY, on peut aussi bien ajouter l'instruction :

```
POSIT (X+1)=5.
```

que

```
POSIT (Y)=5.
```

ou

```
POSIT (2)=5.
```

Un exemple

Écrivons un programme pour résoudre un problème classique, celui des vitesses relatives et absolues, généralement présenté sous la forme du rameur (ou nageur) qui s'évertue à aller plus ou moins droit pour traverser une rivière alors que manifestement le courant lui est contraire (variantes : avion dans la tourmente, fumée de paquebot, cycliste dans le blizzard...).

Les données de cette triste histoire consistent d'ordinaire en :
— la vitesse du rameur par rapport à l'eau;
— sa direction par rapport à un repère donné;
— la vitesse du courant par rapport à la rive;
— la direction du courant par rapport au même repère que celui indiqué pour le rameur.

La question traditionnellement posée est : quelle est la vitesse du rameur par rapport à la rive?

Comme chacun sait, il s'agit là d'une vulgaire composition des deux vecteurs correspondant à la vitesse : la vitesse résultante est la somme vectorielle de la vitesse du rameur et de la vitesse du courant.

Pour faire cette somme vectorielle, nous devons additionner séparément les différentes composantes (au nombre de deux, puisque le problème est plan).

Pour nous fixer un repère pour les directions, nous dirons que l'est est notre origine des angles; le nord correspond donc à PI/2 radians, l'ouest à PI et le sud à 3*PI/2.

Fixons-nous des valeurs numériques : le rameur va vers l'ouest à la vitesse de 3 km/h par rapport à l'eau, et le courant coule vers le sud à la vitesse de 2 km/h par rapport à la rive. Nous pouvons écrire le programme :

```
      real VRRAM(2), VARAM(2), VACOU(2), DIRRAM, DIRCOU, PI,
     &,         VITRAM, VITCOU, VITRES
      integer EST, NORD
*
* VRRAM : vitesse relative du rameur
* VARAM : vitesse absolue du rameur
* VACOU : vitesse absolue du courant
* Toutes ces vitesses ont une composante Est et une composante Nord
* VITRAM, VITCOU : modules des vitesses du rameur (relative) et du
*                  courant (absolue)
* VITRES : module de la vitesse resultante pour le rameur (vitesse
*          absolue)
* DIRRAM, DIRCOU : directions (en radians) respectives du rameur et du
*                  courant
* PI : constante mathematique bien connue
* EST, NORD : indices pour reperer les composantes
*
* Initialisations
* ----------------------------------------------------------------------
      PI = 3.1416
      VITRAM = 3.
      VITCOU = 2.
      DIRRAM = PI
      DIRCOU = 3*PI/2
      EST = 1
      NORD = 2
```

```
*
* Calcul des composantes des vitesses
* ---------------------------------------------------------------------------
  VRRAM (EST) = VITRAM * COS (DIRRAM)
  VRRAM (NORD) = VITRAM * SIN (DIRRAM)
  VACOU (EST) = VITCOU * COS (DIRCOU)
  VACOU (NORD) = VITCOU * SIN (DIRCOU)
*
* Calcul de la vitesse absolue du rameur
* ---------------------------------------------------------------------------
  VARAM (EST) = VRRAM (EST) + VACOU (EST)
  VARAM (NORD) = VRRAM (NORD) + VACOU (NORD)
  VITRES = SQRT (VARAM (EST) * VARAM (EST) + VARAM (NORD) *
&              VARAM (NORD))
  end
```

Exercice
Faire l'exécution simulée de ce programme. Il est écrit en Watcom Fortran. A quoi s'en rend-on compte?

4.6. Algorithme et organigramme

Nous n'avons écrit jusqu'alors que des programmes très simples, mais nous pouvons déjà y distinguer deux sortes d'instructions : celles qui se rapportent à une pure *technique de programmation* (telles que les déclarations, l'instruction end) et celles qui correspondent davantage à la *logique du programme,* c'est-à-dire qui montrent le cheminement suivi pour arriver au résultat souhaité (les affectations, les calculs successifs).

Lorsque l'on cherche à écrire un programme, c'est d'abord la logique qui importe; suivant les traitements on décidera ensuite quels types de variables utiliser, on précisera les calculs en conséquence, et l'on ne passera à la programmation qu'en phase finale.

Pour décrire la logique du programme, la suite des traitements élémentaires (ce qu'on appelle *algorithme,* du nom d'Al Khawarizmi, un mathématicien arabe du IXe siècle) il faut une représentation conventionnelle, distincte du langage de programmation. En effet, les langages de programmation sont nombreux, et l'on ne sait pas toujours quel langage on va utiliser pour résoudre un problème donné; en fait, il arrive que l'algorithme incite à choisir un langage plutôt qu'un autre, pour des raisons de facilité de programmation.

Une représentation commode de l'algorithme est ce qu'on appelle l'*organigramme,* ou *ordinogramme* (les deux termes sont synonymes). L'organigramme se présente généralement comme une suite de rectangles correspondant à un traitement, ou un groupe de traitements liés. L'organigramme traditionnel relie ces différents rectangles par des flèches. Nous préférerons dans ce livre une représentation différente, où les rectangles sont juxtaposés.

Ainsi, nous pouvons écrire l'organigramme du programme de calcul de vitesse absolue précédent de la manière suivante :

Calcul de vitesse

Initialisation des directions du rameur et du courant, et des modules de la vitesse absolue du courant et de la vitesse relative du rameur.
Calcul de la vitesse relative du rameur et de la vitesse absolue du courant sous forme vectorielle
Somme des deux vecteurs pour obtenir la vitesse absolue du rameur sous forme vectorielle
Calcul du module de cette vitesse absolue

Calcul de vitesse #

Les termes (# Calcul de vitesse, Calcul de vitesse #) qui encadrent l'ensemble sont destinés à bien indiquer le début et la fin du programme, qui constitue un tout logique.

La question qui se pose toujours au débutant est : « Que faut-il mettre dans un organigramme? »

Il n'y a pas de réponse absolue : c'est une question d'appréciation. Il faut savoir aller jusqu'au niveau de détail qui nous permet de passer facilement à la programmation. Par exemple, il est inutile d'écrire au complet toutes les formules mathématiques quand elles correspondent à un traitement bien connu (par exemple, ici, le calcul du module d'un vecteur).

En revanche, il est parfois nécessaire de préciser davantage d'autres points, comme le passage des données initiales à la forme vectorielle, qui peut sembler moins évident.

Nous pouvons donc donner un organigramme plus détaillé pour cette partie :

Conversion sous forme vectorielle

Pour les deux vitesses, calculer : Vx = Module * cos (direction) Vy = Module * sin (direction)

Conversion sous forme vectorielle #

Il est très important de remarquer que l'on procède par étapes successives, de manière *modulaire*. On commence par un organigramme très simplifié, qui n'indique que les grandes lignes. Puis l'on reprend chacun des différents points de cet organigramme, et l'on réécrit un « sous-organigramme » pour chacun d'eux, jusqu'à avoir partout le niveau de détail que l'on souhaite (cela est assez comparable à la table des matières d'un livre : on a les titres des différentes parties, puis dans chaque partie ceux des différents chapitres et ainsi de suite; le niveau de détail ultime, le texte du livre, correspond au programme).

Pour présenter l'organigramme final, on peut soit replacer chaque sous-organigramme à sa place dans l'organigramme initial, soit présenter la suite des différents niveaux de détail : cette dernière méthode est sans doute préférable pour un gros programme, et la première pour un petit.

4.7. Exercices

>***1.** Que vaut la variable VALEUR à la fin de chacune des séquences d'instructions suivantes?

a)
```
integer VALEUR
VALEUR = 3.141592
```

b)
```
real VALEUR
VALEUR = 6 / 5 * 100.
```

c)
```
character VALEUR
VALEUR = 'blabla'
```

d)
```
integer VALEUR
VALEUR = 3. * SQRT (16) / 5
```

e)
```
real VALEUR, X
X = 5.27
VALEUR = X - 3 ** 3 / 100.
```

f)
```
integer VALEUR
VALEUR = 4
VALEUR = (VALEUR/2)**VALEUR
```

***2.** Toutes les séquences d'instructions suivantes sont erronées. Dans chacun des cas, quelle est l'erreur?

> **a)**
```
character PI * 4
real RAYON, SURFAC
PI = '3.14'
RAYON = 0.58
SURFAC = PI * RAYON ** 2
```

b)
```
real POIDS (2), G
real MASSE
G = 9.81
POIDS(1) = 0
POIDS(2) = MASSE * G
```

>**c)**

```
real SOMME, X1, X2, X3
X1 = 3
X2 = 7
X3 = 6
X1 + X2 + X3 = SOMME
```

d)

```
integer R
real I, D.D.P.
R = 120
I = 3
D.D.P. = R * I
```

>**e)**

```
integer VALEUR
VALEUR = 43 + 7 ( 34 - 6 )
VALEUR = VALEUR / 2.
```

f)

```
real PRODS, U(2), V(2)
U(1) = 3
U(2) = - 5
V(1) = U(1) + U(2)
V(2) = V(1) * U(1)
PRODS = U1 * V1 + U2 * V2
```

>**g)**

```
real MAT(2,2), MATINV(2,2)
MAT(1,1) = 1
MAT(1,2) = 0
MAT(2,1) = 3
MAT(2,2) = 4
MATINV = 1. / MAT(2,2)
```

h)

```
real TABLE(2,3)
integer I
I = 3
TABLE(1, I) = I
I = 3. * I - SQRT(80)
TABLE(I, 2) = 5
```

>***3.** Faire l'exécution simulée du programme suivant :

```
real R, R1, R2, R3
R1 = 100
R2 = 60
R3 = 40
R = 1/R1 + 1/R2 + 1/R3
R = 1/R
end
```

****4.** Écrire un programme qui convertit une pression de 345 livres par pouce carré en unités S.I. (Pascals, i.e. Newtons par mètre carré). Commencer par l'organigramme.

Une livre = 453.6 g
Un pouce = 2.54 cm
Un Newton = 9.81 kg

5

Les communications avec l'extérieur

« Bien écouter et bien répondre est une des plus grandes perfections qu'on puisse avoir dans la conversation. »

La Rochefoucauld, *Maximes*

Jusqu'à présent nous n'avons mis des données dans des boîtes en mémoire que par affectation; cela suppose que l'on connaît ces données *au moment où l'on écrit le programme;* en fait, c'est le plus souvent pendant l'exécution du programme que l'on a besoin d'entrer des données, et donc d'avoir une communication entre le programme et l'utilisateur. De plus, une fois les calculs réalisés, il est plus que souhaitable de pouvoir communiquer les résultats à ce même utilisateur : c'est bien de savoir qu'ils sont dans la mémoire, encore faut-il aller les y chercher!

Fortran dispose de deux instructions principales pour converser avec un utilisateur extérieur :

read pour entrer les données (sens extérieur ⟶ machine)

print pour sortir les résultats (sens machine ⟶ extérieur).

Nous allons successivement envisager ces deux instructions.

5.1. L'instruction read

L'instruction read indique au programme que l'on va entrer des données depuis le clavier :

```
real MASSE, POIDS
read *, MASSE
POIDS = MASSE * 9.81
end
```

L'astérisque qui suit le mot read est facultatif avec Watcom Fortran mais obligatoire avec VAX Fortran ou VS Fortran. On ne l'emploie pas avec Watfiv. Il a une raison d'être autre qu'esthétique (surprenant, hein?) qui vous apparaîtra dans quelques chapitres.

Que fait ce programme? Quand on va lancer l'exécution, les différentes instructions (les différentes lignes qui composent le programme) vont s'exécuter les unes après les autres.

`real MASSE, POIDS` Pas de difficulté, on réserve de la place pour une boîte MASSE et une boîte POIDS, dans lesquelles on mettra des réels.

`read *, MASSE` Arrivé là, l'ordinateur comprend que la valeur de MASSE va lui être communiquée *en cours de programme*. Que fait-il? Il attend! Le curseur (le petit trait qui repère où l'on en est sur l'écran) clignote bêtement, en attendant votre intervention; il ne faut pas se dire « Qu'est-ce qu'il fait, il est drôlement lent aujourd'hui, j'ai encore dû faire quelque chose de travers ». La démarche intelligente est de taper la valeur d'un réel, puis appuyer sur la touche RETURN. Supposons que l'on ait entré la valeur 5.50.

(Note : suivant les claviers, la touche RETURN peut prendre le pseudonyme ENTER, ENTREE ou quelque chose comme ça).

`POIDS = MASSE * 9.81` On prend le contenu de la boîte MASSE (qui est 5.50), on le multiplie par 9.81, et l'on met le tout dans la boîte POIDS. Bilan de l'opération : on a 53.955 dans la boîte POIDS (c'est à peine croyable!)

`end` Fin du programme. On débraie et on s'arrête là.

Petite remarque pour les utilisateurs Watfiv : ce langage n'est pas fait pour le dialogue à l'écran, ce qui entraîne que l'on doit taper à la suite du programme, ligne par ligne, ce que l'on aurait sinon tapé pendant l'exécution; voir l'exemple qui est donné dans l'annexe comparant les différentes versions. Toutefois les principes sont rigoureusement les mêmes.

Par rapport à ce qu'on a fait, le programme suivant donnait la même chose :

```
real MASSE, POIDS
MASSE = 5.50
POIDS = MASSE * 9.81
end
```

La différence, c'est que le programme précédent donnera *toujours* un résultat de 53.955 dans la boîte POIDS en fin d'exécution. Le programme qui emploie read permet de faire varier MASSE à chaque exécution.

En fait, read est absolument équivalent à une affectation : c'est l'autre moyen de remplir une boîte en mémoire.

Maintenant, lorsque vous entrez une donnée au clavier, vous êtes libre d'entrer n'importe quoi : que se serait-il passé si au lieu de déclarer MASSE comme un réel, nous l'avions déclaré comme un entier, et si nous avions tout de même tapé 5.50 ⟨R⟩ (⟨R⟩ symbolise le fait d'appuyer sur la touche RETURN)? Comme avec les affectations, tout ce qui suit le point décimal aurait été ignoré, et nous aurions eu pour résultat 5 * 9.81, soit 49.05. En revanche, si nous avions entré CINQ ⟨R⟩, cela aurait provoqué une erreur.

CINQ que nous venons de mentionner est une chaîne de caractères. Contrairement à toutes les utilisations que nous avons pu voir jusque-là de chaînes de caractères, elle n'est pas entre apostrophes : cela ne serait pas nécessaire de doubler les apostrophes de la chaîne.

De plus en plus subtil :

```
character TEXTE*30
read *, TEXTE
........
```

La variable TEXTE est déclarée comme une chaîne de caractères, donc quand l'ordinateur va attendre, si l'on entre :

Sussex Drive ⟨R⟩

il va l'accepter sans problème. Si l'on avait entré :

'Sussex Drive' ⟨R⟩

cela aurait été la même chose (les deux formes sont équivalentes : la même donnée est rangée dans la boîte TEXTE). Mais on aurait pu aussi entrer :

24

Simplement, ce n'est pas un nombre pour l'ordinateur : c'est une chaîne de deux caractères; pas question de calculer avec. Alors qu'en demandant à l'ordinateur de lire un entier ou un réel, on peut produire une erreur en entrant des caractères, en lui demandant de lire des caractères il accepte n'importe quoi.

Lorsque l'on veut lire plusieurs valeurs, on écrit :

```
read *, VAL1, VAL2, VAL3
```

(on peut naturellement écrire plus de trois noms de variables).

Au clavier, nous aurons deux possibilités pour entrer nos données :

— soit entrer la valeur de VAL1 ⟨R⟩
la valeur de VAL2 ⟨R⟩
la valeur de VAL3 ⟨R⟩

— soit entrer les trois valeurs, séparées par des virgules, sur une même ligne, et n'appuyer sur RETURN qu'une fois.

Il faut noter que cette dernière méthode (qui est la plus logique, puisqu'elle correspond bien à l'instruction de lecture du programme) n'empêche pas que l'on entre plus de données que n'en attend le programme. Dans ce cas, les données superflues sont purement et simplement ignorées!

Si par exemple nous avons la suite d'instructions :

```
read *, A, B
read *, C
```

(en supposant que A, B et C ont été déclarés comme entiers) et si nous entrons successivement :

5 ⟨R⟩
3, 6 ⟨R⟩
7, 2 ⟨R⟩

Que se passe-t-il?

Tout d'abord, premier ordre de lecture, avec deux données à lire; la première ligne entrée par l'utilisateur ne contient que 5, qui va dans la boîte A. Mais il faut aussi remplir la boîte B; par conséquent, Fortran va attendre encore une valeur avant de pouvoir passer à l'instruction suivante. L'utilisateur entre maintenant 3 et 6. Le 3 est pris, et mis dans la boîte B. Le 6 n'était pas attendu : bien sûr, il y a un ordre de lecture de C à la ligne suivante, mais comme le programme est exécuté instruction par instruction et qu'on n'en est pas encore arrivé là, la machine ne peut pas le savoir, et ignore cette valeur. Puisque maintenant on a une valeur pour A et pour B, on peut passer à l'instruction suivante, l'ordre de lecture de C. Le programme s'arrête de nouveau, et attend une valeur; on lui en fournit deux, 7 et 2. Comme précédemment, la première est prise en compte et va dans la boîte C, et la seconde, superflue, est ignorée.

Finalement, on se retrouve donc avec 5 dans A, 3 dans B et 7 dans C; le reste est tombé aux oubliettes.

Nous n'avons utilisé pour l'instant l'ordre read qu'avec des variables simples. Intéressons-nous maintenant aux tableaux.

Supposons que l'on ait déclaré :

```
real TABLE(5)
```

Si nous voulons mettre à l'exécution du programme une valeur dans la troisième boîte du tableau, et celle-là seule, nous pouvons écrire :

```
read *, TABLE(3)
```

TABLE(3) représente pour la machine une boîte en mémoire, et se comporte donc comme une variable simple.

Si nous voulons remplir tout TABLE, nous pouvons considérer chaque boîte comme une variable simple et appliquer ce que nous venons de voir :

```
read *, TABLE(1), TABLE(2), TABLE(3), TABLE(4),
         TABLE(5)
```

C'est bien, mais c'est un peu pénible à taper. Partisans du moindre effort comme nous le sommes tous, nous préférerions une forme plus concise. Eh bien, Fortran nous permet cette forme concise; puisque le nom TABLE recouvre un ensemble de boîtes l'instruction :

```
read *, TABLE
```

sera interprétée comme 'ici, attendre que l'utilisateur du programme entre les valeurs de TABLE'; pas besoin de mettre des parenthèses, l'ordinateur sait que TABLE représente cinq boîtes (forcément, on lui a dit au début du programme). Il va donc tranquillement attendre ses cinq valeurs, et en fait l'instruction sous forme concise est rigoureusement identique dans ses effets à la forme 'détaillée' donnée plus haut.

Cela marche bien avec un tableau à une dimension. Cela marche aussi avec des tableaux à plusieurs dimensions, mais là il faut commencer à se poser des questions sur ce qui va être rempli après l'élément (1,1) par exemple : sera-ce l'élément (1,2) ou l'élément (2,1)? Zat is ze question.

En fait, pour éviter tout effort cérébral, nous nous abstiendrons purement et simplement de faire lire au programme un tableau qui a plus d'une dimension de cette façon : nous verrons dans un chapitre ultérieur des méthodes qui permettent de les remplir sans angoisse.

5.2. L'instruction print

Maintenant que nous savons comment entrer nos données, il est temps de voir comment sortir les résultats.

L'instruction à utiliser est print, que l'on utilise avec une syntaxe tout à fait comparable à celle utilisée pour read :

```
print *, RSLT1, RSLT2, RSLT3
```

aura pour effet d'afficher à l'écran, et sur une même ligne, les contenus des trois boîtes RSLT1, RSLT2 et RSLT3. De même, si l'on a déclaré un tableau TOTAL (3), l'instruction

```
print *, TOTAL
```

affichera côte à côte les contenus de TOTAL(1), TOTAL(2) et TOTAL(3).

Le principe à retenir avec print est que chaque instruction d'impression correspond à une nouvelle ligne à l'écran. Si l'on a les valeurs 1, 1000 et 298 respectivement dans les variables entières PRESS, VOLUME et TEMPER, l'instruction :

```
print *, PRESS, VOLUME, TEMPER
```

va avoir pour résultat

```
1      1000       298
```

alors que

```
print *, PRESS
print *, VOLUME
print *, TEMPER
```

va donner

```
   1
1000
 298
```

Une instruction print * employée sans liste de variables permet d'imprimer une ligne blanche et donc de sauter une ligne.

Ainsi

```
print *, PRESS
print *
print *, VOLUME
print *, TEMPER
```

donnera

```
   1

1000
 298
```

Le seul cas un peu délicat survient quand la liste des variables à imprimer sur une ligne est si longue qu'elle ne tient pas physiquement sur la ligne à l'affichage; dans ce cas l'impression va occuper plusieurs lignes, bien qu'il n'y ait qu'une seule instruction print.

Quelque chose d'un peu gênant avec cette instruction est la présentation des résultats, qui suit les règles suivantes :
— Les entiers sont imprimés normalement, avec tout un tas de blancs à gauche (ce qui fait qu'ils sont assez espacés quand on les imprime sur une même ligne).
— Pour les réels, c'est pire puisqu'ils sont complétés à droite par plein de zéros, plus encore la place pour un éventuel signe à gauche. En clair, quand on a entré 2.5 dans une boîte en mémoire et que l'on demande l'impression du contenu de cette boîte, le résultat ressemble à

```
2.500000000000
```

ce qui sur le plan esthétique est assez affligeant, surtout quand la valeur en question représente une somme en dollars et en cents. Il ne faut pas non plus se laisser troubler par la précision illusoire que peut sembler donner le résultat sous une telle forme; comme toujours, le nombre de chiffres significatifs dépend de la précision des données initiales. De plus, quand le réel est gigantesque, on se voit infliger la notation scientifique. Par exemple, si l'on entre 123456789012345, l'impression sera sous la forme

```
.12345678901235E+015
```

— Pour les chaînes de caractères il n'y a rien de particulier en revanche.

Avant que vous ne vous désespériez, nous allons tout de même soulever légèrement le voile pudiquement jeté sur la suite de cet ouvrage pour vous révéler (tant pis pour le suspense) que des instructions permettent d'avoir la mise en page que l'on souhaite, avec le nombre de chiffres que l'on veut après le point décimal et ainsi de suite. Disons que pour l'instant nous nous attachons au fond plus qu'à la forme et que jusqu'à avis contraire nous supporterons avec stoïcisme des résultats alignés bizarrement.

Nous n'avons pas encore fait le tour des possibilités de l'instruction print. La plupart des indications qui viennent d'être données peuvent en effet plus ou moins être mises en parallèle avec ce qui concernait read; mais print, par sa nature, permet des utilisations particulières :

Par exemple, on peut imprimer le résultat d'expressions. Le programme

```
real DIAMET, PI
PI = 3.1416
DIAMET = 10.
print *, PI * DIAMET
end
```

imprimera, en bonne logique, la valeur 31.416 (suivie d'un tas de zéros dont nous n'avons rien à faire). Ces expressions peuvent aussi bien contenir des constantes que des variables :

```
print *, 10 * 3.1416
```

et

```
print *, 3.1416 * DIAMET
```

sont tous deux valides.

Les constantes les plus souvent utilisées avec une instruction print sont les chaînes de caractères, que l'on peut utiliser en conjonction avec des variables. Pour reprendre l'exemple ci-dessus:

```
print *,'PERIMETRE =', PI * DIAMET
```

donnera

```
PERIMETRE = 31.4160000000
```

C'est une erreur commune que de confondre ce qu'il y a entre apostrophes et la liste des variables. Il faut bien s'entrer dans le crâne que lorsque l'on donne à l'ordinateur quelque chose à imprimer entre apostrophes, il se borne à afficher ce qu'il trouve entre ces apostrophes, point final. Si vous écrivez un programme

```
integer PRESS, TEMPER
real VOLUME
PRESS=760
VOLUME=22.4
TEMPER=298
print *,  'PRESSION', VOLUME,'     VOLUME', PRESS
end
```

et si vous l'exécutez, vous aurez pour résultat

```
PRESSION 22.4000000000     VOLUME     760
```

et même si cela choque votre logique, c'est parfaitement normal d'un point de vue informatique. C'est un cas d'erreur de logique, où le programme s'exécute mais donne des résultats absurdes.

Maintenant que nous connaissons read et print, il serait intéressant de les utiliser ensemble dans un programme pas trop ambitieux. C'est une saine habitude que de toujours utiliser une instruction print avant une instruction read de manière à indiquer à l'utilisateur du programme ce que l'ordinateur attend de lui, ce qui de plus permet de suivre le déroulement de l'exécution dans une certaine mesure.

Le programme que nous allons écrire calcule simplement, pour une expérience de physique ou de chimie par exemple, l'erreur relative à partir de la mesure et de l'erreur absolue que l'on a su déterminer. Si nous voulons écrire l'organigramme de ce programme, nous allons aboutir à quelque chose comme :

Erreur relative

Lire la mesure
Lire l'erreur absolue
Calculer le rapport erreur absolue/mesure Le convertir en %
Imprimer la mesure et l'erreur relative

Erreur relative #

Cet organigramme ne donne que les grandes lignes du programme : en fait le programme comportera un certain nombre de détails en plus, essentiellement pour améliorer la présentation et le confort d'utilisation. Des commentaires sont utilisés pour expliquer ces détails. D'autres commentaires soulignent les grandes parties du programme.

```
*****************************************************
*       Programme de calcul d'erreur relative       *
*       ---------------------------------           *
*****************************************************
*
*    Declaration des variables
*    -------------------------
      real MESURE, ERRABS
      integer ERRREL
      character UNITE*5

*
*  MESURE: valeur mesuree experimentalement
*  ERRABS: erreur absolue sur la mesure
*  ERRREL: erreur relative sur la mesure
*          (variable entiere car donne en % et
*           arrondi au % le plus proche)
*  UNITE : unite de la valeur mesuree (demandee
*          a l'utilisateur pour ameliorer la
*          presentation des resultats)
*
*    Lecture des donnees
*    -------------------
      print *,' Entrer la mesure et l''unite en les',
     C   ' separant par une virgule:'
      print *,'    (par exemple: 3.5, kg)
      read *, MESURE, UNITE
      print *
      print *,'  Entrer l''erreur absolue (sans signe + ou '
     C    ,'-):'
      read *, ERRABS
      print *
      print *

*
*    Calcul de l'erreur relative
*    ---------------------------
*  Le rapport de l'erreur absolue sur la mesure est
*  multiplie par 100 pour avoir le resultat en %.
*  Avant  de  mettre le resultat (reel) de cette
*  expression dans la variable entiere ERRREL, on lui
*  ajoute 0.5 ce qui permet d'obtenir l'entier le plus
*  proche lors de la conversion.
*
      ERRREL = (100. * ERRABS / MESURE) + .5

*
*    Impression des resultats
*    ------------------------
*  On introduit une constante chaine de caracteres ' '
*  entre la valeur de la mesure et le nom de l'unite
*  pour que celle-ci ne soit pas collee contre le
*  chiffre le plus a droite.
*
      print *, 'Le resultat experimental est de ',MESURE,
     C    ' ',UNITE
      print *, ' a ',ERRREL,' % pres.'
      end
```

Si nous exécutons le programme précédent (écrit dans un Fortran 77 relativement standard; attention, les lignes de continuation seraient incomprises de Watcom Fortran et en VS Fortran les mots-clés devraient être en majuscules), nous obtenons :

```
 Entrer la mesure et l'unite en les separant par une virgule:
   (par exemple: 3.5, kg)
23,mm
 Entrer l'erreur absolue (sans signe + ou -):
.5

Le  resultat experimental est de   23.0000000000000   mm
 a              2 % pres.
```

Lors de l'exécution, tout n'apparaît pas à la fois: en fait, la question suivante n'apparaît qu'après que la ou les réponses à la question précédente ont été entrées, puisque l'instruction read «bloque» le programme et qu'il ne peut passer à l'instruction print qui suit avant d'avoir eu ses réponses.

Puisque les données sont entrées en mémoire par interaction au clavier lors de l'exécution et non par affectation dans le programme, nous pouvons relancer l'exécution et entrer des données différentes; par exemple, nous pouvons imaginer mesurer une résistance après avoir mesuré une distance:

```
 Entrer la mesure et l'unite en les separant par une virgule:
   (par exemple: 3.5, kg)
98, ohms
 Entrer l'erreur absolue (sans signe + ou -):
5

Le  resultat experimental est de   98.0000000000000   ohms
 a              5 % pres.
```

und so weiter...

5.3. Exercices

***1.** Qu'imprime le programme suivant?

```
character MOT1*4, MOT2*6
MOT1 = 'Hip '
MOT2 = 'Hourra'
print *, MOT1, MOT1, MOT1, MOT2
end
```

***2.** Même question.

```
real FORCE, DISTAN
FORCE = 54.35
DISTAN = 20
print *, ' Le travail accompli est de ', FORCE*DISTAN, 'Joules.'
end
```

***3.** Écrire un programme qui :
— lit deux nombres
— élève le premier à la puissance du second
— imprime le résultat

***4.** Qu'imprime le programme suivant?
(Quand l'instruction read est présente, on suppose que les valeurs données à la suite du programme sont celles entrées par l'utilisateur; ⟨R⟩ indique que l'utilisateur appuie sur RETURN)

```
      integer VAL1, VAL2, VAL3, RSLT
      print *, 'Entrez vos valeurs :'
      read *, VAL1, VAL2
      read *, VAL3
      print *, VAL1, ' +', VAL2, ' =', VAL1+VAL2
      RSLT = VAL3 / (VAL1+VAL2)
      print *, RSLT, ' =', VAL3, ' / (', VAL1, ' +',
     &         VAL2, ' )'
      end
```

Données : 3 ⟨R⟩
4.5, 2 ⟨R⟩
14 ⟨R⟩

****5.** Même question.

```
      real TABLE(5)
      integer I
      print *, 'Entrer 5 valeurs :'
      read *, TABLE
      I = 2
      TABLE(I - 1) = TABLE(I) + TABLE(I + 2)
      TABLE(I + 2) = TABLE(I - 1) - TABLE(5)
      print *, TABLE
      end
```

Données : 5, 4, 3, 2, 1, ⟨R⟩

****6.** Écrire un programme qui lit le volume d'un objet et sa masse, et imprime la différence entre la force d'Archimède qui s'exerce sur cet objet lorsqu'il est plongé dans l'eau et son poids (si cette différence est positive, l'objet flotte; sinon il coule).

6

Structure alternative

« Qui des deux dois-je suivre, et duquel m'éloigner? »

Corneille, *Cinna*

6.1. Présentation et organigramme

Nous n'avons vu jusque-là que ce que l'on appelle le traitement séquentiel, c'est-à-dire que l'on prend une instruction, on l'exécute, on prend l'instruction suivante, on l'exécute, et ainsi de suite.

Il se trouve que dans la plupart des cas on ne peut faire subir le même traitement à toutes les données; par exemple, un programme qui calculerait l'inverse d'une matrice devrait être capable de se rendre compte si elle est inversible ou non, et de ne se lancer dans les calculs que si elle l'est. De même, lorsque l'on veut calculer la valeur de la résistance équivalente à plusieurs autres résistances, on n'appliquera pas la même formule suivant que les résistances en question sont disposées en série ou en parallèle.

En clair, il y a des moments où il faut savoir considérer des cas particuliers et prendre des décisions (c'est ça, la vie...).

Autre exemple, si l'on vient du sud et si l'on arrive à un croisement, on ne prend pas la même direction suivant que l'on veut aller à Vancouver ou à Halifax. On peut dire :

```
Si l'on va à Vancouver
   alors on prend à gauche
Si l'on va à Halifax
   alors on prend à droite
```

Il y a aussi des cas où il faut savoir distinguer entre une possibilité particulière et toutes les autres en vrac :

Si le soleil brille
alors on ira se promener
sinon on ira au cinéma

Le sinon recouvre indifféremment un temps couvert, la pluie, la grêle, la neige, les tempêtes de sable et les invasions de sauterelles.

Il est donc heureux que l'on trouve dans tous les langages de programmation (bien que de manière plus ou moins évoluée) des instructions qui permettent d'appliquer des traitements différents suivant qu'une condition (ou un ensemble de conditions) est ou n'est pas vérifiée.

Comment cette structure, que nous appellerons structure alternative, se représente-t-elle dans un organigramme?

Dans l'organigramme « classique » on représente une condition par un losange. Une flèche arrive à ce losange et deux en partent, l'une correspondant au chemin qu'il faut suivre si la condition est vérifiée, et l'autre à celui qu'il faut suivre si elle ne l'est pas. Le dernier exemple donné se transcrirait à peu près :

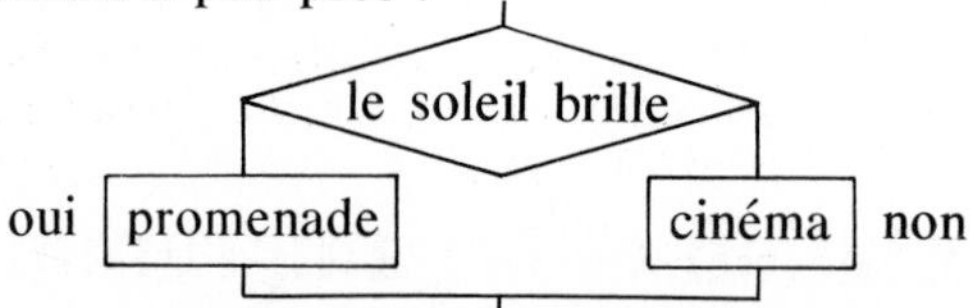

L'avantage, c'est que l'on voit assez bien l'alternative et les deux voies différentes qui nous sont proposées. L'inconvénient, c'est que si ce genre de représentation avait de grands mérites avec les vieux langages de programmation, il s'accommode assez mal des langages les plus modernes dans lesquels on cherche à mettre en évidence la notion de bloc de traitement.

Dans notre représentation nous décrirons la structure alternative de la manière suivante :

♯ SI	condition	
	ALORS	traitement1
	SINON	traitement2
SI ♯		

Dans cet organigramme, « traitement1 » et « traitement2 » représentent des blocs tout à fait quelconques, dépendants de ce que l'on veut faire.

Cela se traduira en Fortran par des instructions :

```
if (condition) then
      traitement1
   else
      traitement2
end if
```

(THEN DO et ELSE DO en Watfiv)

Le end if (qui peut aussi s'écrire endif) marque la fin du bloc; « traitement1 » et « traitement2 » représentent une suite d'instructions (affectations, calculs, lectures, impressions ou autres).

Vous vous étonnez peut-être de la mise en page de ces instructions, où certaines lignes sont décalées (on parle d'indentation) par rapport aux autres. Ce n'est pas par pur souci esthétique ou par perversité : cette mise en page est destinée à mettre en valeur la structure du programme et à en améliorer la lisibilité; quand toutes les lignes commencent à la même colonne, c'est extrêmement difficile de comprendre ce que fait un programme (surtout si, pour tout arranger, il n'y a aucun commentaire) si on l'a écrit il y a quelques semaines ou pire encore si c'est quelqu'un d'autre qui l'a écrit.

Il faut savoir que l'essentiel du temps (70 % en moyenne) des programmeurs consiste à bricoler sur des programmes déjà existants; en conséquence, les commentaires et les indentations sont l'objet en informatique d'une attention maniaque. Il ne suffit pas qu'un programme tourne correctement, il faut encore, et c'est presque aussi important, qu'il soit écrit lisiblement.

6.2. Les conditions

A quoi ressemble une condition en Fortran?

Une condition est définie par une combinaison de comparaisons sur des opérandes (variables, constantes ou expressions) de même type. Les comparaisons possibles sont :

.lt.	inférieur	(Less Than)
.gt.	supérieur	(Greater Than)
.eq.	égal	(EQual)
.le.	inférieur ou égal	(Less or Equal)
.ge.	supérieur ou égal	(Greater or Equal)
.ne.	différent	(Not Equal)

Watcom Fortran permet d'utiliser des notations que l'on retrouve dans d'autres langages de programmation (Basic, Pascal...), à savoir :

<	à la place de .lt.
>	à la place de .gt.
=	à la place de .eq.
<=	à la place de .le.
>=	à la place de .ge.
< >	à la place de .ne.

Nous nous tiendrons dans les programmes à la forme Fortran 77 la plus courante (héritée de Fortran IV), mais nous utiliserons dans les organigrammes la forme étendue plus lisible de Watcom Fortran.

Ainsi, l'expression d'une condition vérifiant si le contenu d'une variable VITESS est positif ou non s'écrira par exemple :

VITESS.gt.O

(VITESS > 0 est aussi valable en Watcom Fortran).

Dans tout livre classique d'initiation à la programmation se place à cet endroit un exemple d'une folle originalité : programme de résolution d'une équation du second degré (il se trouve en effet que, surprise, le signe du discriminant a de l'importance). L'auteur de ces lignes voue une haine profonde aux programmes de résolution d'équations du second degré, et ne suivra donc pas la tradition; vous êtes néanmoins invités à le traiter par vous-mêmes, si le cœur vous en dit.

Nous allons donc plutôt nous intéresser à la résolution d'un système de deux équations à deux inconnues, que nous supposerons sous la forme :

A * X + B * Y = C
D * X + E * Y = F.

Une fois n'est pas coutume, résolvons ce système par la méthode de Kramer :

— Il faut d'abord calculer le déterminant principal

A * E - B * D.

— Ensuite, deux possibilités : soit ce déterminant est nul, et l'on ne peut pas résoudre le système, soit il n'est pas nul et l'on trouve X et Y en calculant deux nouveaux déterminants et en faisant le rapport avec le déterminant principal.

♯ Système

<table>
<tr><td colspan="3">Lire tous les coefficients</td></tr>
<tr><td colspan="3">Calculer le déterminant principal</td></tr>
<tr><td colspan="3">♯ SI le déterminant principal est nul</td></tr>
<tr><td rowspan="2"></td><td>ALORS</td><td>Imprimer un message</td></tr>
<tr><td>SINON</td><td>Calculer le déterminant mineur pour X; calculer X
Idem avec Y</td></tr>
<tr><td colspan="3">SI ♯</td></tr>
</table>

Système ♯

Le programme donnera (en VS Fortran pour changer) :

```
" Programme de resolution d'un systeme de deux
" equations a deux inconnues
"
  REAL A, B, C, D, E, F, X, Y, DETP, DETX, DETY
"
" X et Y sont les inconnues a calculer
" A et D sont les deux coefficients de X
" B et E sont les deux coefficients de Y
" C et F sont les deux seconds membres
" DETP : determinant principal
" DETX : determinant pour le calcul de X
" DETY : determinant pour le calcul de Y
"
  PRINT *, 'Entrer, en les separant par une virgule, le'-
,' coefficient de X,'
  PRINT *, 'celui de Y et le terme du second membre pour la',-
' premiere'
  PRINT *, 'equation:'
  READ *, A, B, C

  PRINT *, 'Entrer, en les separant par une virgule, le'-
,' coefficient de X,'
  PRINT *, 'celui de Y et le terme du second membre pour la',-
' seconde'
  PRINT *, 'equation:'
  READ *, D, E, F
"
  DETP = A * E - B * D
"
  IF (DETP.EQ.O.) THEN
      PRINT *, 'On ne peut resoudre le systeme'
    ELSE
      DETX = C * E - B * F
      X = DETX / DETP
      DETY = A * F - C * D
      Y = DETY / DETP

      PRINT *, ' X = ', X
      PRINT *, ' Y = ', Y
  END IF
"
  END
```

L'exécution de ce programme donne :

(Si l'on essaie par exemple de résoudre

$$3x+4y=7$$
$$3x+2y=9.)$$

```
Entrer, en les separant par une virgule, le coefficient de X,
celui de Y et le terme du second membre pour la premiere
equation:
3, 4, 7
Entrer, en les separant par une virgule, le coefficient de X,
celui de Y et le terme du second membre pour la seconde
equation:
3, 2, 9
 X =   3.66666666666667
 Y =  -1.00000000000000
```

Ceci est le cas sympathique, où le déterminant a été calculé et a été trouvé égal à $3 * 2 - 4 * 3$, soit -6 qui, pour autant qu'on puisse en juger, est raisonnablement différent de 0.

Lorsque l'on teste un programme, il est sage d'envisager tous les cas. Essayons donc de résoudre un système où les deux équations sont, par exemple, proportionnelles, ce qui fait qu'une infinité de couples (x, y) le satisfont. Prenons par exemple :

$$x + 2y = 3$$
$$2x + 4y = 6.$$

Exécutons de nouveau :

```
Entrer, en les separant par une virgule, le coefficient de X,
celui de Y et le terme du second membre pour la premiere
equation:
1, 2, 3
Entrer, en les separant par une virgule, le coefficient de X,
celui de Y et le terme du second membre pour la seconde
equation:
2, 4, 6
On ne peut resoudre le systeme
```

En fait, on peut utiliser des expressions arithmétiques dans les conditions; il était tout à fait possible d'écrire :

```
if ( A*E - B*D.eq.0.) then
```

dans le programme qui précède.

Les comparaisons se comprennent bien avec les variables numériques; mais « inférieur ou égal » n'évoque peut-être pas grand chose pour vous, appliqué à des variables alphanumériques. En fait, leur codage (en binaire, donc numérique) permet de classer les uns par rapport aux autres tous les caractères alphanumériques.

Dans leur grande sagesse, les gens qui ont défini les codages se sont débrouillés pour que ce classement corresponde pour les lettres au classement alphabétique. Dire qu'une chaîne de caractères est inférieure ou égale à une autre signifie donc que, ou elle est égale, ou elle vient avant dans l'ordre alphabétique (comme dans le dictionnaire).

Par exemple, 'SCIENCES ET GENIE' > 'ARTS' est vrai, et
'ADMINISTRATION' >= 'ARTS' est faux.

(l'auteur dénie toute responsabilité quant aux interprétations tendancieuses).

6.3. La combinaison des conditions

Nous avons mentionné plus haut le terme « combinaison » de comparaisons. En effet, nous pouvons former une condition à partir de plusieurs comparaisons réunies par les clauses :

.and. et .or.

(vous remarquerez les points qui font partie de la clause, tout comme d'ailleurs avec .ge., .lt. etc.).

Par exemple, dès que l'on arrive à une division on se pose en général la question de savoir si le diviseur est bien différent de 0; mais, si le dividende et le diviseur sont égaux à 0, il se peut que le rapport admette tout de même une limite; supposons que nous avons :

$$Y = X*(X-2)*(X-1)$$

et que nous voulons calculer le rapport $Y/\left((X-2)*X\right)$. En $X=0$ et en $X=2$, nous nous heurtons à un problème, puisque numérateur et dénominateur sont simultanément nuls. Néanmoins, puisque le rapport est égal à $X-1$ partout ailleurs nous pouvons le prolonger par continuité et dire que, bien que ce rapport ne soit pas défini en 0, cela ne semble pas tout à fait être le symptôme d'un ramollissement avancé du cerveau que de lui attribuer la valeur -1 à cet endroit, et de même pour 2 où l'on attribuera la valeur 1.

Dans un programme cela pourrait intervenir sous la forme :

```
if (X.eq.0.or.X.eq.2) then
  print *, 'Le rapport n''est pas defini'
  print *, 'On le prolonge par continuite en', X-1
else
  print *, 'Le rapport est defini et vaut:'
  print *, X-1
end if
```

On peut joindre ainsi les conditions jusqu'à former des chaînes assez longues. Comme avec les opérations, il y a des priorités : .and. est prioritaire sur .or.. Comme avec les opérations, ça ne coûte pas grand'chose de mettre des parenthèses.

La combinaison des comparaisons est une matière difficile dans laquelle tout le monde se trompe toujours allègrement, principalement parce que le ou et le et logiques correspondent à peu près exactement à l'inverse de ce que l'on a l'habitude d'utiliser dans la vie courante, où l'on ne raisonne que rarement sur des conditions. Par exemple, si l'on voit, dans une bibliothèque :

Il est interdit de boire et de manger.

Il est évident pour n'importe qui de normalement constitué que cet avis s'interprète comme :

Il est interdit de boire et il est interdit de manger.

Un logicien considérera, lui, qu'il peut se goinfrer tant qu'il ne se désaltère pas et réciproquement.

En effet, pour qu'une condition constituée de deux conditions réunies par et soit vérifiée, il faut que les deux conditions qui la constituent *soient vérifiées simultanément;* si je mange sans boire, il est vrai que je mange, mais comme je ne bois pas il n'est pas vrai que je mange et que je bois, donc je ne suis pas en infraction (il est totalement déconseillé de tenir ce genre de propos à un responsable de bibliothèque).

A ceux qui attrapent facilement la migraine avec ces raisonnements on ne saurait trop conseiller l'usage des tables de vérité; ce sont des tableaux du style

Je bois	Je mange	Je bois et je mange
Faux	Faux	Faux
Faux	Vrai	Faux
Vrai	Faux	Faux
Vrai	Vrai	Vrai

Pour notre logicien, l'avis correct serait :

Il est interdit de boire ou de manger.

Pour qu'une condition constituée de deux conditions réunies par ou soit vérifiée, il faut que *l'une au moins* des conditions qui la constituent soit vérifiée, ce qui se traduit par une table de vérité :

Je bois	Je mange	Je bois ou je mange
Faux	Faux	Faux
Faux	Vrai	Vrai
Vrai	Faux	Vrai
Vrai	Vrai	Vrai

Pour des conditions plus compliquées, on obtient des tableaux plus impressionnants, par exemple :

A	B	C	A ou B	(A ou B) et C
Faux	Faux	Faux	Faux	Faux
Vrai	Faux	Faux	Vrai	Faux
Faux	Vrai	Faux	Vrai	Faux
Vrai	Vrai	Faux	Vrai	Faux
Faux	Faux	Vrai	Faux	Faux
Vrai	Faux	Vrai	Vrai	Vrai
Faux	Vrai	Vrai	Vrai	Vrai
Vrai	Vrai	Vrai	Vrai	Vrai

Ce genre de tableau apporte une aide sérieuse dans l'évaluation des conditions composites...

Là où les conditions composites deviennent franchement hilarantes, c'est dans l'évaluation de leur négation. Il ne vous paraîtra probablement pas évident au premier coup d'œil que, dans un programme :

```
if (A.eq.5.and.B.gt.10) then
   traitement 1
else
   traitement 2
end if
```

est rigoureusement équivalent à :

```
if (A.ne.5.or.B.le.10) then
    traitement 2
  else
    traitement 1
end if
```

et pourtant, si! Vous pouvez écrire les tables de vérité pour vous en convaincre.

C'est quand même beau, la logique...

6.4. Des structures particulières

Maintenant que nous avons vu globalement l'aspect d'une structure alternative, intéressons-nous à des structures particulières.

6.4.1. Première structure

La structure SI ... ALORS ... SINON ... ne peut pas toujours s'appliquer telle quelle. En effet, dans un grand nombre de cas, il y a à appliquer un traitement particulier si la condition est ou n'est pas vérifiée, et rien dans l'autre cas.

6.4.1.1. Premier cas : comment exprimer ce qui suit?

♯SI (condition)		
	ALORS	traitement
	SINON	rien
SI♯		

En fait pour ce premier cas la solution est simple : on « oublie » purement et simplement la partie SINON, ce qui donne :

♯SI (condition)		
	ALORS	traitement
SI ♯		

En Fortran, on écrira :

```
if (condition) then
    instructions
end if
```

Autrement dit, la clause «SINON» («else») est facultative.

Exemple

Nous allons envisager le problème classique de l'objet sur un plan incliné, avec les deux possibilités frottement ou pas frottement, et nous allons calculer quelle force de traction il faut exercer pour l'empêcher de glisser sur la (mauvaise) pente.

Nous allons supposer que notre plan est incliné d'un angle ALPHA, et que notre objet a une masse MASSE. S'il n'y a pas de frottement, la réaction du plan a une seule composante (la composante normale), qui équilibre la projection du poids sur l'axe perpendiculaire au plan (dans lequel notre objet n'est pas supposé s'enfoncer, et duquel il n'est pas supposé décoller non plus). S'il y a du frottement, cette réaction a de plus une composante tangentielle au plan, qui vaut F fois la composante normale en module; F est appelé coefficient de frottement statique, et dépend des surfaces en contact; il sera faible pour, par exemple, du marbre poli sur de la glace et fort pour du papier abrasif sur du béton.

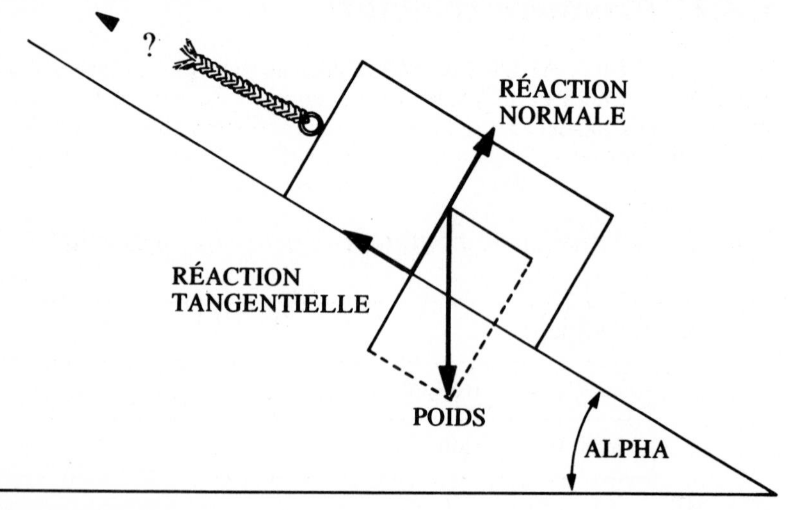

L'organigramme sera :

Plan incliné

Lire la masse de l'objet et l'angle d'inclinaison du plan
Calculer le poids et ses deux projections : sur l'axe perpendiculaire au plan et sur l'axe parallèle au plan
Initialiser le frottement F à 0 Demander s'il y a du frottement

<table>
<tr><td colspan="3"># SI oui</td></tr>
<tr><td></td><td>ALORS</td><td>Lire le coefficient de frottement F</td></tr>
<tr><td colspan="3">SI #</td></tr>
<tr><td colspan="3">Calculer la traction comme étant la composante parallèle au plan du poids moins F fois la composante normale</td></tr>
</table>

Plan incliné #

Cela va se traduire par un programme :

```
* Programme calculant la traction a effectuer sur
* un objet sur un plan incline pour le maintenir
* a l'équilibre
*
      real ALPHA, MASSE, G, F, POIDS (2)
      character REPONS
*
* ALPHA : angle d'inclinaison (en degres) du plan
* MASSE  : masse de l'objet
* G       : acceleration de la pesanteur
* F       : coefficient de frottement statique
* POIDS  : vecteur poids, avec ses deux composantes
*           (normale et parallele)
* REPONSE : reponse a une question (O ou N)
*
        G=9.81
        print *, 'Entrer l''angle d''inclinaison (en degres) :'
        read *, ALPHA
        print *, 'Entrer la masse de l''objet :'
        read *, MASSE
        POIDS (1) = MASSE * G * COS(3.14 * ALPHA / 180)
        POIDS (2) = MASSE * G * SIN(3.14 * ALPHA / 180)
*
        F=0
        print *, ' Y a-t-il du frottement (O/N)?'
        read *, REPONSE
*
* Note : on prevoit une reponse en majuscules ou en
*        minuscules
*
        if (REPONSE.eq. 'O'.or.REPONSE.eq.'o') then
            print *, ' Que vaut le coefficient de frottement'
                 , ' statique?'
            read *, F
        end if
*
```

```
      print *, 'La traction a exercer pour maintenir l''equil'
     &  ,'ibre vaut: '
      print *, P(2) - F * P(1)
      end
```

6.4.1.2. Deuxième cas : comment exprimer :

<table>
<tr><td colspan="3"># SI (condition)</td></tr>
<tr><td rowspan="2"></td><td>ALORS</td><td>rien</td></tr>
<tr><td>SINON</td><td>traitement</td></tr>
<tr><td colspan="3">SI #</td></tr>
</table>

Ce second cas en revanche est plus compliqué : en effet la clause 'ALORS' ('then') est, elle, obligatoire. Cela signifie qu'on ne peut la faire sauter. Alors, que faire?

La solution consiste à inverser la condition, de manière à se retrouver dans le premier cas de figure. On remplacera

```
if (VALEUR.ge.0) then ...
if (VALEUR.lt.0) then ...
```

ou encore

```
if (A.gt.5.and.(B.ne.3.or.C.eq.2)) then
```

par

```
if (A.le.5.or.(B.eq.3.and.C.ne.2)) then
```

Si vous avez quelques notions de théorie des ensembles, cela peut aider de raisonner en termes d'intersections, réunions et complémentaires...

Sinon, il suffit, si l'expression est parfaitement parenthésée, de changer les opérateurs et les clauses en remplaçant

.lt. par .ge.
.le. par .gt.
.eq. par .ne.
.or. par .and.

et réciproquement (en faisant cela, vous appliquerez sans en avoir l'air des théorèmes connus sous le nom de théorèmes de De Morgan en logique).

Enfin, si vous avez des doutes sur la validité de votre conversion, pensez à écrire des tableaux de vérité.

6.4.2. Deuxième structure

Nous avons dit plus haut que ce qui venait après un then ou un else était n'importe quel ensemble d'instructions de Fortran. Un cas particulier est celui où ces instructions contiennent d'autres if ... end if. C'est ce qu'on appelle l'imbrication des structures.

Prenons un premier exemple : nous allons écrire un programme qui lit la note finale sur 100 d'un étudiant, et inscrit « ECHEC » si cette note est inférieure à 40, « EXAMEN DE REPRISE » si elle est entre 40 et 50, et « REUSSITE » si elle est supérieure ou égale à 50.

Nous avons en fait deux manières d'écrire notre programme. La première sera

Note finale

Lire la note	
# SI note >= 50	
ALORS	Ecrire 'REUSSITE'
SI #	
# SI note >= 40 et note < 50	
ALORS	Ecrire 'EXAMEN DE REPRISE'
SI #	
# SI note < 40	
ALORS	Ecrire 'ECHEC'
SI #	

Note finale #

L'inconvénient de cet algorithme est que, dans tous les cas, quelle que soit la note, le programme fera les trois tests. C'est stupide, puisque si la note est supérieure à 50, ce n'est pas la peine de se poser d'autre question.

L'autre méthode, qui est beaucoup plus élégante, met en jeu des conditions imbriquées :

♯ Note finale

<table>
<tr><td colspan="3">Lire la note</td></tr>
<tr><td colspan="3">♯ SI note > =50</td></tr>
<tr><td>ALORS</td><td colspan="2">Ecrire 'REUSSITE'</td></tr>
<tr><td rowspan="4">SINON</td><td colspan="2">♯ SI note > =40</td></tr>
<tr><td>ALORS</td><td>Ecrire 'EXAMEN
DE REPRISE'</td></tr>
<tr><td>SINON</td><td>Ecrire 'ECHEC'</td></tr>
<tr><td colspan="2">SI ♯</td></tr>
<tr><td colspan="3">SI ♯</td></tr>
</table>

Note finale ♯

Remarquons bien que l'ordre d'imbrication des tests peut être optimisé : il faut placer les différentes conditions par probabilité décroissante qu'elles soient vérifiées, afin de minimiser globalement le nombre de tests.

Exercice

Comment réécririez-vous l'organigramme pour un cours de Hittite avancé (0.0789 crédit) qui est traditionnellement 'coulé' par 64 % des gens, réussi par 20 % et pour lequel le reste va en reprise?

Le programme s'écrira finalement :

```
      integer NOTE
*
      print *, 'Entrer la note:'
      read *, NOTE
*
      if (NOTE.ge.50) then
        print *, 'REUSSITE'
      else
        if ( NOTE.ge.40 ) then
           print *, 'EXAMEN DE REPRISE'
      el   se
           print *, 'ECHEC'
         end if
      end if
*
      end
```

Prenons un exemple plus compliqué : Les « menus » se retrouvent presque partout en informatique, surtout dans les programmes d'application et dans les aides disponibles à l'écran.

Il est assez fréquent qu'un menu renvoie sur un autre menu, qui permet de préciser davantage ce que l'on veut faire. C'est typiquement un cas de structures alternatives imbriquées.

Prenons un exemple de recherche de livres informatisée dans une bibliothèque.

Vous avez un premier menu :

```
Fonction : tableau principal
Entrez le n° correspondant a ce que vous desirez,
puis appuyez sur 'SEND'
1 — Recherche de document
2 — Retenue de document
E — CHANGE TO ENGLISH
    Votre choix:
```

Nous supposerons que vous choisissez l'option 1.
Aussitôt, deuxième menu :

```
Fonction: Recherche d'un document
Entrez la lettre correspondant a ce que vous desirez,
puis appuyez sur 'SEND'
T — Recherche d'un document par titre
A — Recherche d'un document par auteur.
C — Recherche d'un document par cote.
S — Recherche d'un document par matiere.
X — Retour au tableau principal
    Votre choix:
```

où vous pouvez par exemple choisir T, et ainsi de suite.

Qu'y a-t-il derrière ce type de système? Un beau programme qui suit l'organigramme structuré suivant (en fait pas tout à fait car on utilise des structures que nous verrons par la suite; disons que ce n'est pas très éloigné de ce qui suit) :

♯ Biblio

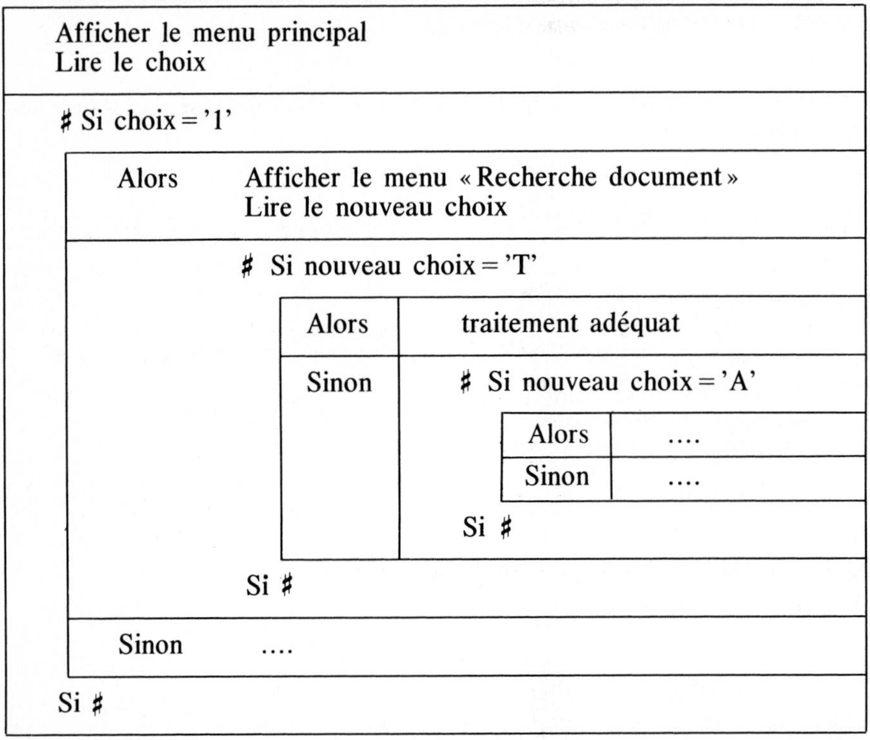

```
Afficher le menu principal
Lire le choix

♯ Si choix='1'
    Alors    Afficher le menu «Recherche document»
             Lire le nouveau choix

             ♯ Si nouveau choix='T'
                 Alors    traitement adéquat
                 Sinon    ♯ Si nouveau choix='A'
                              Alors    ....
                              Sinon    ....
                          Si ♯
             Si ♯
    Sinon    ....
Si ♯
```

Biblio ♯

Vous comprendrez aisément que toutes les options ne sont pas explicitées dans l'ébauche ci-dessus...

Si un niveau élevé d'imbrication est en général impressionnant sur un organigramme, cela n'est pas malgré tout très compliqué : il suffit d'envisager méthodiquement les cas les uns après les autres, en en oubliant le moins possible, et en comprenant bien que pour Fortran un end if se rapporte toujours au dernier if rencontré (ce qui se traduit dans l'organigramme par le fait que toutes les boîtes sont les unes dans les autres et ne se chevauchent pas).

6.5. Exercices

> ***1.** Qu'imprime le programme suivant lorsque l'on entre comme valeur −5?

```
real VALEUR
print *, 'Entrez une valeur:'
read *, VALEUR
if (VALEUR.1t.3) then
```

```
    VALEUR = -1 * VALEUR
  end if
  print *, VALEUR
  end
```

***2.** Même question avec, successivement :

a) 37

>**b)** 3

>***3.** Les deux programmes suivants sont incorrects; quelle est l'erreur dans chacun des cas?

a)
```
integer NOMBRE
if (NOMBRE.gt.5) then
  print *, 'Le nombre est plus grand que 5'
end if
end
```

b)
```
integer VAL1, VAL2, MINIM
print *, 'Entrer deux valeurs :'
read *, VAL1, VAL2
if (VAL1.gt.VAL2) then
  MINIM = VAL2
 else
  MINIM = VAL1
print *, 'La plus petite valeur est', MINIM
end
```

****4.** Écrire l'organigramme d'un programme qui lit les coordonnées de deux points et imprime la pente et l'ordonnée à l'origine de la droite qui passe par ces deux points (N. B. : évidemment, le cas intéressant est quand les deux points ont même abscisse).

****5.** Écrire les tables de vérité pour les conditions suivantes :

>**a)** VAL1.gt.5.and.(VAL2.lt.3.or.VAL3.ne.2)

b) VAL1.lt.5.or.(VAL2.gt.3.and.VAL3.ne.2)

****6.** Reprendre le programme de résolution d'un système de deux équations à deux inconnues et refaire l'organigramme de manière à pouvoir indiquer, quand on ne peut résoudre, si c'est parce qu'il y a une infinité de solutions (les deux équations sont proportionnelles), ou si c'est parce qu'il n'y en a pas (les deux équations sont incompatibles). On pourra supposer que les deux coefficients de X sont non nuls pour simplifier. Utiliser des conditions imbriquées.
Après l'organigramme, écrire le programme.

>****7.** Écrire un programme qui trouve la plus grande de 3 valeurs.

******8.** Écrire l'organigramme d'un programme qui lit les longueurs des trois côtés d'un triangle, et indique:

— S'ils ne peuvent former un triangle (cas où le plus grand des trois est supérieur à la somme des deux autres).
— Si le triangle formé est rectangle (plus grand côté au carré égal à la somme des carrés des deux autres côtés).
— Si le triangle est équilatéral (trois côtés égaux)
— Si le triangle est isocèle (deux côtés égaux)
— Ou s'il est quelconque.

On utilisera le programme de l'exercice 7 pour l'inclure dans celui-là. Attention: l'ordre dans lequel les tests sont à faire ne correspond pas à celui qui est donné.

7

Structure itérative

« Ainsi cela fait un cercle, d'où sont bienheureux ceux qui sortent. »

Pascal, *Pensées*

Dans les chapitres précédents, nous avons vu que les traitements réalisés par l'ordinateur s'effectuent selon une séquence d'instructions que l'on peut représenter par :

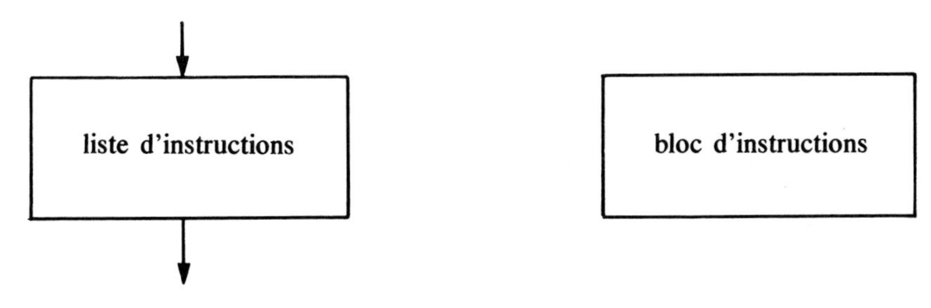

puis la structure alternative nous a permis d'introduire un niveau de décision élémentaire, une possibilité de choix :

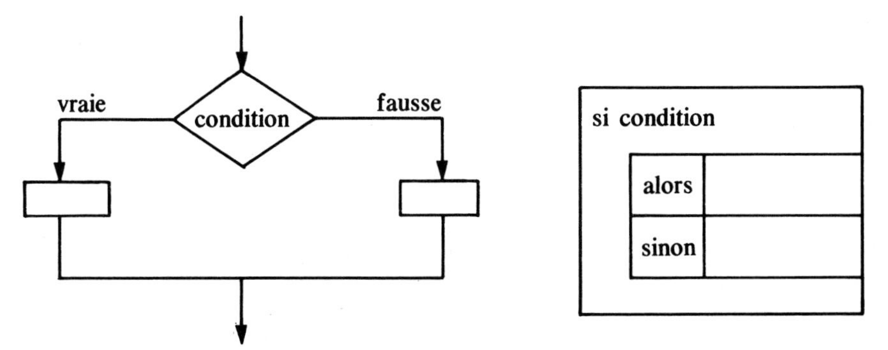

maintenant nous ressentons le besoin de pouvoir répéter un ensemble d'instructions et avoir schématiquement quelque chose qui ressemble à :

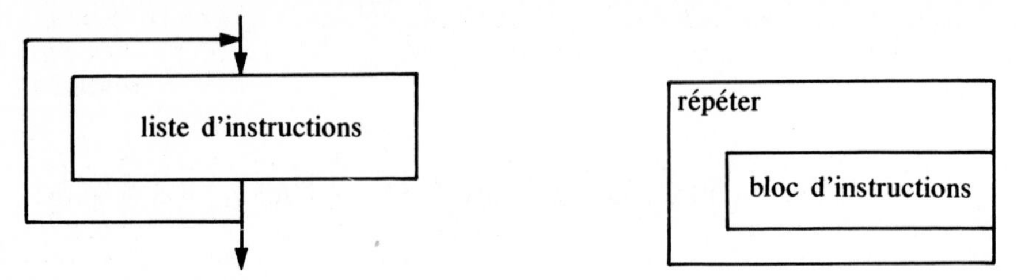

Par exemple, nous avons un programme qui lit les 5 notes d'un étudiant, calcule sa moyenne et imprime le résultat. Nous souhaiterions répéter ce même traitement pour tous les étudiants d'un cours.

Avec les instructions dont nous disposons jusqu'à présent, la seule solution est, s'il y a 50 étudiants qui suivent le cours, de répéter 50 fois :

```
print *, 'Entrer le nom de l''etudiant et les 5 notes:'
read *, NOM, NOTE1, NOTE2, NOTE3, NOTE4, NOTE5
MOYENN = (NOTE1 + NOTE2 + NOTE3 + NOTE4 + NOTE5)/5.
print *, 'Moyenne de ', NOM, ' : ', MOYENN
```

Nous voilà assaillis par le doute métaphysique : franchement, est-ce bien intelligent d'avoir un ordinateur pour faire ce genre de choses?
Évidemment, non.

En fait, on sent bien que le fond de l'opération est le même pour tous les étudiants, et que quand on a écrit les lignes qui précèdent, on a décrit l'essentiel du traitement. Tout ce qu'il faut, c'est trouver un moyen d'indiquer à l'ordinateur de répéter ce traitement tant que l'on n'a pas fait le calcul pour tous les étudiants.

L'objet de ce chapitre est de se donner un outil pour que l'ordinateur travaille plus et le programmeur moins : la structure itérative, couramment appelée boucle.

7.1. Organigramme de la structure itérative

Nous représenterons dans un organigramme un traitement itératif de la manière suivante :

Initialisation des variables de la condition	
# TANT QUE	condition
	instructions évolution de la condition
TANT QUE #	

Ceci demande un peu d'explication : les instructions à répéter sont celles qui se trouvent dans la boîte la plus imbriquée.

Ces instructions, il faut les répéter un certain nombre de fois, mais jusqu'à quand? Il faut que l'on puisse décider quand on va s'arrêter, d'où la condition.

La condition joue un rôle clef dans la structure itérative, et deux remarques s'imposent : tout d'abord, il est nécessaire, si l'on veut s'arrêter un jour, que la condition soit vraie un certain nombre de fois puis devienne fausse. Cela implique que les instructions du bloc font évoluer la condition sinon il n'y a aucune raison pour ne pas continuer indéfiniment. La deuxième remarque semble naturelle mais est pourtant un oubli fréquent : pour pouvoir évaluer une première fois la condition, il faut que les variables qui la composent aient été initialisées.

Remarquons que les instructions qui font évoluer la condition ne sont pas obligatoirement à la fin du bloc.

La condition, mise entre parenthèses, est une expression logique identique à celle de la structure alternative, c'est-à-dire une combinaison de comparaisons.

La liste d'instructions peut comprendre toutes les instructions qui existent dans Fortran (sauf les instructions de déclaration).

7.2. L'utilisation de la structure ♯ Tant que ♯

Regardons des organigrammes simples pour commencer à manipuler la structure ♯ Tant que ♯ :

♯ Impression des entiers de 1 à 10

Initialisation de ENTIER à 1
♯ TANT QUE ENTIER < 11
Imprimer ENTIER   ENTIER = ENTIER + 1
TANT QUE ♯

Impression des entiers de 1 à 10 ♯

Remarque

Il y a souvent plusieurs conditions différentes qui nous permettent de réaliser le même traitement. La condition

(ENTIER < = 10) est équivalente à (ENTIER < 11)

Une autre façon de programmer le même traitement est d'initialiser la variable ENTIER avec 0 et donc de l'incrémenter juste avant de l'imprimer.

♯ Impression des entiers de 1 à 10

Initialisation de ENTIER à 0
♯ TANT QUE ENTIER < 10
ENTIER = ENTIER + 1 Imprimer ENTIER
TANT QUE ♯

Impression des entiers de 1 à 10 ♯

Dans cette programmation, l'évolution de la condition est au début du bloc d'instructions du ♯ Tant que ♯. L'initialisation de la variable ENTIER à 0 entraîne une condition différente. Lorsque ENTIER reçoit le résultat de 9+1 soit 10, on imprime cette valeur et le traitement demandé est terminé, donc la condition d'arrêt de la boucle est bien ENTIER < 10.

Les programmes font ce que nous leur demandons; si dans certains cas nous n'obtenons pas ce que nous voulons, c'est que le problème a été mal analysé au départ. Une phase de mise au point des programmes est normale (on se trompe toujours quelque part) mais elle sera d'autant plus longue que la réflexion préliminaire aura été plus courte. Le plus intéressant de l'affaire est que, pour quelques minutes de cogitation supplémentaire, ce n'est pas quelques minutes, mais quelques heures de mise au point que l'on gagne d'ordinaire.

De même, pendant la mise au point, il est souvent beaucoup plus rentable d'imprimer le programme pour détecter et corriger les erreurs avec un crayon sur le papier que de s'abîmer les yeux à rechercher l'erreur au terminal.

Examinons l'organigramme suivant :

♯ Impression des entiers de 1 à 10

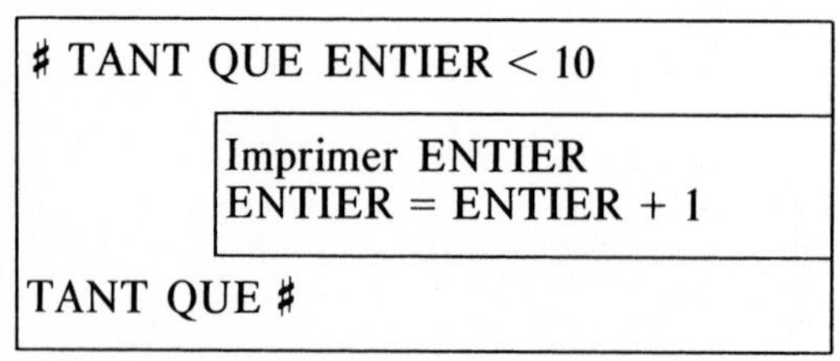

Impression des entiers de 1 à 10 ♯

L'évaluation de la condition ne peut s'effectuer, puisque ENTIER n'a pas été initialisé.

Une erreur fréquente est de ne pas faire évoluer les variables de la condition :

Impression des entiers de 1 à 10

Initialisation de ENTIER à 1
TANT QUE ENTIER < = 10
Imprimer ENTIER
TANT QUE #

Impression des entiers de 1 à 10 #

La variable ENTIER est initialisée avec 1 et n'est pas modifiée. La condition (ENTIER < = 10) reste donc toujours vraie et le programme écrirait stupidement une infinité de nombre 1. On dit d'habitude que le programme boucle.

Un autre cas de boucle infinie plus difficile à détecter est lorsque l'évolution de la condition est fausse. Par exemple :

Impression des entiers de 1 à 10

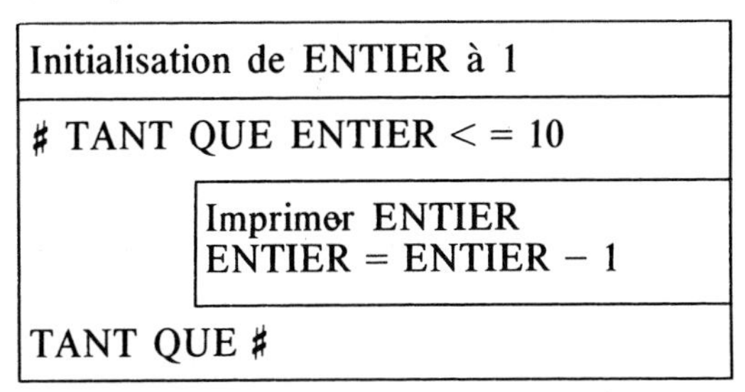

Impression des entiers de 1 à 10 #

Ici, la variable ENTIER vaut d'abord 1 puis prend successivement les valeurs 0, −1, −2, −3, −4... jusqu'à moins l'infini, ou au moins jusqu'au plus grand entier négatif représentable en mémoire.

Une mauvaise utilisation de la boucle est caractérisée par son exécution une seule fois au plus, quelle que soit la valeur des variables de la condition :

Impression des entiers de 1 à 10

Lire ENTIER
TANT QUE ENTIER < 10
Imprimer ENTIER ENTIER = 10
TANT QUE #

Impression des entiers de 1 à 10 #

Dans cet exemple la boucle est exécutée une fois si l'ENTIER lu est inférieur à 10 ou aucune fois autrement. Donc nous utilisons la structure ♯ Tant que ♯ comme une structure alternative, et il est bien plus logique d'écrire alors :

♯ Impression des entiers de 1 à 10

Lire ENTIER	
♯ SI ENTIER < 10	
ALORS	Imprimer ENTIER
SI ♯	

Impression des entiers de 1 à 10 ♯

et l'on réalise le même traitement que précédemment.

7.2.1. Programmation de la structure ♯ TANT QUE ♯

Un certain nombre de versions de Fortran 77 disposent d'instructions permettant de directement programmer la structure ♯ TANT QUE ♯. C'est le cas de VAX Fortran, pour lequel on écrit :

```
do while ( condition )
        liste d'instructions
end do
```

Les termes do, while, end do sont des mots-clés. Comme avec if
do while marque le début du bloc.
end do marque la fin du bloc.

En Watcom Fortran (comme en Watfiv d'ailleurs, sous réserve de passer en majuscules) on écrira:

```
while ( condition ) do
        liste d'instructions
end while
```

Malheureusement, beaucoup de Fortrans 77 (dont la version officielle) ne disposent pas d'instruction équivalente. Alors? Que faire? On utilise une combinaison d'instructions qui sont admises par tous les Fortrans et qui permettent de parfaitement réaliser le ♯ TANT QUE ♯ des organigrammes.

En fait, ♯ TANT QUE ♯ est parent de ♯ SI ♯. Le premier bloc peut simplement être exécuté beaucoup de fois, et le second une seule au maximum. Cette ressemblance permet de traduire l'organigramme de la manière suivante :

```
etiq if ( condition ) then
        liste d'instructions
        goto etiq
     end if
```

Dans ce cas, etiq représente ce qu'on appelle une étiquette, c'est-à-dire un entier positif qui permet de repérer une ligne particulière du programme; s'il y a plusieurs boucles # TANT QUE # dans le programme, une étiquette différente doit être associée à chaque boucle. Vous avez le libre choix de l'étiquette (on prend d'habitude un entier multiple de 100 ou de 10), que l'on écrit dans les six premières positions sur la ligne. L'instruction goto etiq signifie simplement le retour à l'instruction repérée par l'étiquette (le test). Par exemple :

```
      integer ENTIER
      ENTIER = 1
10    if (ENTIER.lt.11) then
         print *, ENTIER
         ENTIER = ENTIER + 1
         go to 10                 (en un mot ou deux)
      end if
      end
```

Dans ce qui suit, on alternera les différentes formes que l'on peut trouver, en indiquant dans les commentaires quel membre de la famille Fortran 77 on met à contribution.

Exemple

On sait assez facilement calculer la position et le grandissement que donne d'un objet une lentille mince dont la position par rapport à l'objet et la longueur focale sont connues.

Il suffit en effet d'appliquer intelligemment les formules :

$$1/p + 1/q = 1/f \quad \text{et grandissement} = -q/p$$

avec les notations classiques (si votre mémoire est vacillante, les significations sont expliquées en commentaires dans le programme qui suit).

Une lentille mince, c'est supportable. Dès qu'il y en a plusieurs, cela devient pénible à calculer puisque l'image d'une lentille devient l'objet de la suivante et ainsi de suite.

C'est alors qu'il faut faire appel à la machine, qui va faire tout cela très bien pour nous.

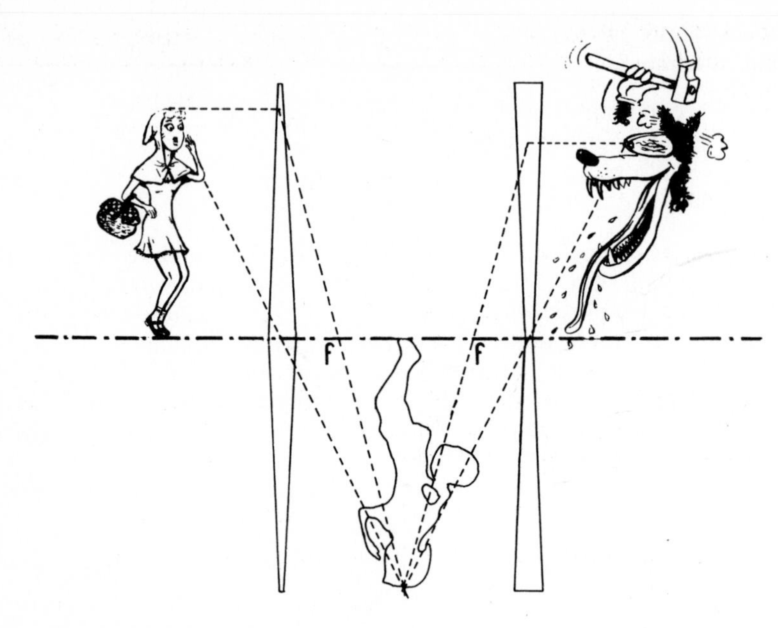

L'organigramme peut en effet s'écrire :

Calcul de lentilles

<table>
<tr><td colspan="2">Lire le nombre N de lentilles
Lire la hauteur de l'objet
Initialiser un compteur à 1
La position de repère est celle de l'objet</td></tr>
<tr><td colspan="2"># Tant que le compteur n'est pas supérieur à N</td></tr>
<tr><td rowspan="6"></td><td>Lire la distance entre la position de repère et la lentille suivante
Lire la longueur focale de la lentille suivante
Calculer à quelle distance elle se trouve de l'objet</td></tr>
<tr><td>Calculer la position de l'image et le grandissement</td></tr>
<tr><td>Calculer la taille de l'image</td></tr>
<tr><td>Reprendre l'image pour objet et la position de la lentille comme position de repère</td></tr>
<tr><td>Ajouter 1 au compteur</td></tr>
<tr><td></td></tr>
<tr><td colspan="2">Tant que #</td></tr>
<tr><td colspan="2">Imprimer les résultats</td></tr>
</table>

Calculs de lentilles #

Quelques points pourraient peut-être se voir développer, mais nous pouvons tout de même passer sans tarder au programme, qui mérite une certaine attention :

```
*       Programme de calcul de l'image donnee par plusieurs
*       lentilles minces.
*       ---------------------------------------------------
*       Ecrit en VAX FORTRAN
*
        real P, Q, F, HAUT, GRAND, DIST
        integer N, I
*
*       P         : Distance entre l'objet et la lentille
*       Q         : Distance entre l'image et la lentille
*       F         : Longueur focale de la lentille
*       HAUT      : Hauteur de l'objet
*       GRAND     : Rapport de grandissement
*       DIST      : Distance entre la position de repere et
*                   la prochaine lentille
*       N         : Nombre de lentilles
*       I         : Compteur
*
        print *, 'Combien y a-t-il de lentilles?'
        read *, N
        print *, 'Quelle est la hauteur, en mm, de l''objet?'
        read *, HAUT
        print *, 'La position de repere est initialement celle de'
      &, ' l''objet.'
*
*       Initialisation de Q a 0 pour indiquer que l'objet
*       est confondu avec la position de repere
*
        Q = 0
        I = 1
        do while (I.le.N)
           print *, 'Quelle est la distance, en mm, entre la'
      &          , ' lentille ', I
           print *, 'et la position de repere?'
           read *, DIST
           print *, 'Longueur focale de la lentille ', I, ' ?'
           read *, F
*
*          Calcul de la distance de l'ancienne image a la
*          lentille, puis de la position de la nouvelle image
*
           P = DIST - Q
           Q = (F * P) / (P - F)
           GRAND = - Q / P
*
*          Calcul de la hauteur de l'image
*
           HAUT = HAUT * GRAND
           print *, 'La nouvelle position de repere est celle de'
           print *, 'la lentille ', I
           I = I + 1
        end do
        print *, 'L''image est a ', Q, ' mm de la derniere lentille'
        print *, 'et taille est ', HAUT, ' mm.'
        end
```

La volonté de faire tenir le programme sur une page a contraint à un certain laconisme dans les commentaires. Étudiez bien ce programme et soyez certain de bien voir en particulier comment chaque fois l'image antérieure devient le nouvel objet. Le démarrage de la boucle (initialement) est aussi intéressant à considérer.

Lorsqu'on l'exécute, on obtient par exemple :

```
Combien y a-t-il de lentilles?
3
Quelle est la hauteur, en mm, de l'objet?
10
La position de repere est initialement celle de l'objet.
Quelle est la distance, en mm, entre la lentille           1
et la position de repere?
23
Longueur focale de la lentille          1 ?
12
La nouvelle position de repere est celle de
la lentille          1
Quelle est la distance, en mm, entre la lentille           2
et la position de repere?
15
Longueur focale de la lentille          1 ?
-8
La nouvelle position de repere est celle de
la lentille          2
Quelle est la distance, en mm, entre la lentille           3
et la position de repere?
27
Longueur focale de la lentille          3 ?
16
La nouvelle position de repere est celle de
la lentille          3
L'image est a   21.1603856266433 mm de la derniere lentille
et sa taille est  -13.4618755477651 mm.
```

Il vous est conseillé de simuler l'exécution (calculatrice utile!).

7.3. Traitement d'un nombre inconnu de données

Dans les exemples que nous avons vu jusqu'à présent le nombre de fois où il fallait effectuer la boucle était communiqué au programme avant de la commencer, soit par affectation (comme dans tous les petits exemples du début du chapitre), soit par lecture, comme dans l'exemple précédent.

L'affectation signifie que la valeur est connue par le programmeur lorsqu'il écrit le programme; cela arrive parfois, mais ce n'est pas le plus fréquent. La lecture est certainement plus intéressante dans la plupart des cas.

Il existe une autre technique, encore plus générale que la lecture : il arrive souvent que l'on commence à lire des données sans savoir combien il va y en avoir exactement; on veut alors continuer de lire et d'effectuer un traitement « tant qu'il y a des données », sans plus de précision.

Il nous faut donc un moyen de dire : « il n'y a plus de données ». Pour résoudre ce problème, on utilise une convention :

La dernière donnée sera fictive et aura une forme particulière; cette donnée s'appelle *donnée sentinelle.*

Prenons un exemple de calcul des moyennes de différents étudiants. Les notes seront à la suite les unes des autres, chacune sur une ligne; la dernière note ne comptera pas, elle aura la valeur − 1, par convention entre le programmeur et l'utilisateur. Si nous avons 3 notes, elles seront placées comme suit :

80
70
75
− 1 ←———————————— donnée sentinelle

Si nous avons 5 notes :

100
70
50
80
60
− 1 ←———————————— donnée sentinelle

On aurait pu adopter un autre procédé : dire que, par convention, le premier chiffre est le nombre de notes de l'étudiant, et avoir par exemple :

3
80
70
75

Mais en fait, l'utilisation de la variable sentinelle est bien supérieure. Pourquoi cela? Indiquer le nombre des données sous-entend qu'on a, à un moment ou un autre compté ces données, et donc qu'on leur a déjà appliqué un traitement; un traitement suppose de la peine et, s'il est manuel, peut être erroné (cela n'est jamais agréable, après avoir entré 153 notes, de s'apercevoir que l'on s'était trompé en comptant et qu'il y en avait 154). La donnée sentinelle permet de souverainement mépriser ce genre de difficultés.

Si l'on veut faire l'organigramme du calcul de la moyenne d'un nombre quelconque de notes, cela donne :

Moyenne

```
TOTAL = 0
Lire première NOTE
NOMBRE DE NOTES = 1
-----------------------------------------------
# TANT QUE NOTE ⟨ ⟩ −1
    -------------------------------------------
    TOTAL = TOTAL + NOTE
    Lire nouvelle NOTE
    NOMBRE DE NOTES = NOMBRE DE NOTES + 1
    -------------------------------------------
TANT QUE #
-----------------------------------------------
NOMBRE DE NOTES = NOMBRE DE NOTES  −1
MOYENNE = TOTAL / NOMBRE DE NOTES
```

Moyenne #

Quelques commentaires s'imposent :

Pour calculer une moyenne on effectue la somme des notes tout en les comptant, puis on divise le total par le nombre de notes. Attention, comme nous avons introduit une donnée sentinelle qui n'est pas une note véritable nous ne devons pas la compter. Quand nous sortons de la boucle # TANT QUE # nous avons compté une donnée en trop, donc cela explique que nous devons retrancher 1 à notre compteur.

Nous aurions pu éviter cela en déplaçant la ligne d'incrémentation du compteur et en changeant son initialisation; pouvez-vous suggérer une version de l'organigramme ainsi modifiée?

La traduction en Fortran est presque immédiate :

```
*      Calcul de moyenne
*      Ecrit en Fortran 77 standard, aux minuscules pres
*
       integer NOTE, TOTAL, NBNOTE
       real MOYENN
       TOTAL = 0
       print *, 'Entrez la premiere note'
       read *, NOTE
       NBNOTE = 1
10     if (NOTE.ne. - 1) then
         TOTAL = TOTAL + NOTE
         print *, 'Entrez une nouvelle note'
         print *, 'Entrez  - 1 pour terminer'
         read *, NOTE
         NBNOTE = NBNOTE + 1
         go to 10
       end if
       NBNOTE = NBNOTE - 1
       MOYENN = TOTAL / NBNOTE
       print *,' LA MOYENNE DES', NBNOTE, ' NOTES EST ', MOYENN
       end
```

Remarquons que chaque lecture d'une nouvelle note se fait dans une seule et même variable : NOTE. Cela signifie qu'à chaque lecture nous écrasons la valeur de la note précédente. Dans l'exemple ci-dessus notre objectif étant seulement le calcul de la moyenne, il était inutile de mémoriser toutes les notes.

Que se passera-t-il si l'utilisateur, sur la bêtise duquel il est prudent de compter, entre −1 comme première note? Que faudrait-il ajouter pour que le programme «résiste» même dans ce cas-là?

Maintenant, supposons qu'une fois la moyenne calculée, nous voulons compter le nombre de notes qui sont autour de la moyenne, disons dans un intervalle [moyenne −10, moyenne +10] (les notes vont de 0 à 100).

Dans ce cas nous avons besoin de conserver toutes les notes lues, et donc utiliser un vecteur pour les mémoriser. La première note sera dans le premier élément du vecteur, la deuxième dans le deuxième élément et ainsi de suite...

L'indice de notre vecteur va évoluer de la même façon que le nombre de notes, donc nous pouvons utiliser cette variable comme indice. Au niveau logique la seule différence se situe dans la mémorisation des données et le programme change peu.

Le vecteur contenant les notes doit avoir une dimension finie, nous prendrons 100 par exemple, cela signifie que le nombre de notes peut être quelconque mais en restant inférieur ou égal à 100. Si nous avons besoin de traiter plus de cent notes, il suffira de changer simplement la dimension du vecteur.

```
* Calcul de moyenne, version revue
* Ecrit en Watcom Fortran
*
  integer NOTES (100), NBNOTE, COMPTE
  real MOYENN, TOTAL
  TOTAL = 0
  NBNOTE = 1
  print *, 'Entrez la premiere note'
  read *, NOTES (NBNOTE)
  while ( NOTES (NBNOTE).ne.-1 ) do
         TOTAL = TOTAL + NOTES (NBNOTE)
         print *, 'Entrez une note, ou entrez  -1 pour terminer'
         NBNOTE = NBNOTE + 1
         read *, NOTES (NBNOTE)
  end while
  NBNOTE = NBNOTE - 1
  MOYENN = TOTAL / NBNOTE
  print *, 'Moyenne des ', NBNOTE, ' notes :', MOYENN
*
* pour compter les notes qui se situent autour de la moyenne nous
* pouvons reutiliser la variable TOTAL
*
  TOTAL = 0
  COMPTE = 1
  while ( COMPTE.le.NBNOTE ) do
         if ( NOTES(COMPTE).ge.MOYENN-10
&           .and. NOTES(COMPTE).le.MOYENN+10 ) then
                TOTAL = TOTAL + 1
         end if
         COMPTE = COMPTE + 1
  end while
  print *, (TOTAL/NBNOTE)*100, ' % des notes dans un ecart de',
&          ' 10 autour de la moyenne'
  end
```

Quand un ordre de lecture correspond à plusieurs données (du style read *, VAL1, VAL2, VAL3) on utilise, non plus une valeur, mais une ligne sentinelle, composée du nombre de données nécessaire; cela tient au comportement de Fortran, qui refuse obstinément de passer à l'instruction suivante tant qu'il n'a pas eu la ration de données promise.

Il est alors en général complètement inutile de tester toutes les données de la ligne sentinelle, et d'aller s'embourber dans des manipulations osées de conditions composites, avec lesquelles on a toutes chances de se tromper. En fait, il suffit de tester l'une des valeurs, judicieusement choisie.

7.4. L'utilisation de la structure ♯ Faire pour ♯

Il existe une autre forme de boucle que la boucle ♯ Tant que ♯, la boucle ♯ Faire pour ♯. Cette forme n'est qu'un cas particulier, fréquemment utilisé, de la précédente.

Nous représenterons cette nouvelle structure itérative dans nos organigrammes structurés sous la forme :

```
♯ FAIRE POUR compteur = début, fin, pas
            ┌──────────────────────────────
            │ instructions à répéter
            └──────────────────────────────
FAIRE ♯
```

Le terme pas doit vous intriguer; il correspond à l'incrément. Quand vous vous rendez, soulevés d'enthousiasme, en cours d'informatique, vous montez les escaliers en sautant deux marches sur trois pour aller plus vite: dans ce cas, votre pas est de trois, puisque vous ne posez le pied que sur une marche sur trois. En revanche, quand vous allez en cours de [censuré], vous vous appliquez bien à poser le pied sur toutes les marches et là votre pas n'est plus que de un.

Nous avons dit que cette structure itérative était un cas particulier de la précédente; en effet, ce qu'il y a ci-dessus est rigoureusement équivalent à:

compteur = début

```
♯ TANT QUE compteur < = fin
            ┌──────────────────────────────
            │ instructions à répéter
            │ compteur = compteur + pas
            └──────────────────────────────
TANT QUE ♯
```

On voit ainsi que:

compteur est une variable numérique
début est la valeur initiale du compteur
fin est sa valeur finale
pas est la différence entre deux valeurs successives du compteur. On peut la fixer arbitrairement ou non. Si on ne lui donne pas de valeur, Fortran prend 1 a priori. On ne peut évidemment fixer le pas à 0, cela conduirait à une boucle infinie.

début, fin et pas peuvent parfaitement être des variables, ou même des expressions arithmétiques.

Fortran IV et Watfiv exigent que ces trois valeurs soient des entiers positifs. Cette restriction n'existe pas dans Fortran 77. Néanmoins, c'est une bonne habitude que de ne jamais utiliser que des entiers (éventuellement négatifs).

Exemple simple :

Impression de tous les entiers pairs de 2 à 10

♯ Nombres pairs

♯ FAIRE POUR i = 2, 10, 2	
	Imprimer i
FAIRE ♯	

Nombres pairs ♯

Quand on compare les deux formes, on se rend compte que notre nouvelle structure exécute, par rapport à l'ancienne, trois opérations de manière implicite:

— l'initialisation du compteur
— sa comparaison à la valeur finale
— son incrémentation.

Le revers de la médaille, c'est que Fortran ne vous permet pas d'interférer dans ce qu'il fait pour vous : on n'a pas le droit, du coup, de modifier la valeur du compteur dans le corps de la boucle. On peut utiliser le contenu de la boîte qui correspond en mémoire à ce compteur, mais on ne peut pas le modifier.

Quelle sera la syntaxe en Fortran?

La version officielle de Fortran 77 (et de Fortran IV) est :

```
      do etiq compteur = début, fin, pas
            instructions à répéter
etiq  continue
```

Tout le monde aura compris que etiq est l'étiquette qui repère ici la fin du bloc (alors qu'avec l'autre structure itérative c'est le début qui est repéré). Comme toutes les étiquettes d'un programme doivent, pour pouvoir s'y retrouver, être différentes (on ne peut pas aller à plusieurs instructions à la fois ni avoir un bloc qui se termine à deux endroits différents, faut être logique), la programmation avec étiquettes suppose une gestion de celles-ci assez pénible ("%$ #, j'ai déjà une étiquette 500 plus haut!").

On appréciera donc à sa juste valeur le fait que VAX Fortran et Watcom Fortran admettent aussi la syntaxe simplifiée suivante :

```
do compteur=début, fin, pas
     instructions à répéter
end do
```

(Comme d'habitude, end do peut s'écrire enddo).

Comme cette forme est plus sympathique aux auteurs, ils n'hésiteront pas à l'utiliser assez souvent dans ce qui suit.

Redonnons un exemple simple : pour ceux d'entre vous qui ont du mal à mémoriser la table de multiplication par 5, voilà un programme qui vous permettra de l'imprimer!

```
integer NOMBRE, I
print *, 'Quelle table de multiplication voulez-vous?'
read *, NOMBRE
do I = 1, 10
    print *, I, ' fois ', NOMBRE, ' = ', I*NOMBRE
enddo
end
```

7.5. Comparaison entre # Faire pour # et # Tant que

Maintenant, quand utiliser la boucle # Faire pour #, quand utiliser la boucle # Tant que # ?

La boucle # Faire pour # s'emploie uniquement quand on sait exactement combien de fois les instructions sont à répéter (ce qui est assez fréquent malgré tout).

La boucle # Tant que # s'emploie dans tous les autres cas, et peut naturellement être utilisée, nous l'avons vu, à la place d'une boucle # Faire pour #; simplement, dans ces cas-là, elle est un peu plus lourde.

Le cas typique d'utilisation de la bouche # Faire pour # est la manipulation des tableaux; on peut en effet toujours savoir exactement combien ils contiennent d'éléments (il suffit de compter lorsqu'on les remplit).

Par exemple

```
      integer I, TABLE (100), NOMBRE
      I=1
      print *, 'Entrer l''element No', I
      read *, TABLE(I)
*
*     Premiere boucle
*
10    if (TABLE(I).ne.9999.and.I.lt.100) then
              I = 1 + 1
              print *, 'Entrer l''element No', I
              print *, '(Entrer 9999 pour arreter)'
              read *, TABLE(I)
              go to 10
      end if
      NOMBRE = I
      if (TABLE(I).eq.9999) then
          NOMBRE = I - 1
      end if
      print *, 'Le contenu du tableau est:'
*
*     Deuxieme boucle
*
      do 20 I = 1, NOMBRE
              print *, TABLE(I)
20    continue
      end
```

Autre cas très intéressant (si, si) : la lecture ou l'impression de tableaux de dimension 2 ou plus (nous avions laissé de côté leur cas lorsque nous avons introduit read et print).

Une lecture classique de tableau de dimension 2 se fera sous la forme :

```
    integer I, J
    real TABLE (4,4)
    do I = 1, 4
           print *, 'Ligne', I
           do J = 1, 4
              print *, 'Entrez l''element en colonne', J
              read *, TABLE (I,J)
           end do
    end do
    end
```

Cet exemple mérite qu'on lui porte une certaine attention : il fait en effet intervenir deux boucles do imbriquées. Supposons que nous voulons entrer en mémoire la matrice suivante :

$$\begin{bmatrix} 3 & 4 & 7 & 8 \\ 1 & 5 & 6 & 9 \\ 2 & 3 & 5 & 4 \\ 1 & 3 & 8 & 7 \end{bmatrix}$$

Le programme va se dérouler ainsi :

Quand on rentre dans la première boucle, I va prendre la valeur 1.

Le programme imprime

```
Ligne          1
```

On va ensuite entrer dans la seconde boucle, et J va varier de 1 à 4, pendant que I garde la valeur 1.

On va donc avoir à l'écran ce qui suit :

```
Ligne          1
Entrez l'element en colonne          1
3
Entrez l'element en colonne          2
4
Entrez l'element en colonne          3
7
Entrez l'element en colonne          4
8
```

En sortant de la boucle sur J, on rencontre la fin de la boucle sur I, et cette variable va donc prendre la valeur 2.
On entre une deuxième fois dans la seconde boucle, et c'est reparti pour un tour : J va de nouveau varier de 1 à 4 :

```
Ligne          2
Entrez l'element en colonne          1
1
Entrez l'element en colonne          2
5
Entrez l'element en colonne          3
6
Entrez l'element en colonne          4
9
```

A chaque fois que l'on exécute la boucle sur I, on exécute quatre fois la boucle sur J.

Ainsi, l'instruction read est rencontrée 16 fois au total, ce qui permet d'entrer tous les éléments du tableau.

Passons maintenant à un exemple plus évolué; supposons que nous voulons calculer la résistance équivalente à un ensemble de résistances de la forme suivante :

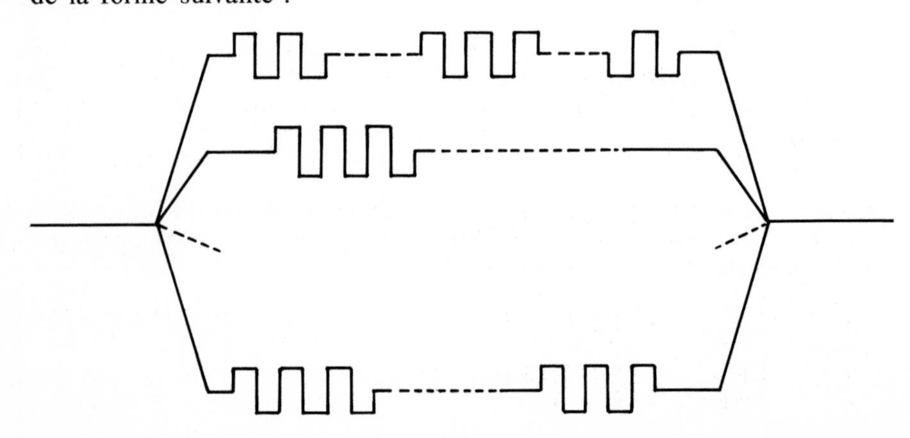

Nous allons utiliser à la fois une boucle ♯ Faire pour ♯ et une boucle ♯ Tant que ♯; nous pouvons très bien en effet imaginer d'utiliser l'organigramme suivant :

♯ Calcul de résistance

Lire N, le nombre de branches
Initialiser à 0 la conductance totale du circuit

♯ Faire pour $I = 1,\ N$

Initialiser à 0 la résistance totale de la branche

Lire la première résistance de la branche

♯ Tant que l'on n'a pas lu 0

Ajouter la valeur lue à la résistance totale de la branche
Lire la résistance suivante

Tant que ♯

♯ Si la résistance totale de la branche n'est pas nulle

Alors	Ajouter son inverse à la conductance totale du circuit
Sinon	Imprimer 'court-circuit'

Si ♯

Faire ♯

Imprimer l'inverse de la conductance totale

Calcul de résistance ♯

On remarquera que l'on ne teste pas si la conductance est nulle ou pas à la fin; on suppose l'utilisateur assez intelligent pour ne pas utiliser ce programme pour calculer la résistance équivalente à un ensemble de résistances nulles (s'il ne l'est pas, le programme ne fonctionnera pas et cela sera bien fait pour lui, non mais sans blagues!)

Passons au code:

```
*       Calcul de resistance equivalente
*
*       Ecrit en VAX Fortran
*
        real CONDUC, RESTOT
        integer RESIST, N, I
```

```
*      CONDUC : conductance totale du circuit
*      RESTOT  : resistance totale d'une branche
*      RESIST  : valeur d'une resistance
*      N           : nombre de branches
*      I            : compteur
*
       CONDUC = 0.
       print *, 'Combien y a-t-il de branches?'
       read *, N
       do I=1, N
           RESTOT = 0.
           print *
           print *, 'Branche numero', I
           print *, 'Entrer la premiere resistance :'
           read *, RESIST
           do while (RESIST.gt.0)
               RESTOT = RESTOT + RESIST
               print *, 'Entrer la resistance suivante :'
               print *, '      (0 pour arreter)'
               read *, RESIST
           end do
           if (RESTOT.gt.0) then
               CONDUC = CONDUC + 1./RESTOT
             else
               print *, 'ATTENTION: la branche numero',I,
     &                  'fait court-circuit'
           end if
       end


       print *, 'La resistance equivalente est de', 1./CONDUC,
     &          'Ohms.'
       end
```

Si nous exécutons le programme pour le circuit suivant:

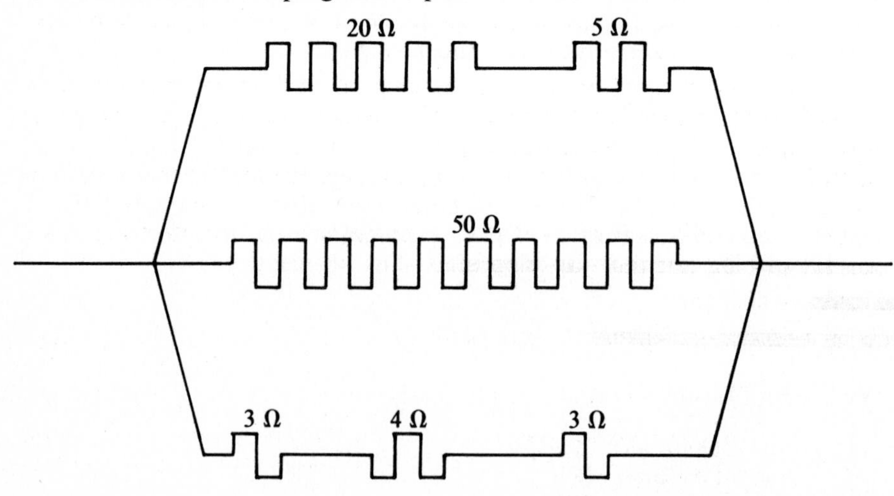

Nous obtenons:

```
Combien y a-t-il de branches?
3
Branche numero          1
Entrer la premiere resistance:
20
Entrer la resistance suivante:
  (0 pour arreter)
5
Entrer la resistance suivante:
  (0 pour arreter)
0
Branche numero          2
Entrer la premiere resistance:
50
Entrer la resistance suivante:
  (0 pour arreter)
0
Branche numero          3
Entrer la premiere resistance:
3
Entrer la resistance suivante:
  (0 pour arreter)
4
Entrer la resistance suivante:
  (0 pour arreter)
3
Entrer la resistance suivante:
  (0 pour arreter)
0
La resistance equivalente est de   6.25000000000000 Ohms.
```

7.6. Les boucles do implicites

Il existe une forme un peu spéciale de boucle do, dite boucle do implicite. Ce n'est pas vraiment une structure, et du coup on ne la représente pas d'ordinaire dans les organigrammes. C'est plutôt un « truc de programmation », particulier aux langages de la famille Fortran, et qui est assez utile, même s'il n'est pas fondamental.

Bien que ce soit une notion simple, elle est en général très mal comprise et l'on peut généralement distinguer trois grandes catégories de personnes:
— celles qui n'y ont rien compris,
— celles qui croient avoir compris et emploient cette notion à tort et à travers,
— celles qui ont compris et l'emploient bien (catégorie numériquement minoritaire).

Il suffit pourtant d'assez peu pour faire partie des élus.

Première chose à assimiler: *les boucles implicites ne s'emploient qu'avec des instructions* read *ou* print. Pas question de les utiliser pour des affectations ou des calculs, contrairement aux boucles do normales.

Si vous vous rappelez ce qui a été dit à propos de read ou de print, chaque fois que l'on rencontre une de ces instructions il y a passage automatique à la ligne suivante.

Nous avons vu que nous pouvions imprimer plusieurs valeurs sur la même ligne, soit en inscrivant explicitement la liste de ces valeurs, soit en donnant le nom du tableau à une dimension qui les contenait.

Nous avons vu également que des problèmes se posaient avec les matrices.

Si l'on a déclaré integer TABLE (5,5) (par exemple) et si l'on a rempli cette matrice, on peut pour l'imprimer donner l'instruction

```
print *, TABLE
```

l'ennui, c'est qu'il va être très difficile de savoir à quelle ligne et quelle colonne correspond telle ou telle valeur (à part la première et la dernière).

Les boucles do imbriquées permettent une meilleure solution:

```
do I = 1, 5
    do J = 1, 5
        print *, TABLE(I, J)
    end do
end do
```

va imprimer, à raison d'une valeur par ligne, d'abord les cinq valeurs de la première ligne (les unes en dessous des autres), puis les cinq valeurs de la deuxième ligne et ainsi de suite.

On peut préciser, par des impressions des valeurs successives de I et de J, quel est l'élément en question, et l'on a ainsi un résultat assez satisfaisant. Mais en fait, il serait beaucoup plus plaisant de voir le tableau s'afficher sous la forme familière lignes/colonnes. Pour cela, il faut écrire les instructions suivantes:

```
do I = 1, 5
    print *, (TABLE(I,J), J = 1, 5)
end do
```

Le (TABLE(I,J), J = 1, 5) correspond à la boucle implicite. En effet, on indique sous cette forme que J varie de 1 à 5 (comme avec la boucle do, on peut ajouter un pas et utiliser des variables ou des expressions arithmétiques); seulement, comme cela ne correspond qu'à un seul ordre print, les valeurs vont s'imprimer les unes à côté des autres et non plus les unes en dessous des autres. Lorsque I vaudra 1 on aura donc l'impression des 5 éléments de la ligne 1 les uns à côté des autres. I va ensuite s'incrémenter et prendre la valeur 2. En rencontrant de nouveau l'instruction print, il va y avoir passage à la ligne suivante et impression des 5 éléments de la ligne 2 les uns à côté des autres... vous êtes capables de deviner la suite tout seuls!

En pratique, les deux boucles do vont donner :

[Valeur de TABLE(1, 1)]
[Valeur de TABLE(1, 2)]
....
[Valeur de TABLE(1, 5)]
[Valeur de TABLE(2, 1)]
[Valeur de TABLE(2, 2)]
....

[Valeur de TABLE(5, 4)]
[Valeur de TABLE(5, 5)]

et la boucle do plus la boucle implicite:

[Valeur de TABLE(1, 1)] ... [Valeur de TABLE(1, 5)]
[Valeur de TABLE(2, 1)] ... [Valeur de TABLE(2, 5)]
...
[Valeur de TABLE(5, 1)] ... [Valeur de TABLE(5, 5)]

En échangeant les variables I et J on peut avoir une représentation «basculée» de la matrice (en termes mathématiques, la matrice transposée) :

```
do J = 1, 5
    print *, (TABLE(I, J), I = 1, 5)
enddo
```

L'indice qui va varier «le plus vite» sera celui des lignes, et donc on aura d'abord l'impression en ligne des cinq valeurs de la première colonne, puis celles de la deuxième colonne, etc.

Il faut noter que des boucles implicites sont utilisables avec d'autres types de variables que des tableaux, et peuvent être imbriquées, par exemple

```
print *, (((I+J), I = 1, 3), J = 2, 4)
```

Exercice

Qu'imprime cette instruction?

Il faut noter aussi que si VECTR n'a qu'une dimension (par exemple integer VECTR(4)) alors

```
read *, VECTR
```

est rigoureusement équivalent à

```
read *, (VECTR(I), I=1, 4)
```

Cette dernière forme, plus compliquée, a l'intérêt de bien mettre en évidence qu'il s'agit d'un tableau et non d'une variable simple, ce qui n'aurait peut-être pas été évident sinon.

Elle peut donc permettre une meilleure compréhension d'un programme.

7.7. Exercices

>***1.** Qu'impriment les programmes suivants:

a)
```
      integer COMPTE
      COMPTE = 0
10    if (COMPTE.1t.7) then
       COMPTE = (2*COMPTE)+1
       print *, COMPTE
      end if
      end
```

b)
```
integer COMPTE
COMPTE = 2
do while (COMPTE.1t.7)
 COMPTE = (2*COMPTE)+1
 print *, COMPTE
end do
end
```

c)
```
      integer I
      real SOMME
      do 10 I = 1, 10
         print *, 'Ah, si j''avais $', SOMME
         SOMME = SOMME + 1
         print *, 'j''aurais bientôt $', SOMME
10    continue
      end
```

***2.** Expliquer l'erreur contenue dans chaque séquence d'instructions:

a)
```
      real VAL1, VAL2
      VAL1 = 3
      while (VAL2.ge.0. ) do
       VAL2 = VAL2 * (1 + VAL3)
       read *, VAL2
      end while
      end
```

> **b)**
```
      integer N
      N = 1
      do while (N.ne.10)
       print *, 2*N
       N = N + 2
      end do
      end
```

> **c)**
```
      integer NOMBRE
      NOMBRE = 1
      do NOMBRE = 1, 5
        print *, 'Execution numero', NOMBRE, ' de la boucle'
        NOMBRE = NOMBRE + 1
      end do
      end
```

> ****3.** Qu'impriment les programmes suivants?

a)
```
      integer I, M, K
      I = 35. / 6.
      M = 0
      if (I.gt.5) then
        do 10 K = 1, 3
          M = M + K
          print *, K, M
10      continue
      end if
      end
```

b)
```
      integer I, N
      N = 0
      do 10 I = 1, 5
20      if (N.lt.I) then
          N = N + I
          go to 20
        end if
          print *, I, N
10    continue
      end
```

> ***** 4.** Le programme suivant est sensé résoudre ce problème:
- — lire un nombre quelconque, inférieur ou égal à 100, d'entiers positifs dans un vecteur (la ligne sentinelle sera −1)
- — trouver le plus grand nombre
- — imprimer le plus grand nombre trouvé

```
integer ENTIER (100), NOMBRE, INDICE, NBRENT, MAX
INDICE = 0
read *, NOMBRE
while (NOMBRE.ne.-1.and.INDICE.lt.100) do
```

```
    INDICE = INDICE + 1
    ENTIER (INDICE) = NOMBRE
    read *, NOMBRE
end while
NBRENT = INDICE - 1
MAX = ENTIER (1)
do INDICE = 2, NBRENT
    if (MAX.gt.ENTIER (INDICE)) then
        MAX = ENTIER (INDICE)
    end if
end do
print *, 'L''ENTIER LE PLUS GRAND EST ', ENTIER (MAX)
end
```

Malheureusement ce programme possède trois erreurs de logique; corrigez-les.

(Cet exemple est corrigé dans l'annexe qui illustre les différences entre les Fortrans 77).

>*** **5.** Le programme donné dans le chapitre pour calculer l'image obtenue d'un objet par une série de lentilles a un défaut: il produit une erreur si l'objet se trouve dans le plan focal objet de la lentille suivante (P = F). Dans ce cas, l'image est rejetée à l'infini. Pouvez-vous modifier l'organigramme de manière à ce que, si ce cas se produit, on imprime un message et l'on sorte immédiatement de la boucle?

**** **6.** Modifiez l'organigramme du programme de calcul de lentilles de manière à ce que l'utilisateur n'entre plus au début le nombre de lentilles qu'il utilisera, mais indique simplement par une longueur focale de 0 qu'il n'y a pas de « lentille suivante ». Ceci demande une révision assez complète de l'organigramme.

8

Fichiers

« Et comme il conserve ces connaissances, il peut aussi les augmenter facilement. »

Pascal, préface du *Traité du vide*

Nous avons jusqu'à présent toujours utilisé l'ordinateur de manière interactive, c'est-à-dire que les instructions print et read nous permettaient un « dialogue » avec la machine.

L'inconvénient, c'est que notre utilisation intensive de l'écran et du clavier n'est pas toujours satisfaisante; il est parfaitement ridicule de devoir noter sur un bout de papier qui traîne les résultats qui viennent de s'afficher à l'écran pour pouvoir les conserver (encore heureux quand on peut les recopier : pour peu que notre programme imprime beaucoup de résultats, on les voit défiler très vite puis disparaître).

De plus, entrer les données au clavier chaque fois que l'on utilise le programme n'est pas vraiment exaltant. Il existe des applications scientifiques (mécanique des sols, génie civil entre autres) où les données sont extrêmement nombreuses et n'ont été acquises que petit à petit.

Il serait donc agréable d'avoir deux programmes, l'un qui permette de ranger 'quelque part' les données, au fur et à mesure, et un programme que l'on n'exécute que lorsque toutes les données ont été rassemblées, et qui les traite toutes. Pour une structure métallique un peu compliquée, par exemple, on peut supposer que l'on a pris le temps qu'il fallait pour rentrer les caractéristiques des 3 458 poutres, puis que l'on a exécuté le programme calculant les moments de torsion qu'elles subissaient, leurs flèches, etc.

Avant même de savoir où aller ranger nos informations, il est prudent de savoir comment nous allons les organiser. D'ordinaire, lorsque l'on gère manuellement de l'information, on inscrit toutes les données dans différentes chemises, cahiers, sur des fiches et autres. Le tout est soigneusement rangé sur des étagères ou dans des meubles divers et classé pour permettre une consultation plus facile.

Par comparaison, la manière un peu cavalière dont nous avons traité jusque-là nos données (on les met 'en mémoire', dans des 'boîtes' que seul le système sait où localiser) laisse à désirer. En effet, tant que l'on garde nos données en mémoire, le système d'exploitation, qui est un père pour nous, garde un œil vigilant sur elles et nous empêche de les perdre ou de les mélanger. Seulement, voilà, le jour où l'on sort de la mémoire, adieu le système! Autrement dit, à nous de prendre les choses en main.

8.1. Les fichiers et les périphériques

On appelle enregistrement un ensemble d'informations élémentaires qui a une structure bien définie. Par exemple une université constitue un enregistrement sur chaque étudiant qui la fréquente : cet enregistrement contiendra le nom, le prénom, le numéro, l'adresse, la situation familiale, la faculté, l'année d'études, les cours suivis, les notes obtenues, etc.

On désigne sous le nom de fichier un ensemble d'enregistrements. En mettant ensemble les enregistrements concernant chacun des étudiants, on obtient le fichier des étudiants, auquel on donne un nom. Comme d'habitude, plutôt que de l'appeler 'GLKZXWURTF', on préfère lui donner un nom significatif et l'appeler 'ETUDIANTS'.

Jusque-là, rien de très spécifiquement informatique. Ce qui est un peu particulier en informatique, c'est le support sur lequel on écrit ce fichier : le disque magnétique.

Lorsque nous avons vu les périphériques, nous en avons mentionné d'autres que le clavier et l'écran : en particulier, les disques (ou disquettes) magnétiques, qui sont à l'utilisateur de l'informatique ce que le papyrus était aux bibliothécaires d'Alexandrie.

Ce genre de périphérique relève de la catégorie des « mémoires de masse » (à laquelle appartiennent aussi les bandes magnétiques, les disques optiques...), qui permettent de sauvegarder ce qui est contenu en mémoire centrale et qui donc disparaît quand on arrête l'ordinateur (ou, sur un ordinateur qui fonctionne en temps partagé, quand on se déconnecte).

Tout ce que l'on sauve est mis dans des fichiers, dont on peut distinguer deux espèces principales : les fichiers de données, qui correspondent à ce que l'on vient de décrire, et les fichiers de programmes, dans lesquels sont stockées ces données particulières que sont nos programmes pour les programmes qui constituent le système d'exploitation. Ces fichiers de programme recouvrent d'ailleurs très souvent plusieurs fichiers (source, objet, exécutable...) correspondant à plusieurs étapes de la transformation de ce que nous avons laborieusement tapé en un aliment digestible par l'ordinateur. Parfois l'utilisateur ne voit qu'un fichier, cela dépend des installations.

Tout comme le système d'exploitation permet de sauvegarder les programmes, les programmes à leur tour permettent de sauvegarder les données qu'on leur communique.

Ceci dit, prudence : la bibliothèque d'Alexandrie a fini en fumée, et les supports magnétiques ne sont pas à l'abri de tout incident; outre le feu qu'ils craignent autant que le papier, on peut citer, pour les disquettes, les doigts sur les surfaces magnétiques, l'abandon sur un radiateur l'hiver, ou derrière une vitre au soleil l'été, le contact avec un objet métallique un peu acéré (stylo à bille...), la liste n'est pas limitative.

Les disques magnétiques sont nettement plus sûrs, dans la mesure où ils sont constitués de disques métalliques recouverts d'oxyde magnétique bien à l'abri sous un chassis. Ces disques tournent à grande vitesse et on les lit ou on écrit dessus à l'aide de têtes magnétiques qui « flottent » au-dessus de la surface (elles s'en trouvent à quelques microns). Ces têtes sont fixées sur une espèce de peigne qui se déplace (très lentement à l'échelle de l'unité centrale) pour aller lire les données. Malheureusement, il arrive que dans un grand élan d'affection une tête vienne se frotter sur le disque, ce qui est connu sous le nom de « crash » dans l'infâme jargon informatique; ça n'arrive pas tous les jours, mais ça arrive tout de même plus d'une fois tous les dix ans.

Anatomie d'une unité de disque

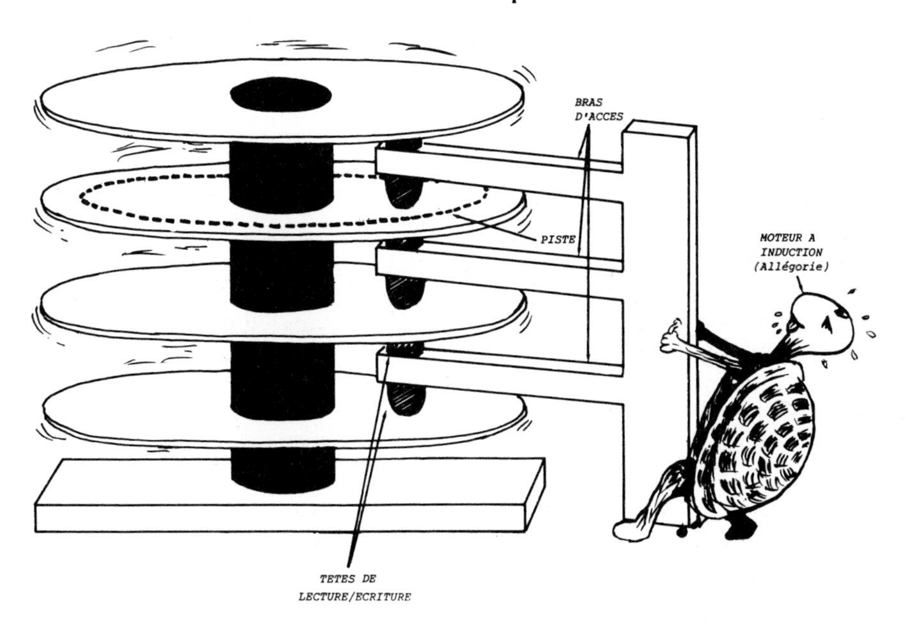

Enfin, outre les incidents plus ou moins mécaniques mentionnés ci-dessus, il y a, beaucoup plus fréquente, la bête erreur de manœuvre qui fait effacer le mauvais fichier (un des avantages du support magnétique est qu'il s'efface très bien).

En conséquence, avec la pratique des supports magnétiques vient très vite une obsession, celle du « back-up », soit en clair l'obsession de faire systématiquement un double de tout ce que l'on confie à un support magnétique, au cas où... Les bandes magnétiques, nettement plus économiques que les disques, sont fréquemment utilisées pour cela. Moyennant quoi, on arrive à travailler de manière tout à fait satisfaisante.

8.2. La gestion des périphériques

Si vous étiez attentifs quand nous avons abordé l'architecture des ordinateurs, vous vous rappelez certainement l'existence des unités d'échange, qui organisent les flux d'information entre l'unité centrale et les périphériques.

En fait, l'unité d'échange ne va pas diriger les informations que lui transmet l'unité centrale n'importe où, au hasard : si on lui dit de les envoyer à tel ou tel endroit, elle le fera. Si on ne lui dit rien, elle supposera, à priori, que le bon périphérique est l'écran. Même chose pour l'entrée des données dans l'unité centrale, elle ira les chercher sur le périphérique qu'on lui indique, et à défaut d'indication elle supposera qu'elles doivent venir du clavier.

On peut comparer l'unité d'échange à une personne qui est chargée, soit de mettre dans un avion, soit de réceptionner, des individus quelconques (qui représentent nos informations).

Le tableau des arrivées et des départs de l'aéroport a l'allure suivante :

ARRIVEES	DEPARTS
CLAVIER : porte 5	ECRAN : porte 6

(Pourquoi 5 et 6? Pourquoi pas 5 et 6?)

Quand on signale à l'unité d'échange, par un print, qu'elle doit transmettre de l'information depuis l'unité centrale vers l'extérieur, autrement dit de mettre un individu dans un avion, elle regarde où se font les départs, voit que c'est porte 6, et va y mettre notre individu-information (sans se soucier plus que cela de la destination, d'ailleurs).

Si on lui signale par read qu'elle doit transmettre de l'information depuis l'extérieur vers l'unité centrale, elle va se diriger d'un pas guerrier vers la porte 5 et y attendre jusqu'à voir arriver quelque chose.

Or, et c'est là que les choses deviennent intéressantes, Fortran permet deux choses :
— créer de nouvelles destinations,
— changer les affectations des portes.

8.2.1. Comment créer de nouvelles destinations

Quand nous allons vouloir écrire sur disque magnétique, tout ce que nous aurons besoin de communiquer à Fortran est le nom du fichier (notre nouvelle destination...) et la porte qui correspond à cette destination (à laquelle nous donnerons un numéro arbitraire).

Nous faisons cela en écrivant l'instruction :

open (unit= numéro de la porte, file= nom du fichier)

(« numéro de la porte » et « nom du fichier » peuvent être des constantes ou des variables).

Vous remarquerez que jusque-là nous n'avons pas précisé si cette destination nous intéressait pour des départs ou des arrivées. Nous ne pouvons donc pas encore l'afficher au tableau.

Supposons que dans notre programme nous trouvions donc :

open (unit= 3, file= 'FICHIER')

(si l'on a une variable chaîne de caractères NOMFICH, dans laquelle on a mis, soit par une affectation, soit par un read, le nom FICHIER du fichier que l'on veut ouvrir, on peut aussi avoir

open (unit= 3, file= NOMFICH))

Le problème, avec l'unité d'échange, c'est qu'elle ne fait pas de gros efforts d'imagination : si on ne lui précise pas que l'arrivée des informations ou leur départ se fait par la porte 3, elle ira toujours à la porte 6 pour les départs, et à la porte 5 pour les arrivées. Si l'on veut qu'elle aille chercher l'information à la porte 3, il faudra lui écrire :

read (3, *) liste des variables à lire

(L'astérisque a toujours la même signification mystérieuse. Patience, le dénouement est proche.)

Il faut bien remarquer qu'avec cette forme *le nom de la première variable n'est plus précédé par une virgule.*

On écrit en effet :

read *, INFO1, INFO2

mais

read (3, *) INFO1, INFO2

C'est comme ça!

Maintenant que nous avons communiqué l'instruction read, nous savons que notre nouvelle destination est en fait une provenance, donc une arrivée, et nous pouvons mettre à jour notre tableau des arrivées et des départs :

ARRIVEES	DEPARTS
FICHIER : porte 3	ECRAN : porte 6
CLAVIER : porte 5	

ATTENTION :
Un fichier est soit une destination, soit une provenance, mais pas les deux à la fois. Autrement dit, maintenant que notre tableau est mis à jour (et c'est la première instruction d'entrée/sortie qui le fait), il n'est plus question de demander à l'unité d'échange d'aller mettre un individu dans l'avion qui part porte 3 : elle vous répondrait que c'est une erreur, puisqu'il n'y a pas de départs porte 3.

Quand on en a fini avec le fichier FICHIER, on le « ferme » pour retirer du service la porte 3. C'est facile, il suffit d'ajouter l'instruction

```
close (3)
```

La porte 3 est maintenant libérée, et on peut parfaitement l'utiliser — on aurait très bien pu en choisir une autre — pour écrire dans un autre fichier que nous allons appeler DONNEES.

Nous devons d'abord la remettre au tableau, donc

```
open (unit=3, file='DONNEES')
```

Enfin, il suffit que la première instruction rencontrée mettant en jeu la porte 3 soit une instruction d'écriture.

C'est là que les choses se compliquent légèrement et que l'on sent que l'accouchement de Fortran a été difficile : au temps de Toutankhamon, les écrans n'existaient pas, et quand on voulait sortir des résultats on avait le choix entre des cartes de carton perforé (dont on peut voir quelques exemplaires momifiés au British Museum), des imprimantes et des supports magnétiques (bandes, à l'époque).

Avec un sens raffiné de la complication, les auteurs de Fortran ont donné des ordres d'écriture différents suivant les supports : PUNCH pour les cartes, PRINT pour les imprimantes et WRITE pour les bandes.

La technologie évoluant, PUNCH est tombé aux oubliettes, PRINT s'est appliqué aux écrans et WRITE aux supports magnétiques (bandes + disques). Il faut en accuser l'hérédité si avec Fortran on emploie indifféremment read pour lire depuis le clavier ou depuis un fichier, mais si l'on ne peut indiquer de numéro de porte avec print, ce qui nous amène à employer write avec les fichiers. C'est une habitude à prendre. Nous écrirons donc

write (3, *) liste des expressions à imprimer.

Même remarque qu'avec read en ce qui concerne l'absence de virgule avant le nom de la première variable ou expression, et en ce qui concerne l'astérisque.

Notre tableau des arrivées et des départs devient alors :

ARRIVEES	DEPARTS
CLAVIER : porte 5	DONNEES : porte 3
	ECRAN : porte 6

Ça n'est pas plus compliqué que ça...

8.2.2. Changement d'affectation des portes

Si depuis le début nous employons la porte 5 pour la provenance CLAVIER et la porte 6 pour la destination ÉCRAN, ce n'est pas vraiment par hasard; le clavier et l'écran sont en effet tous deux associés à des unités (5 et 6 par convention). Mais, du fait de leur importance, ils ont droit à un traitement spécial; comme vous avez pu vous en rendre compte, il n'y a pas besoin de les « ouvrir », ni de les « fermer ». En fait, c'est Fortran qui s'en charge pour nous.

De même, s'il n'y a pas besoin de donner le numéro de l'unité quand on passe par eux pour échanger de l'information avec l'utilisateur, c'est que pour Fortran

read *, est rigoureusement équivalent à read (5, *)

et

print *, est synonyme de write (6, *)

Cela n'est pas sans conséquences. Si l'on ne peut ouvrir une autre unité que 5 pour l'associer au clavier ou une autre unité que 6 pour l'associer à l'écran, absolument rien ne nous empêche d'associer des fichiers sur disque magnétique à ces unités 5 et 6. Simplement, si l'on ouvre un fichier associé à l'unité 6, tout ce qui aurait dû paraître à l'écran va s'écrire dans ce fichier, et l'écran n'affiche rien : on a purement et simplement fait disparaître la destination ÉCRAN du tableau des arrivées et des départs, et elle ne reviendra que quand on aura mis un terme à l'association en cours par un close(6) (ou que le programme s'arrêtera, soit pour être arrivé à son terme, soit à cause d'une erreur).

Pour reprendre notre tableau des départs et des arrivées, on peut dire que

open (unit=6, file='RESULT.LIS')

modifie le tableau pour donner, dès que l'on a rencontré un point:

ARRIVEES	DEPARTS
CLAVIER : porte 5	RESULT.LIS : porte 6

Ce genre d'association présente un certain intérêt pour obtenir une copie imprimée (il suffit en effet d'envoyer ensuite le fichier vers une imprimante) d'un dialogue qui aurait dû avoir lieu au terminal. Encore faut-il, pour qu'il soit complet, imprimer systématiquement toute réponse entrée au clavier et ne pas craindre, lorsqu'on exécute le programme, d'entrer toutes les réponses à l'aveuglette, puisqu'on ne voit plus les questions!

Ce cas mis à part, il est en général préférable pour quelqu'un qui maîtrise bien les entrées/sorties et les fichiers de ne pas toucher aux unités 5 et 6, c'est-à-dire préférable d'associer n'importe quelle unité différente de celles-là aux fichiers que l'on utilise. Si l'on veut avoir les mêmes messages ou l'impression des mêmes résultats à l'écran et dans un fichier, on doublera tous les print d'un write (en fait, si l'on est astucieux, on peut utiliser l'équivalence print *, ⟺ write (6, *) et n'utiliser que des write. Utiliser une variable pour contenir le numéro de l'unité permet de boucler sur ce numéro, qui peut prendre successivement les valeurs 6 et celle associée au fichier, moyennant un pas adéquat).

8.3. Les fichiers séquentiels

Tout ce qui précède met en évidence une certaine équivalence entre un fichier sur disque magnétique et, par exemple, l'écran : un enregistrement correspond à une ligne. Quand on écrit dans un fichier, on écrit enregistrement après enregistrement, en séquence, tout comme à l'écran les lignes s'affichent les unes après les autres. Quand on lit, c'est pareil : on commence au début du fichier, et on lit les enregistrements les uns après les autres. Les fichiers que l'on utilise ainsi s'appellent des fichiers séquentiels.

A l'origine, les fichiers séquentiels étaient les seuls que l'on connaissait : ils correspondaient en effet tout à fait à la disposition des informations dans un paquet de cartes (lues l'une après l'autre) ou sur une bande magnétique. Ils sont encore très souvent utilisés aujourd'hui, surtout dans les applications scientifiques, parce qu'ils ont l'avantage d'une grande simplicité d'emploi.

La difficulté, c'est quand on veut mettre à jour des informations, ou les accéder de manière sélective; tout le monde a utilisé un magnétophone à cassettes qui présente les mêmes inconvénients : quand on veut remplacer un enregistrement par un autre, c'est tout de suite compliqué parce que les durées ne correspondent jamais tout à fait et, soit on se retrouve avec un 'blanc' sonore, soit, ce qui est pire, on efface le début de l'enregistrement suivant (auquel on tenait beaucoup, sans cela ce ne serait pas drôle...). De même, quand on veut écouter un enregistrement précis, il se trouve en général à l'autre bout de la cassette et il faut jouer du rembobinage rapide à n'en plus finir.

La cassette n'est vraiment d'utilisation agréable en 'écriture' que lorsqu'on enregistre une cassette vierge et que l'on ajoute nos enregistrements à la suite des précédents, et en 'lecture' quand on écoute tout d'un bout à l'autre : exactement comme les fichiers séquentiels.

En fait, quand on lit dans un fichier, il y a recherche de la dernière version de ce fichier, « rembobinage » (c'est-à-dire positionnement sur le premier enregistrement), puis lecture de tous les enregistrements les uns après les autres, au rythme des read rencontrés. Quand on écrit dans un fichier, il peut y avoir création d'une nouvelle version (certains systèmes d'exploitation conservent les vieilles versions, d'autres pas. Certaines options permettent éventuellement de se positionner à la fin de la dernière version, pour lui ajouter des données), puis écriture à chaque write d'un nouvel enregistrement.

Les données utilisées en génie ont l'avantage de ne pas changer souvent; le problème est tout autre en gestion, où tout change en permanence (imaginez la gestion des comptes par une banque!). La difficulté principale est la mise à jour: si l'on a trois enregistrements à modifier dans un fichier qui en contient mille, faut-il entrer de nouveau à la main les 1000 enregistrements? Heureusement, non. On adopte une méthode qui met en jeu plusieurs fichiers : on a un fichier maître, et un fichier des transactions dans lequel on n'enregistre que les modifications. A intervalles réguliers, on fusionne les deux fichiers pour obtenir un nouveau fichier maître.

Ce genre de procédé permet les modifications de manière assez satisfaisante, sinon qu'il met en jeu 'beaucoup' de fichiers (mais n'oublions pas la nécessité de toujours devoir conserver des copies : plutôt que d'avoir une copie exacte du nouveau fichier, on peut utiliser l'ancien fichier maître et les transactions, qui permettent de le recréer (et qu'il ne se prête pas vraiment à une utilisation interactive de l'ordinateur.

Supposons que l'on ait un fichier qui ne contient que les noms des membres d'une association quelconque; par exemple:

Bardolph
Fatstuff
Gadshill
Hal
Peto
Poins
XXXX

Nous avons quelques modifications à apporter à cette liste: le malheureux Falstaff a vu son nom malencontreusement orthographié Fatstuff, Hal démissionne de l'association, et Nym et Pistol, deux nouveaux membres, la rejoignent.

Nous allons donc créer un nouveau fichier, que l'on aura trié par nom (nous verrons plus tard des méthodes de tri), contenant une indication de la modification à apporter (C pour changer, D pour détruire et I pour insérer) qui sera donc :

C, Fatstuff
   Falstaff
D, Hal
I, Nym
I, Pistol
Z, ZZZZ

L'organigramme pour l'opération de fusion des fichiers sera du type :

♯ Fusion

```
Lire nomM dans le fichier maître (F.M.)
Lire code et nomT dans le fichier des transactions (F.T.)

♯ Tant que nomM < > 'XXXX' et que nomT < > 'ZZZZ'

    ♯ Tant que nomM < nomT

        Écrire nomM dans le nouveau fichier (N.F.)
        Lire nomM dans F.M.

    Tant que ♯
```

```
# Si code = 'I'
        Alors | Écrire nomT dans N.F.
        Sinon | # Si code = 'C'
              |     Alors | Lire le bon nom dans F.T.
              |           | L'écrire dans N.F.
              | Si #
              | Lire nomM dans F.M.
Si #
Lire code et nomT dans F.T.
Tant que #
# Si nomM = 'XXXX'
   Alors | # Tant que nomT <> 'ZZZZ'
         |       Écrire nomT dans N.F.
         |       Lire code et nomT dans F.T.
         |   Tant que #
   Sinon | # Tant que nomM <> 'XXXX'
         |       Écrire nomM dans N.F.
         |       Lire nomM dans F.M.
         |   Tant que #
Si #
Écrire 'XXXX' dans N.F.
Fermer les fichiers
Fusion #
```

Le fichier résultant de cette opération sera :

Bardolph
Falstaff
Gadshill
Nym
Peto
Pistol
Poins
XXXX

Il subsiste toutefois toujours une très grosse difficulté, pour ce qu'on appelle l'utilisation en temps réel; comme la mise à jour du fichier n'est faite que de temps en temps, on n'est vraiment certain de l'état des données que juste après l'obtention d'un nouveau fichier maître.

Un exemple fera mieux comprendre ce qui risque de se produire : vous voulez réserver une place sur un avion. Vous vous rendez donc dans un bureau de voyage quelconque. Là, une charmante employée tapote sur un terminal, consulte son fichier, voit qu'il reste des places dans un avion qui vous convient parfaitement, et vous réserve une place. Seulement, voilà : elle a consulté le fichier maître, et vous a inscrit dans un fichier des transactions. Comme il n'y a pas qu'un agent de voyage dans le pays, il se peut très bien que dans d'autres villes, plusieurs personnes se soient aussi inscrites pour ce vol entre le moment où l'on a établi le fichier maître et celui où vous êtes venu vous inscrire, et qu'en fait à ce moment-là précis le taux de remplissage était déjà dans la réalité supérieur à 100 %. Alors? Va-t-on vous mettre dans la soute à bagages? Par ailleurs, vous concevez bien qu'il n'est pas particulièrement rationnel de recréer un nouveau fichier maître après chaque transaction, ce qui pourrait sembler une solution; cela prend du temps, puisqu'il faut parcourir tout le fichier, qui peut être très gros, pour le recopier modifié chaque fois.

De plus, la question de l'accès sélectif à une information n'est toujours pas résolue : si l'information qui vous intéresse se trouve au début du fichier, vous allez la trouver tout de suite, mais si elle se trouve à la fin le temps d'attente peut être assez long, puisqu'il faut d'abord lire toutes les informations dont vous n'avez que faire.

Comme remède à toutes ces difficultés une solution : l'accès direct.

8.4. Les fichiers à accès direct

Les fichiers à accès direct sont nés avec les disques magnétiques; en effet, avec les autres périphériques, le support de l'information défilait devant un lecteur fixe (que ce soit les bandes magnétiques ou les cartes perforées). Avec les disques, le support de l'information (le disque métallique ou plastique recouvert d'oxyde magnétique) est toujours mobile, mais de plus la tête de lecture peut se déplacer. Cette fois, le comportement est à peu près le même qu'un microsillon ou un disque compact dont on peut facilement aller lire telle ou telle partie d'une face en déplaçant simplement la cellule; différence notable par rapport au disque audio, on peut également enregistrer.

Nous avons déjà vu en fait de l'accès direct : avec les tableaux, qui permettent de s'adresser spécifiquement à une boîte parmi tout un ensemble de boîtes en mémoire. Avec les fichiers, nous pourrons de même dire : aller lire l'enregistrement N° tant, aller le modifier, etc.

Comme on peut modifier un enregistrement perdu parmi d'autres que l'on ne touche pas, il y a une restriction importante et facilement compréhensible par rapport aux fichiers séquentiels: tous les enregistrements doivent avoir la même longueur exactement, pour ne pas avoir ces «écrasements» d'enregistrements voisins dont nous avons déjà parlé à propos de cassettes magnétiques.

Tout ce que nous aurons à préciser à la machine est le numéro de l'enregistrement auquel on veut avoir accès; à partir de là, toute une partie du système d'exploitation va se débrouiller, à partir de tables, d'index, etc. qu'il gère comme un grand, pour mettre la main dessus (ce qui est extrêmement rapide) et nous le servir sur un plateau.

Ce qui est très important, c'est que l'on peut maintenant *indifféremment utiliser le fichier en lecture ou en écriture sans avoir à le fermer puis le rouvrir chaque fois.* On peut donc travailler en temps réel: quand vous irez prendre un billet d'avion, on ira lire le nombre de places restantes, et, si vous achetez le billet, on réinscrira aussitôt le même nombre moins un dans le fichier. De cette manière, plus moyen de vendre plusieurs fois la même place (d'autres problèmes se posent, mais ils dépassent le cadre de ce livre). L'accès sélectif comme la mise à jour sont facilités.

L'accès direct tel qu'il vient d'être décrit marque donc un énorme progrès par rapport à l'accès séquentiel; son inconvénient, c'est que chaque opération d'entrée/sortie va systématiquement demander des déplacements des têtes de lecture, ce qui, surtout par rapport à la vitesse de calcul du processeur, est lent; dans un programme de gestion typique, où il y a beaucoup d'accès aux disques, le processeur va se tourner les pouces pendant 90 % du temps en attendant ses informations (en fait on profitera de ce temps pour lui faire faire autre chose).

Ce n'est pas le propos de cet ouvrage de s'étendre trop longuement sur la question, pourtant ô combien passionnante, des fichiers. Il faut retenir que les deux idées de base sont l'accès séquentiel et l'accès direct, l'accès séquentiel étant plus simple mais demandant de traiter les informations dans l'ordre où elles ont été inscrites, l'accès direct étant plus compliqué, mais permettant d'utiliser les fichiers comme des tableaux.

8.5. Exercices

> ***1.** Les segments de programmes suivants sont erronés; où sont les erreurs?

a)
```
...
* Watcom Fortran
open (unit=1, file='DONNES.DAT')
read (1, *) CODE, NUMERO, PRIX
while (CODE.ne.'XXX') do
```

```
          if (NUMERO.1t.1000) then
          PRIX = PRIX * 1.05
          write (1, *) CODE, ',', NUMERO, ',', PRIX
          end if
          read (1, *) CODE, NUMERO, PRIX
      end while
      ...
```

b)

```
      ...
      print *,'Dans quel fichier voulez-vous chercher vos données?'
      read *, NOMFICH
      open (unit=1, file='NOMFICH')
      read (1, *) DON1, DON2
10    if (DON1.ne.999.or.DON2.ne.999) then
         ...
         read (1, *) DON1, DON2
         go to 10
      end if
      ...
```

****2.** Écrire un « tableau des départs et des arrivées » à la manière du cours là où les lignes de commentaire le demandent, pour le programme suivant qui calcule les notes du cours CSI 9999 :

```
*     VAX Fortran
*     ——→ Ecrire le tableau
*
      integer NOTE(5), EXAMEN(2), NOTFIN, DEVOIR, I
      character NOM*10, PRENOM*10, NUMERO*6, NUM1*6,
     + NUM2*6, FICH1*12, FICH2*12
      open (unit=1, file='DEVOIRS')
      print *, 'Dans quel fichier voulez-vous inscrire la moyenne',
     + 'des devoirs?'
      read *, FICH1              (on est sensé répondre MOYENNE)
      open (unit=6, file=FICH1)
      read (1, *) NUMERO, NOM, PRENOM, (NOTE(I),I=1,5)
      do while (NOM.ne.'XXX')
          DEVOIR=0
          do I=1,5
             DEVOIR=DEVOIR+NOTE(I)
          end do
          DEVOIR=INT(DEVOIR/5.+.5)
          print *, NUMERO, ', ', NOM, ', ', PRENOM, ', ', DEVOIR
          read (1, *) NUMERO, NOM, PRENOM, (NOTE(I),I=1,5)
*
*         ——→ Ecrire le tableau
*
      end do
      print *,'000000', ',', 'XXX', ',', 0
      close(6)
      close(1)
```

```
*
*     ——→ Ecrire le tableau
*
      print *, 'Dans quel fichier sont les notes d''examen?'
      read *, FICH2              (on est sensé répondre EXAMENS)
      open (unit=1, file=FICH1)
      open (unit=5, file=FICH2)
      open (unit=2, file='RESULTAT.LIS')
      read (1, *) NUM1, NOM, PRENOM, DEVOIR
      read*, NUM2, (EXAMEN(I),I=1,2)
*
*     ——→ Ecrire le tableau
*
      do while (NOM.ne.'XXX'.and.NUM1.eq.NUM2)
          NOTFIN=INT((EXAMEN(1)+EXAMEN(2)+DEVOIR)
     +    /3.+.5)
          write (2, *) NUM1, NOM, PRENOM, NOTFIN
          read (1, *) NUM1, NOM, PRENOM, DEVOIR
*         read *, NUM2, (EXAMEN(I),I=1,2)
*
*     ——→ Ecrire le tableau

      end do
      close(1)
      close(2)
*     close(3)
*
*     ——→ Ecrire le tableau

      end
```

9

Formats

« Sculpte, lime, ciselle;
Que ton rêve flottant
Se scelle
Dans le bloc résistant! »

Gautier, *Émaux et camées*

Nous n'avons jusqu'à présent utilisé que ce qu'on appelle le format libre lors des communications entre le programme et l'utilisateur; c'est-à-dire que nous employions l'instruction print ou read, et Fortran se débrouillait comme il pouvait pour lire les données (qui devaient simplement être séparées par des virgules, et éventuellement des blancs) ainsi que pour les écrire, à l'écran ou dans un fichier. Nous avons déjà, dans le chapitre sur les communications avec l'extérieur, versé de chaudes larmes sur l'aspect proprement navrant des sorties en format libre.

Nous dirons donc que le format libre est :
— très souple quand on entre des données, surtout de manière interactive; néanmoins, quand on utilise des fichiers, il est parfois plaisant de lire précisément à un endroit, dans un enregistrement, la seule information qui nous intéresse. En format libre, il faut tout lire.
— et très contraignant pour la présentation en sortie.

Le but de ce chapitre est de permettre :
* d'obtenir de beaux listings,
* de lire des données qui ont une forme précise.

On répondra en même temps au problème : comment lire des données qui ont été écrites sur un fichier par un programme? Actuellement lorsque nous écrivons dans un fichier, les données ne sont séparées, comme à l'écran, que par des blancs :

```
write (10, *) TEMPER, PRESS
```

donnera si : TEMPER contient 100.00... et PRESS 760:

```
100.000000000        760
```

Si nous souhaitons dans un autre programme lire les données contenues dans ce fichier, nous ne pouvons pas car nous ne savons, pour l'instant, que lire des données séparées par une virgule, comme au clavier :

100, 760

On peut imaginer d'écrire explicitement la virgule dans le fichier, mais ce n'est pas une méthode terriblement astucieuse.
La fin de ce chapitre nous permettra de résoudre aisément ce problème.

9.1. L'instruction format

Pour lire des données selon une certaine présentation, on rajoute une étiquette après l'instruction read. Donc la syntaxe d'une instruction de lecture devient :

read étiq, liste des variables à lire

où etiq est un entier qui se réfère à une instruction spéciale que l'on appelle format. Ce format définit une mise en page de nos données à l'aide de masques qui précisent comment chaque donnée doit être lue. Vous avez compris, maintenant, pourquoi nous traînions avec nous des astérisques depuis le début du livre? L'astérisque signifie que le format est libre.

L'instruction format a la syntaxe :

étiq format (liste des masques)

format est un mot-clef Fortran, nous verrons dans ce chapitre les masques les plus courant et leur utilisation.

Exemple

```
213     format (.......)
        read 213, NOM, NUMERO, NOTE
        read 41, TOTAL, NOMBRE
        read 41, MOYENN, NOMBRE
41      format (......)
```

L'instruction format peut se situer avant ou après l'instruction d'entrée qui lui est associée. Généralement, tous les formats sont regroupés à la fin du programme, juste avant l'instruction end. La même instruction de format peut être utilisée dans plusieurs instructions comme dans l'exemple précédent.

Tout ce que nous venons de voir pour la lecture est également vrai pour l'impression avec cependant une petite nuance : le premier élément de l'instruction format est un caractère spécial pour la mise en page des résultats. Par exemple il peut signifier saut de ligne, effacement de l'écran...

Remarque
Lorsque nous parlerons d'écriture, les impressions s'effectueront sur l'écran, et c'est seulement à la fin du chapitre que nous examinerons les écritures sur fichier.

La syntaxe de l'instruction définissant le format d'écriture sur l'écran est :

format ('c', liste des masques)

où c est un caractère qui sert à contrôler l'impression sur le plan vertical; il peut prendre différentes valeurs et avoir chaque fois une fonction particulière :

'1' : effacement de l'écran ou saut de page
'+' : surimpression (sur la même ligne)
'0' : saut de ligne
'–' : saut de deux lignes
' ' : qui représente le caractère blanc,
ou tout autre caractère (différent des précédents) : impression sur la ligne suivante. Si on ne veut pas de contrôle vertical particulier il est prudent de toujours commencer par ' '; on risque sinon d'avoir des surprises du style disparition mystérieuse du premier caractère de la ligne, interprété comme un caractère de contrôle.

Exemple

```
      print 97, TEMPS, POSIT
97    format (' ',.....)
```

9.2. Les différents masques

Comment écrire l'instruction format?

On associe en général un masque par variable de la liste à lire ou par expression à imprimer. Ce masque définit le nombre de positions qu'occupe ou doit occuper la donnée ou le résultat :

|__|__|__|____

A chaque type de données est associé un masque particulier. En effet, *un masque n'effectue aucune conversion de type.*

9.2.1. Masque I pour les entiers

Syntaxe : Ip

Ce masque définit p positions dans une ligne (incluant le signe), à partir de l'endroit où l'on se trouve.

Exemple

12 format (' ', I3) (associé à une impression)
définit 3 positions en début de ligne

|__|__|__|________

Une position représente un caractère. Regardons comment on utilise ce masque en impression puis en lecture.

9.2.1.1. Masque I — Impression

Supposons que nous utilisons le format I3; plusieurs cas se présentent selon le nombre de chiffres de l'entier que l'on souhaite imprimer dans ce format :

* si l'entier a trois chiffres, joie et allégresse, pas de problème, nous utilisons entièrement le masque;
* si l'entier a moins de trois chiffres (32), il sera cadré à droite, comme nous faisons naturellement lorsque l'on écrit une opération : c'est-à-dire que Fortran complète par des blancs à gauche;
* si l'entier a plus de trois chiffres (1024), Fortran n'a pas assez de place, et l'indique en remplissant la zone avec le caractère *.

Exercice

Soit le petit programme suivant :

```
      integer TEMP
      TEMP = ...
      print 1000, TEMP
1000  format (' ', I4)
      end
```

Remplir le masque d'impression pour les différentes valeurs de la variable TEMP.

TEMP = 1250	└─┴─┴─┴─┴─┴─┴──
TEMP = 25	└─┴─┴─┴─┴─┴─┴──
TEMP = 10500	└─┴─┴─┴─┴─┴─┴──
TEMP = −35	└─┴─┴─┴─┴─┴─┴──

Tout comme une instruction print peut imprimer le contenu de plusieurs variables ou une instruction read peut en lire plusieurs, l'instruction format pourra comporter plusieurs masques.

Dans ce cas la liste des variables ou des expressions est parcourue de gauche à droite, au premier élément de cette liste est associé le premier masque, au deuxième élément le deuxième masque et ainsi de suite.

Exemple

```
      integer VAL1, VAL2
      VAL1 = 37
      VAL2 = -15
      print 700, VAL1, VAL2
700   format (' ', I2, I3)
      end
```

3	7	−	1	5						

Avec le même programme, changeons seulement le format

```
700    format (' ', I5, I5)
```

| | | | |3|7| | | |−|1|5| | |

Dans cet exemple nous pouvons comprendre l'expression « à partir de l'endroit où l'on se trouve ». En effet le contenu de la deuxième variable (VAL2) est imprimé à partir de l'endroit où l'on s'est arrêté lors de l'impression précédente (4e ou 6e colonne).

Question intéressante : que se passe-t-il lorsqu'il n'y a pas la même quantité d'éléments dans la liste et de masques dans le format?
— S'il y a plus de masques que d'éléments, rien de spécial.
— S'il y a plus d'éléments que de masques, le même format est réutilisé en repartant du début. Autant dire que c'est une situation malsaine et qu'il est souhaitable de l'éviter.

9.2.1.2. Masque I — Lecture

Si l'on lit un entier dans le format I2, cela signifie que la lecture se fait à travers une fenêtre donc la taille est deux caractères et que sa valeur ne dépassera donc pas 99 s'il est positif.

Si la donnée lue a plus de deux chiffres, seul les deux premiers seront pris en considération et les autres chiffres seront ignorés.

Le caractère blanc (' ') est équivalent au chiffre 0.

Sous peine de 'conversion error', seuls les chiffres et les caractères +, − et ' ' sont autorisés.

Exercice

Soient les instructions suivantes :

```
       integer TEMP
       read 100, TEMP
100    format (I3)
       end
```

Selon les données lues, que contient la variable TEMP?

```
105      TEMP   [    ]
1255     TEMP   [    ]
 28      TEMP   [    ]
28       TEMP   [    ]
```

9.2.2. Masque F pour les réels

Syntaxe : Fp.n

Ce masque définit p positions comprenant le point décimal et le signe, sachant que le réel possède n décimales.

Exemple

```
30 format (' ', F12.2) (utilisé en impression)
```

définit 12 positions en début de ligne, pour un réel qui aura deux chiffres après le point décimal.

9.2.2.1. Masque F — Impression

La première règle consiste à cadrer sur le point décimal. Puis il faut distinguer deux cas :

* pour la partie décimale :

— si nous avons réservé plus de positions que nécessaire alors on complète la partie décimale avec des zéros à droite (12.5 s'écrira 12.50 dans le format F5.2);

— si nous avons moins de positions que nécessaire, Fortran arrondit à l'entier le plus proche (12.58743 sera arrondi à 12.59 dans le format F5.2).

* pour la partie entière :

— si nous avons réservé plus de positions que nécessaire alors on complète la partie entière par des caractères blancs à gauche, ce qui est naturel;

— si nous avons moins de positions que nécessaire, Fortran remplit toute la zone avec des étoiles (y compris après le point décimal).

Exercice

Soient les instructions suivantes :

```
real POIDS
POIDS = 125.538
print 81, POIDS
```

Selon les différents formats, quelle est l'impression?

```
81    format (' ', F8.3)
81    format (' ', F8.4)
81    format (' ', F8.1)
81    format (' ', F8.2)
81    format (' ', F8.5)
```

9.2.2.2. Masque F — Lecture

Si le format de lecture est F5.2, cela signifie que la lecture se fera à travers une fenêtre dont la taille est de cinq caractères et que le plus grand réel positif lu sera 99.99.

Si la donnée occupe plus de cinq caractères, l'instruction lira les cinq premiers en ignorant les autres chiffres :

27.81 POIDS [ ]

27.819 POIDS [ ]

Sous peine de 'conversion error' seuls les chiffres et les caractères spéciaux +, −, . et ' ' sont admis.

Le caractère ' ' est équivalent à 0.

Le point décimal de la donnée a préséance sur celui du format (la donnée 1.736 sera bien lue même dans le format F5.2).

Si le point décimal est absent, Fortran en met un à la place indiquée (40263 deviendra 402.63 dans un format F5.2). Notons que lorsque Fortran rajoute un point décimal, le réel possède alors un caractère de plus que prévu; cela n'est pas grave car nous avons vu que nous pouvons coder de grands réels en mémoire. Il ne faut pas confondre le format de lecture ou d'écriture avec la représentation du nombre en mémoire. En effet une fois la lecture effectuée nous oublions complètement le format associé et si nous multiplions ce nombre, il peut augmenter et nous aurons alors besoin d'un autre format pour l'imprimer.

Exemple

```
      real COTE
      read 31, COTE
      31 format (F4.1)
      COTE = COTE * COTE
      print 55, COTE
55    format (' ', F7.2)
      end
```

************ données *************
52.1
************ résultat ************
2714.41

Exercice

```
      real PRIX
      read 138, PRIX
138   format (F6.2)
      end
```

29.5 PRIX [ ]

90.999 PRIX [ ]

580255 PRIX [ ]

9.2.3 Masque E pour les réels

Il existe un autre masque pour les réels, le masque E correspondant à la notation scientifique.

Syntaxe : Ep.n

Ce masque définit p positions comprenant :
— éventuellement le signe de la mantisse,
— un 0 et le point décimal,
— *n* chiffres après le point décimal,
— la lettre E et trois positions pour l'exposant : une pour son signe (place toujours réservée, le signe étant représenté par ' ' quand il est positif, contrairement à la mantisse pour laquelle cela se passe comme avec le masque F), et deux pour sa valeur (l'exposant doit donc ainsi être compris théoriquement entre −99 et +99; dans la pratique les limites sont plus faibles que cela à cause de la limitation sur les nombres représentables en mémoire).

Si l'on fait le total, cela signifie que le premier chiffre (p) doit être au moins supérieur de 5 au second (n).

Exemple

```
30 format (' ', E10.3) (utilisé en impression)
```

définit 10 positions en début de ligne, pour un réel représenté avec 3 chiffres (les trois premiers chiffres significatifs) après le point décimal. Le réel sera cadré à droite, et l'alignement se fera sur la lettre E.

	0	.				E			

Nous dirons qu'en général les règles d'utilisation du masque E sont similaires à celles d'utilisation du masque F (que l'on emploie plus fréquemment). En impression il n'y a pas grand'chose à en dire; en lecture, comme avec le masque F, s'il manque un point décimal, la lettre E, etc. la machine les ajoute toute seule, et il vaut mieux éviter ce genre de chose.

9.2.4. Masque A pour les chaînes de caractères

Syntaxe : Ap

Ce masque définit p positions dans une ligne à partir de l'endroit où l'on se trouve.

Ce masque est similaire au masque I et même bien plus simple.

9.2.4.1. Masque A — Impression

Assez bizarrement, le cadrage se fait à droite avec Fortran 77, contrairement à ce que nous faisons lorsque nous écrivons habituellement. Fortran IV cadrait à gauche.

* Si l'on a réservé plus de positions que nécessaire, des caractères ' ' sont rajoutés à gauche.

* Si l'on a moins de positions que nécessaires, Fortran tronque la chaîne de caractères au niveau du masque défini.

Exercice

```
      character NOM*10
      NOM = ....
      print 17, NOM
17    format (' ', A4)
      end
```

Qu'imprime le programme pour les affectations suivantes:

NOM = 'PAUL'
NOM = 'LUC'
NOM = 'GUSTAVE'

Que se passe-t-il lorsque l'on imprime une chaîne de caractères déclarée '*4' avec un format A10?

9.2.4.2. Masque A — Lecture

Aucune règle n'est ici définie : tous les caractères sont admis, y compris les apostrophes. C'est-à-dire que si la chaîne de caractères contient une ou plusieurs apostrophes, elles seront lues et stockées dans la variable.

Le format définit toujours une fenêtre à travers laquelle s'effectue la lecture, les caractères qui n'entrent pas dans la fenêtre sont ignorés.

Exercice

```
      character MOT*4
      read 20, MOT
20    format (A4)
      end
```

A B C D — MOT

A B — MOT

A B C D E F — MOT

A B ' C — MOT

' A B ' . — MOT

9.2.5. Masque avec des constantes

En *impression* on peut utiliser des constantes de type chaînes de caractères dans l'instruction de format.

Exemple

```
      real VITESS
      VITESS = 12.5
      print 500, VITESS
500   format (' ', Vitesse =', F6.2, ' m/s)
      end
```

Positionnement horizontal
Pour assouplir l'usage des masques, des 'opérateurs' ont été définis :

pX permet de sauter p positions (ceci est plus un masque qui n'imprime ni ne lit rien plutôt qu'un opérateur)

Tp permet de se placer en position p

/ permet de passer à la ligne suivante

'T' est assez ennuyeux en impression, toujours à cause du caractère de contrôle vertical: 'T40' positionnera en fait alors en 39e position.

Exemple

```
      real ANGLE, RAYON
      ANGLE = 30
      RAYON = 25
      print 100, ANGLE, RAYON
100   format (T5, 'Angle =', F6.2, 1X, 'degres',/,
     CT5, 'Rayon =', F5.2, 1X, 'm')
      end
```

Remarque
Il ne faut pas abuser du / et il est souvent plus lisible d'écrire plusieurs instructions print.

Facteur de répétition — groupe
Lorsque l'on a plusieurs masques qui se répètent dans la même instruction format, on peut mettre un facteur multiplicatif devant un masque ou un groupe de masques. Les formats ayant la même étiquette sont équivalents.

```
90    format (' ', I5, I5, I5, I5, F15.3)
90    format (' ', 4I5, F15.3)

100   format (2X, F4.1, 2X, F4.1, 2X, F4.1, I6)
100   format (3(2X,F4.1), I6)

150   format (T8, '******************************')
150   format (T8, 30('*'))
```

9.3. Les formats et les fichiers

Plus généralement, l'on peut également avoir besoin de format lorsque l'on effectue des entrée ou sortie sur des périphériques associés à des unités. La syntaxe sera alors :

read (nu, etiq) liste des variables à lire
write (nu, etiq) liste des expressions à imprimer

où nu est le numéro de l'unité sur laquelle s'effectue la lecture ou l'écriture
etiq est l'étiquette du format associé

Exemple

```
      read (12, 80) NOTEP, NOTEF
      ...
      write (11, 90) MOYEN
80    format (......)
90    format (......)
```

Lorsque l'on écrit dans un fichier il faut distinguer deux cas :

1. ce fichier contiendra des données qui seront utilisées comme entrée d'un programme (le même peut-être), et dans ce cas nous n'utiliserons pas le premier caractère pour le contrôle vertical;

2. ce fichier contient des résultats que l'on souhaite imprimer par la suite, donc nous utiliserons le premier caractère pour le contrôle comme pour l'impression sur l'écran. Il faut alors généralement donner un nom spécial au fichier de sortie ou préciser une option (cela dépend des installations).

Maintenant notre boîte à outils possède tout le nécessaire pour faire de beaux listings...

9.4. Exercices

>***1.** Qu'imprime le programme suivant :

```
* Watcom Fortran
*
  integer    ENTIER
  real       REEL
  character  MOT*20
  ENTIER = 93
  REEL   = 1.737
  MOT    = 'FORMAT EXERCICES'
*
  print 1, ENTIER, REEL, MOT
1 format (' ', I2, 2X, F5.3, 2X, A16)
*
  print 2, REEL, MOT
2 format (' ', F5.2, 2X, A7)
*
  print 3, REEL, MOT
3 format (' ', F4.3, 2X, A7, 'ERRONE')
*
  end
```

*****2.** Écrire un programme qui dépouille les résultats d'un sondage de la manière suivante:

a) Lire les données dans un fichier SONDAGE.DAT. Chaque ligne de ce fichier correspond aux réponses d'une personne et à la structure définie comme suit :

Age de la personne sondée : sur 2 positions.

Sexe de la personne (M ou F) : 1 position

Suivent ensuite les réponses à 10 questions, codées sur une position chaque fois : on met dans cette position

0 pour 'pas de réponse' ou 'ne sait pas'
1 pour 'oui'
2 pour 'non'

Exemple

41M1122012110
signifie la personne sondée est un homme de 41 ans qui a successivement répondu aux 10 questions :

Question 1 : oui
2 : oui
3 : non
4 : non
5 : pas d'opinion, etc.

Le fichier SONDAGE.DAT se termine par la ligne sentinelle :
00X9999999999

b) Calculer le pourcentage de réponses positives par rapport au total des réponses exprimées (c'est-à-dire des gens qui ont une opinion) globalement, pour les hommes, pour les femmes, pour les gens de moins de 40 ans et pour ceux de plus de 40 ans (tous sexes confondus).

c) Imprimer les résultats sous la forme suivante :
— D'abord l'en-tête :

Pourcentage de reponses positives

Quest. ! Ensemble ! Hommes ! Femmes ! − de 40 ans ! + de 40 ans !

— puis chaque ligne concernant une question :

i ! XXX.X ! XXX.X ! XXX.X ! XXX.X ! XXX.X !

(i est le numéro de la question, les X indiquent la position des résultats)
— puis une ligne pour 'fermer' le tableau.

10

Fonctions et sous-programmes

« Diviser chacune des difficultés que j'examinerais en autant de parcelles qu'il pourrait et qu'il serait requis pour mieux les résoudre. »

Descartes, *Discours sur la méthode*

10.1 Les fonctions préprogrammées

Nous avons déjà eu l'occasion d'utiliser des fonctions préprogrammées de Fortran : par exemple, SIN, SQRT, ABS, etc.
Ces fonctions préprogrammées, comme leur nom l'indique, nous évitent de la programmation, avantage que vous êtes en pleine mesure d'apprécier maintenant que vous avez un peu d'expérience en la matière. On écrira par exemple

```
VALABS = ABS(X)
```

pour remplacer :

```
if (X.lt.0) then
    VALABS = - X
  else
    VALABS = X
endif
```

Vous remarquerez qu'appeler une fonction, cela revient un peu à ne pas détailler un bloc dans un organigramme : parfois c'est un bloc simple (comme le précédent), mais parfois c'est un bloc un peu plus compliqué; en effet, cela n'a rien d'évident de calculer une racine carrée (limite d'une suite) ou un cosinus (développement en série, pour ceux qui connaîtraient...).

Il existe donc ainsi dans tout langage qui se respecte un certain nombre de fonctions d'usage suffisamment général pour pouvoir être fournies préprogrammées.

On peut utiliser en Fortran une fonction partout où l'on peut utiliser une expression : dans une affectation, une condition, un print... Une fonction lorsqu'on l'emploie prend l'allure suivante :

NOMFCT(Arg1, Arg2, Arg3, ..., Argn)

et peut s'interpréter comme :

Calculer le résultat d'une opération identifiée par le nom NOMFCT appliquée aux différentes valeurs Arg1, Arg2, ..., Argn.

Suivant l'opération, le nombre de valeurs nécessaires (appelées arguments) et leur type seront variables. Le type du résultat sera lui aussi variable (il est indiqué par le nom de la fonction, qui suit en général la règle de la première lettre).

On distingue traditionnellement deux espèces de fonctions préprogrammées :
— Les fonctions internes au compilateur, qui réalisent des opérations simples.
— Les fonctions de la bibliothèque mathématique.

En pratique, il n'y a aucune différence dans l'utilisation des fonctions des deux familles. La distinction n'est fondée que sur des détails techniques de réalisation.

Les fonctions peuvent être extrêmement nombreuses; on ne retrouvera pas les mêmes suivant le langage. Les tableaux ci-après donnent les fonctions qui existent dans toutes les versions de Fortran et sont les plus utiles dans les applications scientifiques; néanmoins, elles ne représentent qu'une petite partie de ce qui est disponible dans un Fortran quelconque. On se reportera pour la description des autres fonctions au manuel de référence, qui en donne la liste complète. Ces autres fonctions n'ont pas un intérêt conceptuel gigantesque, et donnent plutôt dans le style 'trucs de programmation'.

Dans les tableaux ci-dessous R = réel
I = entier

NOM	Nombre d'arguments	Types:		Résultat
		Arg.	Rés.	
ABS	1	R	R	Valeur absolue
IABS	1	I	I	Idem avec des entiers
SIGN	2	R	R	Valeur absolue du premier argument avec le signe du deuxième
ISIGN	2	I	I	Idem avec des entiers
MOD	2	I	I	Reste de la division entière du premier argument par le deuxième
AMOD	2	R	R	Idem avec des réels

NOM	Nombre d'arguments	Types: Arg.	Rés.	Résultat
AMAX1	n	R	R	Maximum des n arguments
MAX1	n	R	I	Partie entière du maximum des n arguments
MAX0	n	I	I	Maximum des n arguments
AMAX0	n	I	R	Maximum des n arguments sous forme réelle
DIM	2	R	R	Premier argument moins le deuxième si la différence est positive, 0 sinon
IDIM	2	I	I	Idem avec des entiers
INT	1	R	I	Partie entière de l'argument avec son signe
AINT	1	R	R	Idem sous forme réelle
FLOAT	1	I	R	Conversion d'un entier en réel

Remarques

Les fonctions de conversion de type sont équivalentes à la recopie dans une variable d'un type d'une variable d'un autre type. Il ne faut pas perdre de vue que les entiers sont codés sur moins d'octets que les réels et que si l'on essaie de convertir en entier un réel trop grand, la tentative est vouée à l'échec. La limite dépend des machines, mais en général elle est de l'ordre de 2 milliards environ.

Il existe d'autres fonctions de conversion de types suivant le Fortran, en particulier des fonctions qui permettent de convertir une chaîne de caractères qui ne contient que des chiffres sous forme numérique. Ce genre de fonction est utilisé pour 'blinder' un programme contre les fautes de frappe et/ou l'inattention de l'utilisateur. En lisant tout ce que tape l'utilisateur sous forme de chaînes de caractères, on peut analyser (grâce à d'autres fonctions) le contenu de ces chaînes et, lorsque l'on est bien certain que la conversion ne produira pas d'erreur, les transformer sous forme numérique. Cela permet au programme de conserver le contrôle de bout en bout, et de 'récupérer' les erreurs dans une large mesure.

La plupart des fonctions qui précèdent ne sont pas fondamentales, dans la mesure où l'on peut facilement les créer soi-même dans un programme, à l'aide de quelques tests et opérations; il est néanmoins utile de connaître leur existence. Ces fonctions préprogrammées sont réalisées de manière interne en utilisant des particularités de la représentation dans la mémoire de la machine et sont donc plus performantes (s'exécutent plus vite) que ce que l'on pourrait écrire en Fortran.

Les fonctions mathématiques sont en revanche beaucoup plus intéressantes parce qu'elles remplacent une programmation qui n'est pas triviale. Tous les arguments en sont des réels, et le résultat est lui aussi un réel.

En théorie, une fonction mathématique est calculable en tout point de son domaine de définition. L'ennui en informatique est qu'on travaille avec des réels qui ne sont ni aussi grands, ni aussi petits que l'on veut : la représentation en mémoire, sur un nombre fixé de bits, impose des limites. Par conséquent, l'argument doit toujours être compris dans ces limites, ce qui ne surprend personne, mais le résultat doit aussi être compris dans ces limites, ce que l'on aurait plus facilement tendance à oublier. C'est exactement comme lorsque l'on multiplie un nombre très grand (mais dans les limites) par un autre nombre très grand (mais dans les limites) : le produit sera encore plus grand et ne sera pas forcément, lui, compris dans les limites, ce qui provoquera une erreur. Il y a donc en général une borne sur l'argument inférieure au plus grand réel représentable en mémoire pour les fonctions à croissance rapide.

Il peut sembler plus surprenant de parfois (mais pas avec tous les Fortrans) rencontrer une limite pour l'argument pour des fonctions comme cosinus et sinus dont le résultat est borné; cela tient aux calculs intermédiaires effectués pour obtenir le résultat.

Comme d'habitude, les limites indiquées dépendent de la machine que l'on utilise; elles correspondent ici à un VAX 780, et peuvent être plus élevées (rien de tel que de faire ses propres tests!).

Notation classique	Notation Fortran	Remarques
e^x	EXP(X)	X < 88
Log(x) ou ln(x)	ALOG(X)	X > 0
log(x)	ALOG10(X)	X > 0
$\sqrt{x}$	SQRT(X)	X > 0 – Fonction préférable à ** 0.5
sh(x)	SINH(X)	X < 88
ch(x)	COSH(X)	X < 87
th(x)	TANH(X)	
sin(x)	SIN(X)	X parfois limité
cos(x)	COS(X)	X parfois limité
tg(x)	TAN(X)	
arcsin(x)	ASIN(X)	
arcos(x)	ACOS(X)	
arctg(x)	ATAN(X)	

Tout le monde admettra l'intérêt des fonctions ci-dessus, mais elles ne justifient pas un chapitre à elles seules.

10.2. Les fonctions de l'utilisateur

Là où Fortran devient proprement fantastique, c'est qu'il permet de définir ses propres fonctions. Autrement dit, vous pouvez créer une fonction aussi compliquée que vous le voulez et, une fois que vous l'avez définie, l'utiliser comme si c'était une fonction préprogrammée classique.
La définition de la fonction sera placée en dehors du programme, soit avant, soit après.

10.2.1. Définition d'une fonction

Une fonction donne un résultat d'un type bien précis, aussi devons nous indiquer ce type dans l'en-tête qui commence la définition de la fonction. Cet en-tête ressemblera à :

```
type function NOMFCT(par1, par2, par3, ..., parn)
```

Le type peut être n'importe quel type valide en Fortran : real, integer, ou character. Petite particularité avec une fonction retournant une chaîne de caractères : le nombre de caractères qu'elle retourne est obligatoirement indiqué par *n *juste après le mot-clé* character. Suit le mot-clé function, le nom NOMFCT de la fonction plus, entre parenthèses, la liste des paramètres. Qu'est-ce qu'un paramètre? C'est une *variable* utilisée dans la fonction et associée à un argument dans le programme qui appelle la fonction. Lors de l'appel, le paramètre prend la valeur de l'argument. Les paramètres doivent être déclarés dans la fonction. Puis afin que la fonction retourne un résultat, il faut le lui affecter; il est assez raisonnable de considérer qu'appeler une fonction, c'est dire à la machine : 'Voilà, j'ai une variable à «remplir», et sa valeur est calculée à partir des arguments transmis'.
On aura donc quelque part dans la fonction:

```
NOMFCT = ...
```

puis la fonction se terminera par

```
end
```

(on trouve aussi parfois

```
return
end
```

Le return, qui indique le retour au programme principal, est facultatif avec les différents Fortrans 77, mais était obligatoire avec Watfiv et Fortran IV).

Exemples

Supposons que nous ne disposions pas de la fonction TAN(X); ce n'est pas bien gênant, car en fait SIN et COS existent, et n'importe qui a appris dans sa plus tendre enfance que la tangente était le rapport du sinus sur le cosinus.

Nous pouvons donc calculer la tangente. Le seul problème est l'attitude déplaisante de la fonction cosinus, qui met une insistance déplacée à vouloir s'annuler tous les 180 degrés à partir de 90 degrés, et la machine n'aime pas les divisions par zéro.

Dans ce cas où le cosinus est nul, la tangente est infinie et nous profiterons de l'absence de tout mathématicien pour lui donner une très grande valeur par convention (10^{25} pourrait être pour nous, pôvres utilisateurs de l'informatique limités par leurs machines, une bonne approximation de l'infini. Pascal doit s'en retourner dans sa tombe).

N. B. : cette fonction tangente qui ne fait pas d'erreur pour les valeurs égales à un nombre impair de fois 90 degrés est une amélioration sur les fonctions TAN préprogrammées ordinaires : avec elles, cela ne passe pas!

```
real function TAN(X)
real X
if (COS(X).eq.0) then
    TAN = 1E25
  else
    TAN = SIN(X)/COS(X)
end if
end
```

On utilise le nom de la fonction tout à fait comme une variable simple; bien que cela ne pose pas de difficulté particulière avec Fortran 77, il est conseillé de faire comme si *l'on ne pouvait qu'affecter cette variable simple.* En effet, certains langages (y compris probablement la prochaine version de Fortran) ont des réactions bizarres lorsqu'ils rencontrent le nom de la fonction dans une condition ou à droite d'un signe '='.

On peut utiliser n'importe quelle instruction dans la fonction, y compris d'autres fonctions comme ici. Une petite réserve toutefois : si une fonction est utilisée dans une instruction d'entrée/sortie (print, read, etc.), et qu'elle-même possède aussi une instruction d'entrée/sortie, cette combinaison provoque une erreur.

Écrivons maintenant une fonction qui n'existe pas dans Fortran : par exemple une fonction qui calcule le module E du champ électrique créé par une charge Q à une distance R de cette charge. Ce module est réel, et la charge et la distance sont également des réels; donc :

```
*     Fonction calculant le module
*     d'un champ electrique cree par
*     une charge ponctuelle
*
      real function E(Q, R)
*     Q : charge en Coulombs
*     R : distance en m entre la charge
*         et l'endroit ou l'on calcule
*         le champ
*
      real Q, R
*
*     Si R est trop petit, on donne une tres
*     grande valeur a E pour eviter les debordements
*
      if (R.lt.1E-15) then
          E = 1E25
        else
          E = 9E9*Q/(R*R)
      endif
      end
```

Lorsque l'on voudra calculer un champ dans un programme, il suffira de placer ce module après le programme pour que la fonction soit disponible; mais regardons un peu comment nous allons l'utiliser.

10.2.2. Utilisation d'une fonction

Écrivons un programme principal qui utilise la fonction E :

```
      real E, Q, R
      print *, 'Entrer la valeur, en coulombs, de la charge :'
      read *, Q
      print *
      print *, 'Distance, en m, a laquelle on calcule le champ :'
      read *, R
      print 10, R, E(Q, R)
10    format (3x,'Le champ a une distance de', F7.5,' m vaut ',
     C F6.2,' V/m')
      end
*
      real function E(Q, R)
      real Q, R
      if (R.lt.1E-15) then
         E = 1E25
        else
         E = 9E9 * Q / (R * R)
      endif
      end
```

Il faut remarquer que le nom de la fonction est *déclaré comme une variable simple dont le type est le type du résultat retourné par la fonction.* C'est la raison pour laquelle les noms des fonctions préprogrammées (que l'on ne déclare pas) suivent la règle de la première lettre. Ensuite, on utilise la fonction tout comme on utiliserait une expression; le résultat est calculé à l'aide des arguments, puis imprimé.

Il peut sembler surprenant d'avoir la déclaration des variables et dans le programme principal et dans la fonction. C'est la conséquence d'un point fondamental :

La partie de la mémoire dans laquelle est rangée la fonction n'a rien à voir avec celle où est rangé le programme principal.

Quelles conclusions peut-on en tirer?

Nous venons de voir que quand nous définissions une fonction, on pouvait ensuite l'utiliser tout comme une fonction préprogrammée; or, cela ne devrait choquer personne d'écrire dans un programme :

```
A = 5.32
B = 7.89
print*, SIN(A) * SIN(B)
```

Que fait-on ici? On appelle la fonction en lui donnant successivement comme argument deux variables distinctes. Mais quel nom ont bien pu donner à leur paramètre les gens qui ont programmé, à l'origine, la fonction SIN? A, B, X, ARTHUR? Si cela se trouve, peut-être aucun de ces noms-là! Cela veut dire que, forcément, le fait que le nom de l'argument soit différent du nom du paramètre n'a aucune importance tant que le type est le même.

Reprenons notre exemple d'utilisation de la fonction calculant le champ; si l'on écrit :

```
      real E, CHARGE, DIST
      print *, 'Entrer la valeur, en coulombs, de la charge :'
      read *, CHARGE
      print *
      print *, 'Distance, en m, a laquelle on calcule le champ :'
      read *, DIST
      print 10, DIST, E(CHARGE, DIST)
10    format (3x, 'Le champ a une distance de', F7.5,' m vaut ',
     +F6.2,' V/m')
      end
*
      real function E(Q, R)
      real Q, R
      if (R.lt.1E-15) then
          E = 1E25
        else
          E = 9E9 * Q / (R * R)
      endif
      end
```

Ce qui précède fonctionne aussi bien que l'exemple antérieur (les personnes sceptiques sont invitées à en faire l'expérience).

Du coup, on comprend mieux pourquoi on doit déclarer les variables et dans le programme principal et dans la fonction.

En fait, la valeur de l'argument est simplement recopiée dans le paramètre correspondant, le premier argument étant recopié dans le premier paramètre, le deuxième argument dans le deuxième paramètre et ainsi de suite. Obligatoirement :
— il doit y avoir autant d'arguments que de paramètres,
— les types doivent correspondre.
Ce qui précède est absolument fondamental pour la compréhension des fonctions.

On peut maintenant se poser des questions quant aux variables autres que les arguments et les paramètres; on peut très bien en effet imaginer avoir besoin de variables temporaires dans la fonction pour stocker le résultat.

En fait, si les arguments et les paramètres ne sont reliés que par la position qu'ils occupent lors des différents appels de la fonction, il n'y a absolument rien pour établir une correspondance entre les autres variables, qui sont totalement indépendantes. Prenons un exemple idiot pour bien nous en persuader, et simulons son exécution; pour distinguer les variables, on note, dans les explications, X_{PP} une variable qui s'appelle

X dans le programme principal et X_F une variable qui s'appelle X dans la fonction :

```
* Exemple idiot
*
  real A, B, SOMME              A      B      SOMME
  integer I                     ??     ??     ??      I
  A = 2.                        2.00   ??     ??      ??
  B = 5                         2.00   5.00   ??      ??
  I = 3                         2.00   5.00   ??      3
  print *, SOMME (A, B)    Appel de la fonction ──→ imprime 7.000..
  print *, A, B, I         imprime 2.000.. 5.000.. 3
  end
*
* Fonction tout aussi idiote, qui calcule la
* somme de deux reels
*
  real function SOMME (I, A) Au moment de l'appel, on recopie :
*                          A_PP ──→ I_F
*                          B_PP ──→ A_F
*                               SOMME
  real I, A                     ??     I      A
  integer B                     ??     2.00   5.00    B
  B = 7                         ??     2.00   5.00    7
  SOMME = I + A                 7.00   2.00   5.00    7
  end
```

Il faut remarquer :

— Que, comme les noms n'ont aucune importance pour les arguments et les paramètres, ce qui s'appelait A et B dans le programme principal s'appelle, respectivement, I et A dans la fonction; les types correspondent (ce sont tous des réels), donc tout va bien.

— Il y a une variable entière I dans le programme principal, et une variable réelle I dans la fonction. Aucune importance; puisque I_{PP} ne fait pas partie de la liste des arguments, cette variable ne perturbe en rien la fonction. De même, l'appel de la fonction ne modifie en rien sa valeur.

— Même chose avec la variable entière B de la fonction : elle n'a rien à voir avec la variable réelle B du programme principal, et n'a aucune interaction avec elle. On dit que B est une variable locale.

L'exemple ci-dessus est parfaitement artificiel, mais montre bien ce qui se passe — ou ne se passe pas!

Ce sont donc des valeurs, et seulement des valeurs, qui sont transmises.

Écrivons une nouvelle fonction, MOYENN, qui calcule la moyenne de trois valeurs réelles (par exemple) :

```
      real function MOYENN(X, Y, Z)
      real X, Y, Z
      MOYENN = (X + Y + Z)/3.
      end
```

Supposons maintenant qu'un professeur veuille calculer la note de devoirs d'un étudiant comme étant la moyenne des notes D1, D2, D3 obtenues à trois devoirs; il écrira dans son programme principal :

```
      ...
      DEVOIR = MOYENN(D1, D2, D3)
      ...
```

(il faut que D1, D2 et D3 soient des réels).

L'ennui, c'est que les cours se donnent rarement à une seule personne; le cours comprend peut-être 37 étudiants, et leurs notes sont rangées dans un tableau DEV de réels, ayant un nombre suffisant de lignes et trois colonnes (une par devoir). De même, les moyennes seront probablement rangées dans un tableau.

Or, une case de tableau, cela ressemble assez à une variable simple; puisque seules sont transmises les valeurs, pourquoi ne pas transmettre des cases de tableaux?

On pourrait donc très bien écrire dans notre programme :

```
      ...
      do 10 I = 1, N
         DEVOIR(I) = MOYENN(DEV(I, 1), DEV(I, 2), DEV(I, 3))
10    continue
      ...
```

Il n'y a nul besoin de modifier la fonction, pour chaque valeur de I entre 1 et N : DEV(I, 1) sera recopié dans X, DEV(I, 2) dans Y et DEV(I, 3) dans Z.

On peut aussi transmettre des constantes comme arguments, ou des expressions, ou le résultat d'une fonction (en revanche, les paramètres doivent impérativement être des variables, puisqu'il faut y recopier les valeurs des arguments), tant qu'ils ont le bon type :

Par exemple :

```
     print *, COS(7.84)
     DELTA = SQRT(B * B - 4 * A * C)
     if (ALOG(ABS(X)).lt.5) then
```

sont des expressions parfaitement valides; et tout ce que vous pouvez faire avec une fonction préprogrammée, vous pouvez le faire avec une de vos propres fonctions.

Il nous reste un dernier point à voir, qui est l'utilisation des tableaux comme arguments ou comme paramètres; par exemple :

```
*     Fonction qui calcule le determinant d'une
*     matrice carree de dimension 3,3
*
      real function DET(MAT)
      real MAT(3,3)
      DET = MAT(1,1)*(MAT(2,2)*MAT(3,3) - MAT(2,3)*MAT(3,2))
     &- MAT(2,1)*(MAT(1,2)*MAT(3,3) - MAT(1,3)*MAT(3,3))
     &+ MAT(3,1)*(MAT(1,2)*MAT(2,3) - MAT(1,3)*MAT(2,2))
      end
```

Un peut pénible à taper et d'allure un peu bestiale, mais avec des boucles cela aurait été pire...

On remarquera que dans l'en-tête il y a DET(MAT), sans indication de dimension. La dimension est indiquée dans la déclaration de MAT, et c'est tout.

Dans le programme principal, si A est la matrice dont on veut calculer le déterminant, on écrira :

```
...
print *, 'Determinant de la matrice: ',DET(A)
...
```

Là encore, pas d'indication de dimension : A a été déclarée au début du programme, donc la machine sait que A est un tableau; c'est un peu comme lorsque l'on écrit l'instruction read ou print avec un nom de vecteur.

Il n'est pas nécessaire qu'en toute rigueur les dimensions des paramètres qui sont des tableaux soient égales à celles des tableaux transmis comme arguments. Néanmoins, il y a souvent des précautions à prendre. Nous choisirons donc la simplicité et nous donnerons les mêmes dimensions exactement aux tableaux qui sont des paramètres qu'aux arguments correspondants (nous reviendrons plus en détail sur ce sujet à la fin du chapitre).

Autre exemple : écrivons une fonction PRSCAL qui retourne le produit scalaire de deux vecteurs d'un espace de dimension 3.

```
real function PRSCAL (V1, V2)
real V1(3), V2(3), SOMME
integer I
SOMME = 0.
do I = 1, 3
    SOMME = SOMME + V1(I) * V2(I)
enddo
PRSCAL = SOMME
end
```

Remarque

On utilise deux variables locales, I et SOMME.

L'utilisation de SOMME provient de la recommandation de n'employer le nom de la fonction comme une variable simple dans le corps de la fonction qu'à gauche du signe "="; en pratique, cela signifie qu'il vaut mieux ne pas prendre l'habitude d'écrire

```
PRSCAL = PRSCAL + V1(I) * V2(I)
```

dans le corps de la boucle (d'où la variable intermédiaire), car cela rend nerveux certains langages.

Après tout ceci, vous devriez être persuadés (sinon, qu'est-ce qu'il vous faut!) que les fonctions sont des outils fantastiques. Néanmoins, on peut leur faire un reproche principal : *elles retournent* une *valeur,* le une dans l'expression qui précède étant pris dans le sens le plus étroit de l'unité. Pour être explicite, *vous ne pouvez pas écrire une fonction qui ne retourne aucune valeur ou qui en retourne plusieurs.*

La fonction que ne retourne rien ne vous paraît peut-être pas bien excitante, mais une fonction retournant plusieurs valeurs (plusieurs valeurs pouvant signifier un tableau) devrait davantage vous attirer, intellectuellement parlant; nous avons écrit une fonction retournant le déterminant d'une matrice (3,3), cela serait plaisant d'avoir «quelque chose» retournant, par exemple, l'inverse d'une matrice ou sa transposée.

Il est temps pour le sous-programme d'entrer en scène.

10.3. Les sous-programmes

Le sous-programme, comme son nom l'indique, est un petit programme à lui tout seul : il est très semblable à une fonction, mais il peut, lui, retourner n'importe quelle quantité de valeurs. C'est avec le sous-programme que le concept de programmation modulaire prend tout son sens : chaque bloc d'un organigramme peu détaillé peut correspondre à un sous-programme ou une fonction. Des bibliothèques de sous-programmes (sous-programmothèques?) existent et, en génie en particulier, programmer prend souvent l'allure du montage astucieux de sous-programmes et de fonctions volés à droite ou à gauche.

10.3.1. Les sous-programmes sans paramètre

Un programme se compose d'un *programme principal* et de *sous-programmes.* On demande l'exécution d'un sous-programme à l'aide d'une instruction spéciale qui permet l'*appel* du sous-programme.

Prenons un exemple informatique. Nous avons vu qu'un système d'exploitation est un ensemble de commandes; chaque commande est, en réalité, réalisée par un module indépendant.

Ramenons notre système aux cinq commandes suivantes :

Système d'Exploitation Simplifié

TYPE	pour afficher un fichier à l'écran
HELP	pour avoir l'explication des commandes
PRINT	pour envoyer un fichier sur une imprimante
EDIT	pour entrer dans un éditeur de texte
PURGE	pour effacer un fichier

(plus LOG, évidemment, pour se déconnecter)

Ceci est un parfait exemple où il n'y a aucun paramètre à transmettre, et où aucune valeur n'est retournée.

Nous pouvons écrire l'algorithme de notre système. On note l'appel du sous-programme ayant le nom TYPE par # TYPE # : ceci est une convention pour écrire nos algorithmes.

système simplifié

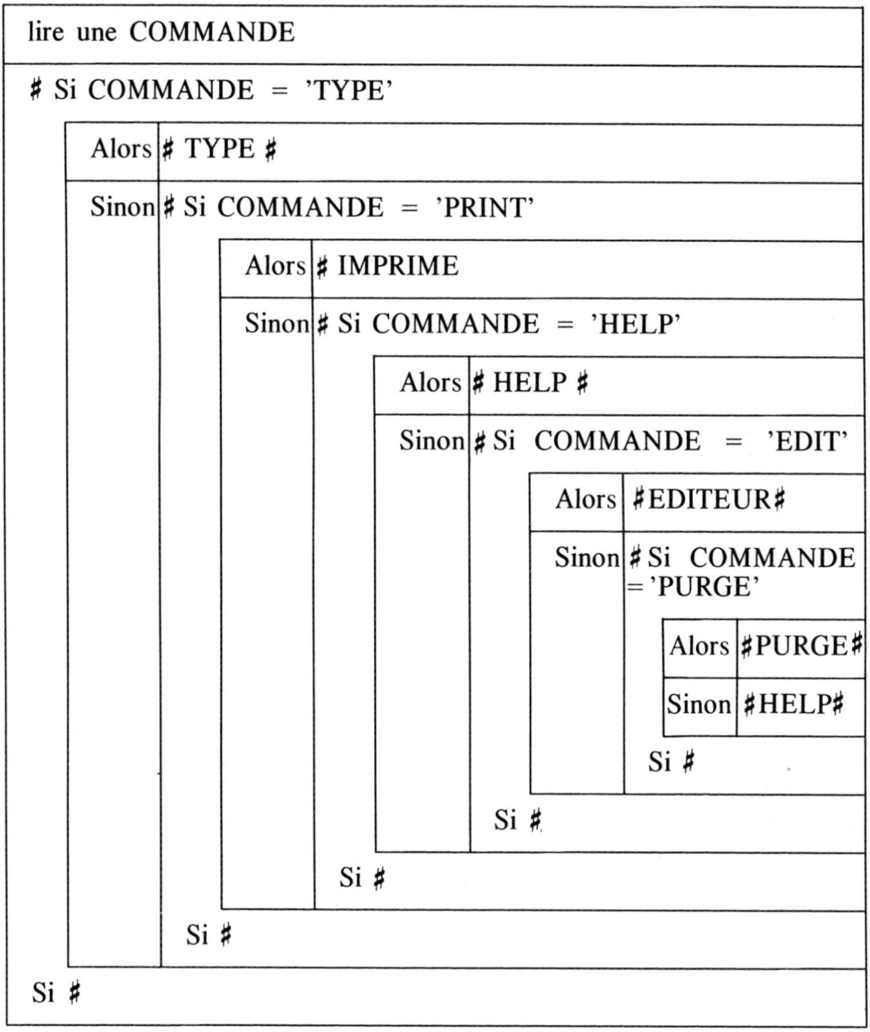

lire une COMMANDE

Si COMMANDE = 'TYPE'

Alors # TYPE #

Sinon # Si COMMANDE = 'PRINT'

Alors # IMPRIME

Sinon # Si COMMANDE = 'HELP'

Alors # HELP #

Sinon # Si COMMANDE = 'EDIT'

Alors #EDITEUR#

Sinon # Si COMMANDE = 'PURGE'

Alors #PURGE#

Sinon #HELP#

Si #

Si #

Si #

Si #

Si #

système simplifié #

TYPE

......

TYPE #

IMPRIME

......

IMPRIME #

♯ EDITEUR

......

EDITEUR ♯

S'il n'y a rien à transmettre, pourquoi utiliser des sous-programmes?
— La plupart de ces sous-programmes sont très compliqués. L'avantage d'avoir structuré le système est de pouvoir employer un programmeur différent pour écrire chaque module.
— Un même sous-programme peut être appelé plusieurs fois comme le sous-programme HELP et donc l'on évite la répétition des instructions.

Exercice

Écrire l'algorithme du sous-programme TYPE, qui affiche à l'écran le contenu d'un fichier dont il demande le nom, en supposant que tout fichier se termine par la ligne :

XXX

et est composé de lignes de 80 caractères.

comment utilisons-nous un sous-programme avec Fortran?

* *l'appel à un sous-programme* s'effectue avec l'instruction CALL :

```
call nomsousprogramme
```

nomsousprogramme est un *identificateur* qui suit les mêmes règles que les identificateurs de variables. Il n'est toutefois pas assimilable, comme le nom d'une fonction, à une variable un peu spéciale. On ne le déclare donc pas, et *on ne peut pas l'employer comme une expression.* Là où se trouve l'instruction call, cela se passe un peu à l'exécution comme si l'on remplaçait cette instruction par les lignes de code du sous-programme.

* *La définition d'un sous-programme* se situe, comme pour les fonctions, en dehors du programme principal (on les regroupe généralement à la fin, après le end du programme principal).

Un sous-programme commence par le mot-clef subroutine et se termine par end.

```
subroutine nomsousprogramme
  .....
end
```

(comme avec les fonctions, on peut trouver un return avant le end).

La règle essentielle à bien retenir est *qu'un sous-programme est identique à un programme et à une fonction* c'est-à-dire que

* nous devons *déclarer toutes les variables* dont nous avons besoin pour le traitement du sous-programme,
* nous pouvons y utiliser toutes les instructions Fortran, y compris l'instruction call,
* les variables de chaque module sont totalement indépendantes même si elles portent le même nom.

10.3.2. Les sous-programmes avec paramètres

En général, on a cependant besoin d'échanger des valeurs avec un sous-programme. La forme complète de l'instruction d'appel sera :

call nomsousprogramme (liste des arguments)

Nous arrivons ici à une différence importante par rapport aux fonctions : dans le cas d'une fonction, les arguments permettent de calculer la valeur rangée dans le nom de la fonction. Avec un sous-programme, comme le nom ne sert qu'à l'identifier, il faut donner dans la liste *deux types d'arguments :*

* Ceux que nous appellerons « arguments d'entrée », analogues aux arguments d'une fonction.

* Mais aussi des « arguments de sortie », qui correspondent aux *valeurs retournées par le sous-programme.* Ces arguments doivent obligatoirement correspondre à des variables, et ne peuvent être des constantes, expressions ou fonctions. Ils n'ont pas besoin d'avoir une valeur définie lorsque l'on appelle le sous-programme : en revanche, ils auront une valeur après l'exécution du sous-programme.

Cette présentation des deux types d'arguments est générale : dans la pratique, il peut très bien n'y avoir, soit aucun argument comme nous l'avons vu précédemment, soit des arguments de l'un des deux types seulement (sous-programme d'impression, à qui l'on envoie des valeurs et qui ne retourne rien, ou sous-programme de lecture, à qui l'on envoie rien mais qui lit des valeurs et les retourne).

Il est également fréquent qu'un argument appartienne aux deux types à la fois : c'est le cas quand on appelle un sous-programme pour qu'il modifie la ou les valeurs transmises; avant l'appel, la variable utilisée comme argument a une certaine valeur, et elle en a une autre, dépendant de la première, après l'appel.

Évidemment, les arguments ont leur pendant sous la forme de paramètres dans le sous-programme; la forme complète de l'en-tête d'un sous-programme est :

subroutine nomsousprogramme (liste des paramètres)

Le couple paramètre-argument représente, comme dans les fonctions, *les seules informations* que peuvent s'échanger deux modules. Ce sont des données communes entre deux modules.

Comme avec les fonctions, il doit y avoir correspondance en nombre, en type et en dimension (par correspondance en dimension on entend variable simple ⟷ variable simple, vecteur ⟷ vecteur, matrice ⟷ matrice, etc.) entre les arguments et les paramètres.

Passons à un exemple; supposons que par suite de calculs particulièrement bizarres nous ayons besoin de ce qu'on appelle la transposée d'une matrice, c'est-à-dire une matrice contenant les mêmes valeurs mais dans laquelle les lignes sont à la place des colonnes et vice versa. Si notre matrice initiale est par exemple

$$\begin{bmatrix} 3 & 4 & 5 \\ 7 & 8 & 2 \\ 1 & 0 & 3 \end{bmatrix}$$

sa transposée sera

$$\begin{bmatrix} 3 & 7 & 1 \\ 4 & 8 & 0 \\ 5 & 2 & 3 \end{bmatrix}$$

(nous ne considérerons que des matrices carrées (3,3)). L'organigramme est assez simple :

♯ Transpose

♯ Faire pour I = 1, 3
♯ Faire pour J = 1, 3
MATT (J,I) = MAT (I,J)
Faire ♯
Faire ♯

Transpose ♯

Passer au code ne pose pas de difficulté, et nous obtenons :

```
*       Sous-programme de transposition de matrice (3,3)
*
        subroutine TRANSP (MAT, MATT)
        real MAT (3,3), MATT (3,3)
        integer I, J
*
*       MAT  : Matrice a transposer
*       MATT : Transposee de MAT
*       I, J    : Compteurs
*
        do I = 1, 3
            do J = 1, 3
                MATT (J,I) = MAT (I,J)
            enddo
        enddo
        end
```

Pour utiliser ce sous-programme, il suffira d'écrire, dans le module appelant (qui peut lui-même être un sous-programme ou une fonction)

```
      ...
      call TRANSP(A, AT)
      ...
```

où A et AT sont deux matrices (3,3), et seule A ayant besoin d'avoir des valeurs définies (inutile d'initialiser AT avant le call).

Notons que si, dans la suite du programme, on n'a plus besoin de la matrice initiale mais seulement de sa transposée, on pourrait imaginer n'avoir que A pour argument; il faudrait alors réécrire le sous-programme sous la forme :

```
*       Sous-programme de transposition de matrice (3,3)
*                 Deuxieme version
        subroutine TRANSP (MAT)
        real MAT (3,3), MATT (3,3)
        integer I, J
*
*       MAT  : Matrice a transposer
*       MATT : Transposee de MAT
*       I, J : Compteurs
*
        do I = 1, 3
            do J = 1, 3
                MATT (J,I) = MAT (I,J)
            enddo
        enddo
        do I = 1, 3
            do J = 1, 3
                MAT (I,J) = MATT (I,J)
            enddo
        enddo
        end
```

Dans cette deuxième version, on doit tout de même passer par une matrice MATT intermédiaire et la recopier dans MAT avant le retour, parce que l'on ne peut directement écrire

```
MAT (J,I) = MATT (I,J)
```

dans les premières boucles imbriquées; comme les coefficients seraient modifiés au fur et à mesure, on se retrouverait à la fin avec une matrice symétrique, quelle que soit la matrice de départ (si cela vous semble obscur, vous êtes invité à faire des simulations d'exécution).
Avec cette nouvelle version, le même tableau A abritera, avant l'instruction call, la matrice initiale puis, après l'instruction call, sa transposée.

La question qui vient naturellement à l'esprit est : quand utiliser une fonction, quand utiliser un sous-programme?

Le critère est assez simple : cela dépend du nombre de valeurs retournées. Une valeur, on utilise de préférence une fonction; plusieurs valeurs, on utilise un sous-programme.

Rien n'empêche d'utiliser un sous-programme pour retourner une seule valeur; son mode d'appel rend alors simplement son utilisation plus lourde que la fonction. C'est tout à fait comparable au problème qui s'est déjà posé avec les boucles # TANT QUE # et # FAIRE POUR # : on trouve d'un côté le cas général, qui fonctionne bien dans tous les cas, et de l'autre un important cas particulier, qui permet de faire dans certains cas les choses plus élégamment qu'avec le cas général.

Remarquons que l'application du critère n'est pas toujours si simple qu'il paraît : supposons par exemple que nous ayons besoin de la moyenne des N valeurs contenues dans un tableau qui peut en contenir 100 au maximum, et de l'écart-type de ces valeurs.

Pour mémoire, l'écart-type est une mesure de la dispersion des valeurs autour de la moyenne; on la définit comme la racine carrée de la variance dont la formule est :

$$\text{variance} = \frac{1}{n-1} \sum_{i=1}^{n} (x_i - \bar{x})^2.$$

Typiquement, les applications statistiques sont suffisamment générales pour que nous essayions d'en faire, soit des sous-programmes, soit des fonctions.

Une idée relativement simple serait d'utiliser une fonction MOYEN à laquelle on enverrait le vecteur des valeurs et N et qui retournerait la moyenne, et une autre fonction ECTYPE à laquelle on enverrait la même chose, plus la valeur de la moyenne calculée à l'aide de la fonction précédente.

Si nous programmons de cette manière, nous allons obtenir :

```
*     Calcul de la moyenne
*
      real function MOYEN (VALEUR, N)
      real VALEUR (100), SOMME
      integer N, I
*
*     VALEUR : tableau des valeurs (max 100)
*     SOMME  : variable locale pour avoir la somme des valeurs
*     N      : nombre de valeurs sur laquelle il faut faire la moyenne
*     I      : compteur
*
      SOMME = 0.
      if (N.gt.0) then
         do 10 I = 1, N
            SOMME = SOMME + VALEUR (I)
10       continue
         MOYEN = SOMME / N
      else
         MOYEN = 0.
      end if
      end
*
*     Calcul de l'ecart-type
*
      real function ECTYPE (VALEUR, N, MOY)
      real VALEUR (100), MOY, VAR
      integer N, I
```

```
*
*       VALEUR : tableau des valeurs
*       N      : nombre de valeurs
*       MOE    : moyenne des valeurs
*       VAR    : variance
*       I      : compteur
*
        if (N.gt.1) then
          VAR=0.
          do 10 I = 1, N
             VAR = VAR + (VALEUR(I) - MOY)*(VALEUR(I) - MOY)
10        continue
          VAR = VAR / (N - 1)
          ECTYPE = SQRT (VAR)
        else
          ECTYPE = 0
        end if
        end
```

Cette manière de faire semble assez raisonnable; remarquons que, pour calculer la moyenne puis l'écart-type de N valeurs il faut exécuter, à quelques instructions près, deux fois 3 * N instructions (on ne considère ici que les boucles do, dont le corps fait trois instructions dans chacune des fonctions, et que l'on exécute N fois chacune).

Or, on peut obtenir le même résultat avec un nombre d'instructions sensiblement plus faible (la différence étant d'autant plus grande que N est plus grand). En effet, si nous développons la formule de la variance nous obtenons :

$$\text{variance} = \frac{1}{n-1} \sum_{i=1}^{n} \left(x_i^2 - 2x_i\bar{x} + \bar{x}^2\right)$$

$$= \frac{1}{n-1} \left[\sum_{i=1}^{n} x_i^2 - 2\bar{x} \sum_{i=1}^{n} x_i + n\bar{x}^2\right]$$

$$= \frac{1}{n-1} \left[\sum_{i=1}^{n} x_i^2 - 2n\bar{x}^2 + n\bar{x}^2\right]$$

$$= \frac{1}{n-1} \left[\sum_{i=1}^{n} x_i^2 - n\bar{x}^2\right]$$

Cela veut dire que l'on n'a pas besoin de parcourir une première fois toutes les valeurs pour calculer la moyenne, puis une seconde fois pour calculer la variance : On peut obtenir les deux à la fois, en calculant parallèlement la somme des valeurs puis la somme de leurs carrés. En fait, les calculs de la moyenne et de l'écart-type sont très liés, ce qui incite à utiliser un sous-programme retournant les deux valeurs simultanément.

```
        subroutine STATS (VALEUR, N, MOYEN, ECTYPE)
        real VALEUR (100), MOYEN, ECTYPE, VAR, SOMME, SOMCAR
        integer I
```

```
*
*       Noms des variables : comme precedemment.
*       SOMCAR : somme des carres
*
        SOMME = 0.
        SOMCAR = 0.
        if (N.gt.0) then
          do I = 1, N
               SOMME = SOMME + VALEUR(I)
               SOMCAR = SOMCAR + VALEUR(I)*VALEUR(I)
          end do
          MOYEN = SOMME/N
          if (N.gt.1) then
            VAR = (SOMCAR - N*MOYEN*MOYEN) / (N - 1)
            ECTYPE = SQRT (VAR)
          end if
        end if
        end
```

Avec cette nouvelle version, le nombre d'instructions exécutées sera de l'ordre de $4*N$, contre $6*N$ tout à l'heure. Lorsque N vaut 10000, cela peut faire une différence appréciable. On remarquera que lorsque cela n'a aucun sens de calculer la moyenne ou l'écart-type, on ne les calcule simplement pas et l'on laissera indéfinie la valeur, alors qu'avec la fonction on attribuait arbitrairement la valeur 0.

10.3.3. Notions avancées sur les passages de paramètres

Deux passages de paramètres sont assez particuliers :
— ceux qui concernent les dimensions de tableaux,
— ceux qui concernent les noms de fonctions ou de sous-programmes.

10.3.3.1. Les dimensions de tableaux

Il est assez embarrassant de devoir donner la même dimension à un tableau-paramètre qu'au tableau-argument qui lui correspond : en effet, cela ne favorise pas la généralité tous azimuts que nous recherchons avec les sous-programmes (ou fonctions).

Il est absolument interdit de donner dans un module (sous-programme ou fonction) une dimension supérieure à celle de l'argument qui sera transmis; par exemple :

```
        real TABLE(10)
        ...
        call TRUC(TABLE)
        ...
        end
```

```
*
      subroutine TRUC(MAT)
      real MAT(20)
      ...
      end
```

ne peut pas fonctionner.

En revanche, il est parfaitement possible de donner au paramètre une dimension inférieure à celle de l'argument, *à condition de ne pas référencer dans le module un élément correspondant à un indice supérieur à la dimension déclarée dans ce module.* Par exemple, si l'argument est TABLE qui a pour dimension 8, si vous ne voulez modifier que les 5 premiers éléments vous pouvez utiliser un paramètre de dimension 5 :

```
      integer TABLE(8), I
      do I = 1, 8
          TABLE(I) = I
      enddo
      call TRUC(TABLE)
      print *, TABLE
      end
*
      subroutine TRUC(MAT)
      integer MAT(5), I
      do I = 1, 5
          MAT(I) = - MAT(I)
      enddo
      end
```

Le programme précédent imprimera :

```
   -1    -2    -3    -4    -5    6    7    8
```

Si vous essayez de boucler jusqu'à 6 dans TRUC, vous aurez une erreur du style « subscript outside range of dimension », ce que l'on pourrait traduire par « indice en dehors des bornes prévues ».

Ce comportement est tout à fait différent de celui du Fortran IV, où la taille d'un vecteur-paramètre pouvait être n'importe quoi, les ajustements se faisant automatiquement (avec les tableaux à plusieurs dimensions, il y a toutefois bon nombre de précautions à prendre en Fortran IV).

Tout ceci n'est pas très simple, et vous comprenez sans doute mieux le parti pris, au début du chapitre, de donner la même dimension à l'argument et au paramètre correspondant...

Mais Fortran 77 permet quelque chose qui va nous redonner cette généralité que nous cherchons : il permet de transmettre la dimension comme argument. Donnons tout de suite un exemple :

```
*     Watcom Fortran
*
      integer I, N, TABLE(10)
      I = 1
      print *, 'Entrer la premiere valeur:'
      read *, TABLE(I)
```

```
      while (TABLE(I).gt.0) do
            I = I + 1
            print *, 'Valeur suivante (0 pour arreter):'
            read *, TABLE(I)
      endwhile
      print
      N = I - 1
      call IMPR(TABLE, N)
      end
*
      subroutine IMPR(VEC, N)
      integer N
      integer VEC (N)          ←— C'est là que ça se passe
      print *, VEC
      end
```

Si l'on entre par exemple successivement 1, 2, 3, 0, le sous-programme imprimera

```
   1    2    3
```

En fait, on a donné à VEC, par la déclaration VEC(N), la dimension qui nous était utile et rien de plus (rien de moins non plus).

Naturellement, ceci peut également être fait avec plusieurs dimensions. Il est important de noter que les paramètres correspondant aux dimensions doivent, dans le module, être déclarés avant les tableaux dont ils donnent les dimensions.

10.3.3.2. Les noms de modules

Fortran 77 permet également, et cela vous paraîtra peut-être plus étonnant encore que le passage des dimensions, la transmission à un module du nom d'un second module utilisé par le premier. Reprenons un exemple proche des précédents, avec les deux sous-programmes :

```
      subroutine IMPR(VEC, N, SOUSPR)
      integer N
      integer VEC(N)
      call SOUSPR (VEC, N)
      print *, VEC
      end
*
      subroutine CARRE(VEC, N)
      integer N, I, VEC(N)
      do I = 1, N
         VEC(I) = VEC(I) * VEC(I)
      enddo
      end
```

Le sous-programme SOUSPR n'existe pas; simplement, si nous appelons dans le programme principal IMPR de la manière suivante :

```
call IMPR(TABLE, N, CARRE)
```

IMPR utilisera CARRE partout où il rencontrera SOUSPR, et imprimera les carrés des valeurs transmises. Si nous avions également disposé d'un sous-programme NEG qui multiplie chaque élément d'un tableau par −1,

```
call IMPR(TABLE, N, NEG)
```

aurait imprimé la négation des valeurs transmises : SOUSPR aurait alors été remplacé par NEG. Les exemples ci-dessus utilisaient des sous-programmes, la même chose peut être faite avec des fonctions.

Nous n'avons pas fait le tour encore de toutes les difficultés : en effet, nous nous sommes placés jusqu'ici du point de vue, si l'on peut dire, du sous-programme IMPR. Considérons maintenant le cas du programme principal : en ce qui le concerne, il ignore totalement l'usage que peut faire IMPR des arguments qu'il lui transmet. Si l'on fait un

```
call IMPR(TABLE, N, CARRE)
```

le programme principal n'a aucune raison de croire que CARRE est le nom d'un sous-programme, et non une variable réelle (puisque non déclarée : règle de la première lettre); c'est encore plus troublant pour lui s'il transmet le nom d'une fonction, puisqu'on la déclare comme une variable simple. En conséquence, il va transmettre ses paramètres à IMPR en lui disant : 'Tiens, voilà un tableau d'entiers, un entier et un réel'; évidemment, un call à un réel va mettre IMPR dans un état de détresse que vous pouvez facilement imaginer.

Il faut donc indiquer au programme principal que ce qu'il va transmettre *n'est pas* une variable comme les autres. On fait cela par une déclaration particulière, qui est

external nom(s) de module

Ceci permet au programme principal (ou, dans le cas le plus général, au module appelant) d'indiquer au module appelé que ce qui lui est transmis est le nom d'un autre module, et qu'il peut en faire ce qu'il veut.
Le programme principal qui utiliserait IMPR pourrait donc être :

```
integer I, N, TABLE(10)
external CARRE, NEG                    <<<<<<
I = 1
print *, 'Entrer la premiere valeur:'
read *, TABLE(I)
while (TABLE(I).gt.0) do
        I = I + 1
        print *, 'Valeur suivante (0 pour arreter):'
        read *, TABLE(I)
endwhile
print
N = I − 1
call IMPR(TABLE, N, CARRE)
call IMPR(TABLE, N, NEG)
end
```

Dans le cas des fonctions, la mention external se rajoute à la déclaration « normale » :

```
real FONC
external FONC
```

Cette utilisation des noms des modules a beaucoup d'intérêt avec les méthodes numériques en particulier : on peut écrire un module qui calcule l'intégrale d'une fonction F (dont le nom est un paramètre), et suivant la fonction dont on veut calculer l'intégrale, on lui transmettra tel ou tel nom.

10.4. Conclusion

En conclusion, les sous-programmes et fonctions permettent :

* de diviser un programme en modules qui peuvent être écrits par des personnes différentes ou en plusieurs étapes
  ⟶ aide à la bonne structure d'un programme
  ⟶ aide au test d'un programme
* de faire ressortir des parties communes
  ⟶ évite la duplication des instructions

Différences entre sous-programme et fonction

sous-programme	fonction
* paramètres d'entrée initialisés par le module appelant	
* paramètres de sortie affectés dans le sous-programme	* résultat calculé dans la fonction
* nombre quelconque de valeurs retournées	* une seule valeur retournée
* appel par call	* utilisation plus directe

Une fonction (ou un sous-programme) doit avoir une utilisation la plus générale possible : nous faisons du prêt-à-porter et non du sur mesure. Un sous-programme est fait de manière à pouvoir être utilisé dans six mois avec un autre programme (toutes les méthodes d'analyse numérique que nous verrons dans la seconde partie de cet ouvrage ainsi que les programmes de tri du prochain chapitre sont des exemples bien caractéristiques).

Donc nous devons prendre l'habitude d'écrire une fonction (et un sous-programme) sans avoir le programme qui l'utilisera. C'est un peu dur au début, il y a parfois à faire un bel effort d'abstraction, mais avec un peu de pratique, à quoi n'arriverait-on pas?

10.5 Exercices

N. B. : on oubliera dans ce qui suit l'existence de la plupart des fonctions préprogrammées.

>*__1.__ Qu'impriment les programmes suivants :

a)

```
      integer A, VA
      A = 3
      call VALABS (A, VA)
      print *, VA
      A = - 10
      call VALABS (A, VA)
      print *, VA
      end
*
      subroutine VALABS (X, AB)
      integer X, AB
      if (X.lt.0) then
         AB = - X
       else
         AB = X
      end if
      end
```

b)

```
      integer A, B, I
      A = 2
      do 10 I = 1, 3
         call ADD (I, A)
         print *, A
10    continue
      end
*
      subroutine ADD (B, C)
      integer A, B, C
      A = B + C
      end
```

>*__2.__ Transformer le sous-programme VALABS en une fonction.

>**__3.__ Écrire un sous-programme qui calcule la distance entre deux points.
subroutine DIST (M, N, D)

a) La distance (D) entre deux points M et N est
M − N si M est plus grand que N
N − M si N est plus grand que M

b) Réécrire le sous-programme DIST en utilisant la fonction VALABS écrite à l'exercice 2.

****4.** Écrire un sous-programme retournant le produit vectoriel de deux vecteurs (en dimension 3).

****5.** On supposera que l'on utilise des nombres complexes, et que ceux-ci sont représentés dans l'ordinateur sous la forme de vecteurs à deux composantes, la première correspondant à la partie réelle et la seconde à la partie imaginaire. Écrire « quelque chose » que nous désignerons par le nom générique de module (le choix entre fonction et sous-programme est laissé à votre diligence; utilisez une fonction quand vous le pouvez) pour :
— obtenir le conjugué d'un nombre complexe,
— faire le produit de deux nombres complexes,
— obtenir le module d'un nombre complexe,
— obtenir la racine carrée d'un nombre complexe.

*****6.** Écrire un programme permettant de résoudre dans l'ensemble des nombres complexes une équation du second degré. Utilisez certains des modules de l'exercice précédent.

11

Tris et recherches

« Dans l'instant où Dieu créa le monde, le mouvement du chaos dut faire trouver le chaos plus désordonné que lorsqu'il reposait dans un désordre paisible. »

Chamfort, *Pensées et Maximes*

Les tris ont été l'objet d'une fatigue cérébrale importante en informatique; on les utilise très fréquemment, car beaucoup d'algorithmes supposent des données triées (on en a eu un exemple avec les fusions de fichiers séquentiels).

Tout système informatique digne de ce nom dispose de sous-programmes de tris mis à la disposition des utilisateurs; en pratique on n'a donc jamais, sauf éventuellement en devoir, à programmer un tri (c'est déjà un souci de moins).

Par conséquent, les tris qui sont donnés dans ce chapitre sont à considérer principalement comme des exemples d'application; leur intérêt est de vous montrer des algorithmes assez élaborés, et, par la comparaison de tris différents, de permettre une approche critique des performances d'un algorithme (rapidité, utilisation optimale de la machine...) qui prépare aux raisonnements de l'analyse numérique et qu'il n'est pas mauvais d'avoir face à ses propres programmes.

Dans ce qui suit on ne traitera que du tri par ordre croissant de données alphanumériques (chaînes de caractères); le passage au tri par ordre décroissant ou aux données numériques ne pose aucune difficulté particulière.

11.1. Tri par sélection

Nous supposerons que nous voulons trier les lettres du mot INFORMATIQUE. Pour cela, nous allons choisir une structure particulière pour nos données : nous allons considérer chaque lettre comme une «chaîne» de UN caractère indépendante et la mettre dans un tableau MOT.

MOT(1) ⟵ I
MOT(2) ⟵ N
MOT(3) ⟵ F
MOT(4) ⟵ O
MOT(5) ⟵ R
MOT(6) ⟵ M
MOT(7) ⟵ A
MOT(8) ⟵ T
MOT(9) ⟵ I
MOT(10) ⟵ Q
MOT(11) ⟵ U
MOT(12) ⟵ E

Cette structure est très générale. Le jour où l'on souhaitera trier les noms de 100 étudiants, on utilisera un tableau de dimension 100 dont chaque élément sera un nom, etc.

Comment trierions-nous à la main ces lettres? Le plus simple serait probablement d'écrire le mot sur une ligne :

INFORMATIQUE

puis de chercher la plus petite lettre («plus petit» et «plus grand» se référant bien sûr à l'ordre alphabétique), de la barrer dans le mot et de l'écrire sur la ligne du dessous.

INFORM~~A~~TIQUE
A

On chercherait ensuite, parmi les lettres non barrées, la nouvelle plus petite, et on lui appliquerait le même traitement

INFORM~~A~~TIQU~~E~~
AE

A la fin, on aurait

~~INFORMATIQUE~~
AEFIIMNOQRTU

Ça n'est pas bien compliqué; il est très facile de faire la même chose en informatique, moyennant quelques conversions habiles :

— Comme on n'a pas de «ligne du dessous» dans la mémoire, on va utiliser un second tableau TRIE(12) pour ranger nos lettres.

— Comment barrer une lettre? En fait, ce que l'on veut, c'est ne plus s'occuper des lettres qui ont été déjà rangées dans TRIE. L'astuce, c'est de les remplacer dans le tableau initial MOT par une valeur plus grande que toutes les autres; 'Z' s'impose. Au lieu de barrer une lettre, on la remplacera donc par 'Z'.

```
INFORMZTIQUE        ZZZORZZTZQUZ
A-----------        AEFIIMN-----

INFORMZTIQUZ        ZZZZRZZTZQUZ
AE----------        AEFIIMNO----

INZORMZTIQUZ        ZZZZRZZTZZUZ
AEF---------        AEFIIMNOQ---

ZNZORMZTIQUZ        ZZZZZZZTZZUZ
AEFI--------        AEFIIMNOQR--

ZNZORMZTZQUZ        ZZZZZZZZZZUZ
AEFII-------        AEFIIMNOQRT-

ZNZORZZTZQUZ        ZZZZZZZZZZZZ
AEFIIM------        AEFIIMNOQRTU
```

Écrivons l'algorithme de ce tri :

♯ Tri par sélection

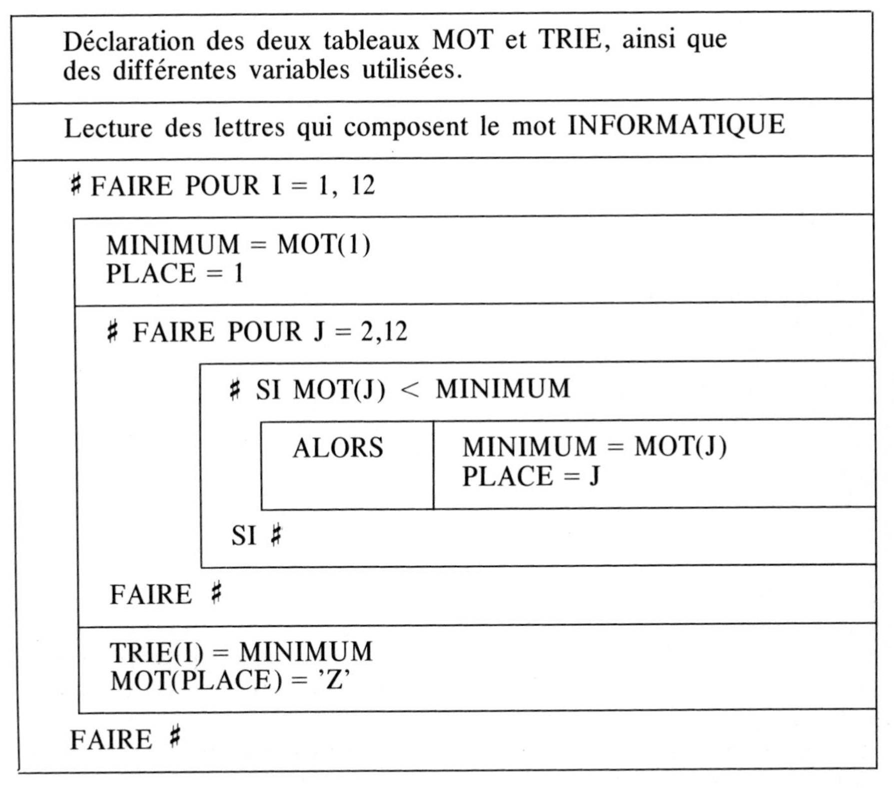

Tri par sélection ♯

Ce tri est simple; néanmoins il est critiquable sur différents points :

— Dans la pratique, les opérations « coûteuses » en matière de temps sont les comparaisons et les échanges de valeurs. On n'échange rien ici; en revanche, pour classer nos 12 malheureuses lettres, on exécute 12×11

= 132 comparaisons, ce qui est déjà impressionnant. Le jour où l'on aura 500 objets à trier, il nous faudra 500 × 499 = 249 500 comparaisons, même si tout est déjà presque dans le bon ordre. Bigre! Et après cela, on s'étonne de la lenteur des temps de réponse, et l'on accuse le système...
— On a besoin de beaucoup de mémoire, puisqu'il nous faut un second vecteur de la même taille où ranger nos valeurs triées. Là encore, cela n'est pas gênant avec 12 valeurs, mais peut l'être beaucoup plus avec 500 ou 1 000; même si notre ordinateur dispose de beaucoup de mémoire, la taille de celle-ci est toujours limitée.

11.2. Tri par échange : tri à bulles

Il fut un temps où la mémoire coûtait extrêmement cher et où le second des inconvénients mentionnés plus haut était le plus gênant.

Aussi on a pensé à faire des tris par échange, où l'on échange les valeurs à l'intérieur d'un même vecteur plutôt que les ranger dans un autre vecteur : cela vous rappellera sans doute le chapitre sur les affectations. Ces tris marchent un peu comme lorsque l'on veut trier à la main un paquet de cartes et que l'on déplace les cartes dans le paquet; on voit tout de suite que si l'on gagne en mémoire, on perd sur le plan des échanges, et l'on ne gagnera en temps, par rapport au tri précédent, que si l'on fait moins de comparaisons.

L'un des tris par échange les plus connus est le tri à bulles (Bubble Sort), ainsi nommé parce que les valeurs les plus grandes « montent » comme des bulles dans la liste.

Le principe est simple : on part du début de la liste, et l'on compare chaque fois une valeur et la suivante; si elles sont dans le bon ordre, on passe à l'élément suivant, et sinon on les échange avant de passer à cet élément suivant. A la fin de la première passe, le plus grand élément se trouve en dernière position.

On recommence alors depuis le début jusqu'à l'avant-dernière position; cette deuxième passe permet de placer le « deuxième plus grand » élément; et ainsi de suite.

INFORMATIQUE IFNORMATIQUE IFNOMRATIQUE IFNOMARTIQUE IFNOMARITQUE IFNOMARIQTUE	1re passe
IFNOMARIQTEU FINOMARIQTEU FINMOARIQTEU FINMAORIQTEU FINMAOIRQTEU FINMAOIQRTEU	2e passe
FINMAOIQRETU FIMNAOIQRETU FIMANOIQRETU FIMANIOQRETU	3e passe
FIMANIOQERTU FIAMNIOQERTU FIAMINOQERTU	4e passe
FIAMINOEQRTU FAIMINOEQRTU FAIIMNOEQRTU	5e passe
FAIIMNEOQRTU AFIIMNEOQRTU	6e passe

AFIIMENOQRTU 7ᵉ passe
AFIIEMNOQRTU 8ᵉ passe
AFIEIMNOQRTU 9ᵉ passe
AFEIIMNOQRTU 10ᵉ passe
AEIIMNOQRTU 11ᵉ passe

Pour ne pas faire plus de passes que nécessaire, on utilise une variable dite drapeau (flag), à laquelle on donne une valeur au début et dont on change la valeur dès que l'on fait un échange.

En testant cette variable à la fin d'une passe, on sait s'il y a eu des échanges ou non; s'il n'y en a pas eu, cela signifie que tous les éléments sont dans le bon ordre, et que l'on a fait une passe pour rien (mais on était bien obligé de la faire pour se rendre compte que la liste était triée).

L'algorithme s'écrit :

♯ Tri à bulles

```
Déclaration des variables
Lecture des données
--------------------------------
ECHANG = 1 (drapeau)
FINAL = 12
--------------------------------
♯ Tant que ECHANG = 1
    ECHANG = 0
    ♯ Faire pour I = 1, FINAL − 1
        ♯ Si MOT(I) > MOT(I + 1)
            Alors | TEMP = MOT(I)
                  | MOT(I) = MOT(I + 1)
                  | MOT(I + 1) = TEMP
                  | ECHANG = 1
        Si ♯
    Faire ♯
    FINAL = FINAL − 1
Tant que ♯
```

Tri à bulles ♯

Passons à l'évaluation de cet algorithme; si l'on reprend le tri des lettres du mot INFORMATIQUE, on voit que l'on fait 11 passes avec :

première passe : 11 comparaisons, 6 échanges
deuxième passe : 10 comparaisons, 6 échanges
troisième passe : 9 comparaisons, 4 échanges
quatrième passe : 8 comparaisons, 3 échanges

cinquième passe	:	7 comparaisons,	3 échanges
sixième passe	:	6 comparaisons,	2 échanges
septième passe	:	5 comparaisons,	1 échange
huitième passe	:	4 comparaisons,	1 échange
neuvième passe	:	3 comparaisons,	1 échange
dixième passe	:	2 comparaisons,	1 échange
onzième passe	:	1 comparaison ,	0 échange
Total	:	55 comparaisons,	22 échanges

On fait donc environ deux fois et demie moins de comparaisons que dans le cas précédent, mais avec un nombre assez important d'échanges.

Dans la pratique, on constate qu'un échange prend plus de temps qu'une comparaison.

11.3. Tri par échange : tri par minimums successifs

Si sur le plan des comparaisons le tri à bulles est intéressant, il est passablement lamentable sur le plan des échanges; pourquoi cela? c'est qu'on n'échange jamais que deux objets qui se suivent immédiatement.

En fait, si l'on trie à la main un paquet de cartes on n'agira jamais ainsi, sauf si l'on est masochiste (et encore!).

Une technique de tri a été développée qui combine la recherche successive des plus petites valeurs et les échanges à l'intérieur de la liste. Plutôt que de placer d'abord la plus grande valeur, on cherche à placer la plus petite (c'est un choix parfaitement arbitraire, et qui n'a pas d'influence sur les performances).

On va faire une première passe depuis le début pour trouver la valeur la plus petite et sa position. Celles-ci connues, si la position n'est pas déjà la première, on échange l'objet en première position et l'objet le plus petit de manière à ce que celui-ci gagne sa position définitive.

Pour la deuxième passe, on partira donc de la deuxième position, et ainsi de suite.

INFORMATIQUE	AEFIIMNTRQUO
ANFORMITIQUE	AEFIIMNORQUT
AEFORMITIQUN	AEFIIMNOQRUT
AEFIRMOTIQUN	AEFIIMNOQRTU
AEFIIMOTRQUN	

Algorithme :

```
# Minimums successifs
    Déclaration des variables
    Lecture des données

    DEBUT = 1

    # Tant que DEBUT < 12
        POSMIN = DEBUT
        MINIM = MOT(DEBUT)

        # Faire pour I = DEBUT, 12
            # Si MOT(I) < MINIM
                Alors | MINIM = MOT(I)
                      | POSMIN = I
            Si #
        Faire #

        # Si POSMIN < > DEBUT
            Alors | MOT(POSMIN) = MOT(DEBUT)
                  | MOT(DEBUT) = MINIM
        Si #

        DEBUT = DEBUT + 1
    Tant que #
Minimums successifs #
```

Exercice

Modifier l'algorithme de manière à ce que l'on place d'abord les plus grandes valeurs, comme dans le tri à bulles.

Si l'on regarde ce que l'on fait sur l'exemple, on constate que l'on a

66 comparaisons (du même ordre de grandeur que le tri à bulles)
8 échanges

On arrive cette fois à quelque chose de beaucoup plus raisonnable.

Dans la pratique, surtout avec un nombre important d'objets à trier, ce tri sera beaucoup plus rapide que le tri à bulles; on peut le considérer comme relativement décent pour un petit nombre de données à trier.

Nous nous sommes bornés, pour comparer les méthodes de tris précédentes, à regarder ce que cela donnait sur un exemple. Pour convaincante qu'elle soit, cette estimation empirique manque un peu de rigueur. En fait, pour vraiment évaluer une méthode de tri, il faut faire appel à l'analyse combinatoire pour estimer, en moyenne, combien on fera de comparaisons et d'échanges; il est parfois également intéressant de voir ce que, dans le pire des cas, elle peut donner, et combien il faut faire de comparaisons pour se rendre compte que les données sont déjà triées.

Par exemple, il est facile de voir que le tri de N valeurs demande :
— avec le tri par sélection, $N*(N-1)$ comparaisons dans tous les cas, même si les valeurs sont déjà triées;
— avec le tri à bulles, environ $(N-1)+(N-2)+\ldots+1$ comparaisons (en pratique, le drapeau permet d'en faire un peu moins en moyenne), soit $N*(N-1)/2$. Dans le pire des cas (valeurs ordonnées en sens inverse), c'est également le nombre d'échanges qu'il faudra faire. En revanche, si les données sont déjà triées, N comparaisons suffiront pour s'en rendre compte;
— avec le tri par minimums successifs on fera $N*(N-1)/2$ comparaisons dans tous les cas. En revanche le nombre moyen d'échanges sera beaucoup plus faible que pour le tri à bulles.

Lorsqu'on se lance dans des calculs compliqués pour avoir les performances moyennes, on trouve que le coût des trois méthodes précédentes est en $K*N^2$. Par «coût», on entend une estimation globale échanges + comparaisons, qui donne une estimation du temps nécessaire pour effectuer le tri. Cela signifie pratiquement que l'ordinateur mettra, avec chacune des méthodes précédentes, environ :

100 fois plus de temps pour trier 100 valeurs que pour en trier 10
10000 fois plus de temps pour trier 1 000 valeurs que pour en trier 10

Or l'analyse combinatoire, toujours elle, montre que pour trier il existe une limite théorique, absolue, qui correspond à un coût de $N*log_2(N)$.

Cela signifie que, au mieux, il faut environ :

25 fois plus de temps pour trier 100 valeurs que pour en trier 10
400 fois plus de temps pour trier 1 000 valeurs que pour en trier 10

On voit que plus N est grand, plus la différence avec les méthodes précédentes est sensible.

Avec l'avènement de l'ordinateur, la recherche d'algorithmes performants, c'est-à-dire d'un coût en $K*N*Log(N)$, est devenue active. Il existe aujourd'hui un certain nombre de ces algorithmes, plus ou moins compliqués. Celui qui, sur un ordinateur non spécialisé, donne en moyenne les meilleurs résultats s'appelle le *Quick-sort.* Il a été inventé en 1962 par un mathématicien britannique, Anthony Hoare (tout ça pour dire que, contrairement à bon nombre d'algorithmes, il ne date pas des Croisades).

11.4. Quick-sort

Quelle est l'idée de base du Quick-sort?

Prendre un élément au hasard et le mettre à la place qu'il occupera dans la liste définitivement triée.

Lorsque c'est fait, on se retrouve avec trois parties :
— une liste d'éléments non triés, mais tous plus petits que l'élément choisi (soit liste A);
— l'élément choisi, bien placé et dont il n'y a plus à s'occuper;
— une liste d'éléments non triés, mais tous plus grands que l'élément choisi (soit liste B).

A ce moment-là, il suffit de recommencer l'opération, d'abord sur la liste A, puis sur la liste B, et ainsi de suite jusqu'à ne plus avoir que des listes réduites à un élément.

Occupons-nous d'abord de savoir comment mettre un élément à sa place : c'est ce qu'on appelle l'opération de partition. Supposons que nous avons N valeurs. Pour en choisir une au hasard, on peut prendre la première; on lui donne le nom de pivot.

Maintenant, il nous faut trouver quels sont les éléments plus petits que le pivot, qui constitueront la liste A, et quels sont ceux qui sont plus grands, et qui constitueront la liste B.

Nous allons utiliser deux pointeurs : un qui part de la valeur qui suit le pivot et va croissant, et l'autre qui part de la dernière valeur et va décroissant.

Le pointeur qui part de la fin va descendre jusqu'à trouver une valeur plus petite ou égale au pivot. Si l'on reprend l'exemple du mot INFORMATIQUE, on prend d'abord I pour pivot :

```
I N F O R M A T I Q U E
                      ^
                          E plus petit que I, on ne
                          va pas plus loin
```

alors, le pointeur qui part du début va monter jusqu'à trouver une valeur plus grande que le pivot ou rencontrer le pointeur descendant.

```
I N F O R M A T I Q U E
  ^ N plus grand que
    I, on ne va pas plus
    loin
```

Puis, on échange les deux valeurs avant de repartir :

```
I E F O R M A T I Q U N
  ^                   ^
```

Modification du pointeur descendant qui repart :

```
I E F O R M A T I Q U N
  ^                 ^

I E F O R M A T I Q U N
  ^               ^
```

```
I E F O R M A T I Q U N
  ^             ^   On trouve une valeur égale au
                    pivot et, par convention, nous
                    la mettrons dans le même sac que
                    les plus petites
```

Le pointeur montant est modifié et repart :

```
I E F O R M A T I Q U N
    ^           ^

I E F O R M A T I Q U N
      ^ Arrêt   ^
```

Échange :

```
I E F I R M A T O Q U N
      ^         ^
```

Le pointeur descendant repart :

```
I E F I R M A T O Q U N
      ^       ^

I E F I R M A T O Q U N
      ^     ^ Arrêt
```

Le pointeur montant est modifié et fait un effort pour repartir :

```
I E F I R M A T O Q U N
Arrêt   ^   ^
```

Échange :

```
I E F I A M R T O Q U N
        ^   ^
```

Modification du pointeur descendant :

```
I E F I A M R T O Q U N
        ^ ^

I E F I A M R T O Q U N
        ^ Bing

        ^
```

Le pointeur descendant est en train de marcher sur les pieds de son collègue montant, ce qui ne se fait pas. Comme on sait que toutes les lettres avant le M sont plus petites que I (ou égales), et que toutes celles après, M compris, sont plus grandes, il suffit d'échanger la lettre A à laquelle on est arrivé et le pivot pour avoir le résultat souhaité :

```
A E F I I M R T O Q U N
⟨  A  ⟩ ⟨      B      ⟩
```

Fascinant, non?

Que donne l'organigramme (N. B. : des variantes sont possibles)?

```
# Partition
    Pivot = MOT(DEBUT)
    PTRM  = DEBUT (Pointeur montant)
    PTRD = FIN + 1 (Pointeur descendant)

  # Tant que PTRM < PTRD
        PTRD = PTRD - 1

        # Tant que MOT(PTRD) > Pivot
              PTRD = PTRD - 1
        Tant que #

        PTRM = PTRM + 1

        # Tant que MOT(PTRM) < Pivot et que PTRD > PTRM
              PTRM = PTRM + 1
        Tant que #

        # Si PTRM < PTRD
              Alors | TEMP = MOT(PTRM)
                    | MOT(PTRM) = MOT(PTRD)
                    | MOT(PTRD) = TEMP
        Si #
  Tant que #

  MOT(DEBUT) = MOT(PTRD)
  MOT(PTRD) = Pivot
Partition #
```

Nous avons réussi à partitionner notre liste, mais tous nos problèmes ne sont pas résolus, loin de là, puisque maintenant nous devons recommencer sur les listes A et B. Pour être tout à fait complet, on doit donc, à la fin de la partition, calculer DEBUTA (qui vaut DEBUT), FINA (PTRD − 1), DEBUTB (PTRD + 1) et FINB (FIN).

C'est là qu'est le hic: c'est difficile de partitionner deux listes à la fois!

Nous allons donc n'en partitionner qu'une, et mettre l'autre « en attente »; par exemple, disons que nous allons partitionner la liste A. Pour pouvoir plus tard s'occuper de la liste B, il suffit de conserver DEBUTB et FINB en mémoire. Seulement, le problème va rapidement se compliquer, car il n'y a pas de raison pour que l'on n'obtienne encore deux listes, dont une à mettre en attente, et ainsi de suite.

Pour mettre nos listes (c'est-à-dire leurs indices de début et de fin) en mémoire, nous allons recourir à une structure spéciale, la structure de pile.

En Fortran, une pile n'est rien d'autre qu'un vecteur, dans lequel on range les valeurs au fur et à mesure. Ce qui est particulier, c'est la manière dont on l'utilise.

Exemple

Supposons que l'on a une pile dans laquelle on met les valeurs 5 8 3 (dans cet ordre là). Pour utiliser la pile, on a besoin d'un indice, ou *pointeur de pile,* qui nous dit dans quelle case du vecteur on a mis quelque chose le plus récemment. Disons qu'initialement notre pile est vide, et que POINTR vaut donc 0 (par convention).

4	
3	
2	
1	

POINTR : 0

4	
3	
2	
1	5

POINTR : 1

4	
3	
2	8
1	5

POINTR : 2

4	
3	3
2	8
1	5

POINTR : 3

En fait, mettre quelque chose dans la pile revient à ajouter 1 à POINTR et à ranger la valeur dans PILE(POINTR) (si PILE est le nom de notre vecteur).

Pour enlever quelque chose de la pile, on procède en sens inverse : on recopie PILE(POINTR) dans une variable, et l'on décrémente POINTR; la raison du nom de pile apparaît clairement, tout ce que l'on fait est toujours relatif à la valeur de POINTR, donc au dernier élément mis dans la pile, tout comme avec une pile d'assiettes par exemple. Le dernier élément rangé est le premier à sortir; c'est ce qu'on appelle de la gestion LIFO (Last In, First Out).

Évidemment, quelques précautions sont à prendre : il faut s'assurer quand on empile que l'on n'a pas déjà atteint la position maximale dans le vecteur (cas de débordement), ou que l'on n'essaie pas d'ôter une valeur d'une pile vide.

Revenons à notre Quick-sort. Nous allons donc avoir deux piles, une des débuts, et l'autre des fins des listes à trier, toutes deux repérées par un pointeur commun. Ce qu'on met en pile, ce sont les listes « en attente », qui demandent à être triées, et donc qui ont au moins deux éléments.

Lorsque l'on aboutit à un élément tout seul, on va chercher dans la pile une autre liste à trier. Si l'on traite complètement le cas du tri des lettres du mot INFORMATIQUE, voilà ce que l'on obtient :

INFORMATIQUE	
IEFORMATIQUN	
IEFIRMATOQUN	
IEFIAMRTOQUN	
AEFIIMRTOQUN	(MRTOQUN) est mis en pile, en attente
AEFI	de jours meilleurs
AEFIIMRTOQUN	
EFI	
AEFIIMRTOQUN	
FI	
AEFIIMRTOQUN	
MRTOQUN	On dépile (MRTOQUN), et on le trie
AEFIIMRTOQUN	
RTOQUN	
RNOQUT	
AEFIIMQNORUT	(QNO) est mis en pile
UT	
AEFIIMQNORTU	
ONO	On dépile (QNO)
AEFIIMONQRTU	
ON	
AEFIIMNOQRTU	That's all, folks.

Une astuce à remarquer : le problème est que l'on ne sait pas quelle taille donner à nos piles. En effet, on peut très bien imaginer qu'elle vont croître jusqu'à une très grande valeur avant qu'on ne commence à dépiler.

Chaque fois que l'on fait une partition, le pivot disparaît de nos préoccupations. On peut imaginer que la partition donne deux sous-listes, une de longueur 2, et l'autre de longueur N—3 (la longueur correspondant au nombre d'éléments) :

< *N* – 3 > P < 2 >
A B
pivot

Si nous trions tout de suite B, et mettons A en attente, le partitionnement de B ne va pas donner de sous-liste et donc nous pourrons tout de suite repartir avec A, donc comme initialement mais avec N – 3 éléments au lieu de *N*.

En revanche, si nous mettons B en attente, il est vraisemblable que le partitionnement de A va redonner deux sous-listes, dont une à remettre en attente et ainsi de suite. Si nous sommes très malchanceux, et mettons toujours en attente des listes de longueur 2, il va falloir en empiler environ $N / 3$ avant de commencer à dépiler quoi que ce soit; le problème est qu'une liste de 2 éléments a un début et une fin tout comme une liste de 1000 et prend autant de place dans les piles!

L'idée est donc de commencer par trier les listes les plus courtes en priorité, de manière à commencer à dépiler le plus vite possible. On montre que dans le pire des cas les piles ne monterons pas plus haut que $INT(\log_2(N)) + 1$ si l'on a N éléments à trier.

En pratique, le tableau suivant donne la taille minimale à donner aux piles suivant le nombre N d'éléments à trier :

N	Taille minimale à donner aux piles
2	2
10	4
100	7
1000	10
10000	14

En donnant des dimensions de 30, on peut ainsi trier un maximum de un milliard de valeurs (si on arrive à les faire tenir dans la mémoire, bien entendu...), ce qui donne, il faut l'avouer, une certaine sérénité d'esprit.

Écrivons maintenant l'organigramme complet du Quick-sort (nous supposerons que les modifications indiquées plus haut ont été apportées au module Partition et qu'il calcule les débuts et les fins D1 et F1, D2 et F2 des deux sous-listes obtenues à partir de la liste initiale de début D et de fin F).

On remarquera que cet algorithme empile systématiquement, puis va chercher au sommet de la pile et regarde alors s'il a une liste à trier ou non.

Il faut aussi bien voir que lorsque l'on a partitionné une liste, la sous-liste la plus longue «écrase» dans les piles toute référence à cette liste; en effet, on n'en a plus besoin puisque l'on a porté le problème à un niveau supérieur.

Lorsque l'on voit un pareil algorithme, qui semble effectuer des transferts de données particulièrement bizarres et que nul n'aurait l'idée d'appliquer pour un tri «à la main», il peut sembler surprenant qu'il soit si efficace. Et pourtant!...

Quick-sort

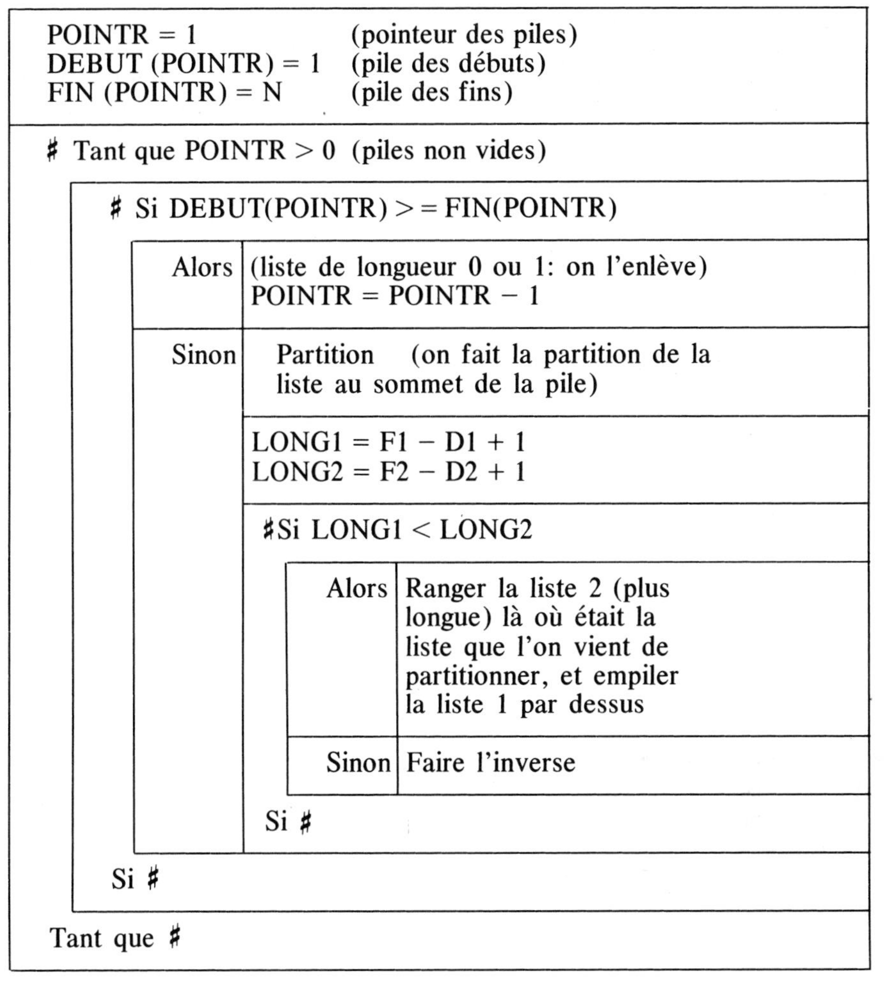

Quick-sort #

Quand on se lance dans l'expérimentation, on obtient les résultats suivants (donnés ici à titre purement indicatif; la puissance de la machine et sa charge sont évidemment des paramètres importants) : le tri de 1 000 numéros de 6 chiffres dans le désordre et l'impression de la liste s'est fait en

Tri à bulles : un peu plus de 20 s.

Tri par sélection : environ 12 s (les échanges prennent beaucoup plus de temps que les comparaisons).

Tri par minimums successifs : entre 6 et 7 s.

Quick-sort : moins de 2 s.

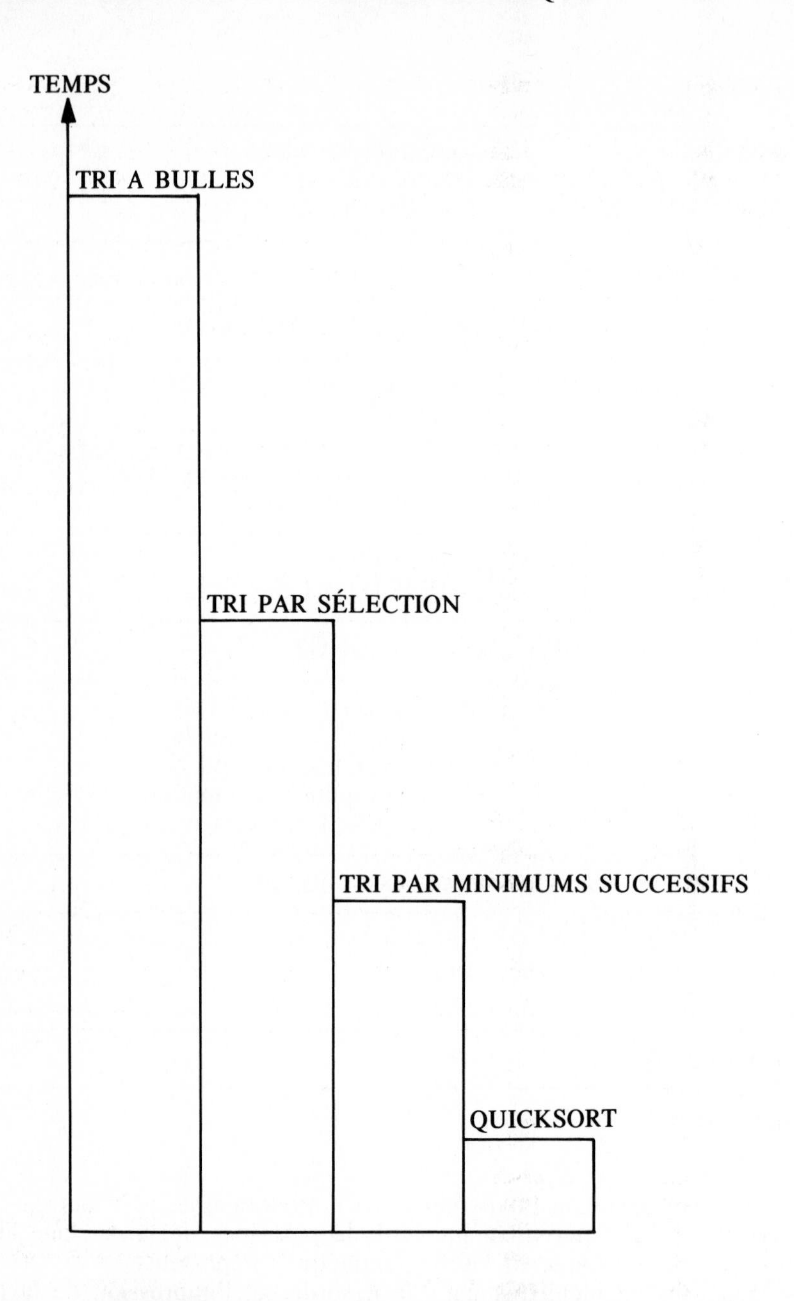

11.5. L'utilisation d'un vecteur de repère

Dans la réalité, on ne trie pratiquement jamais une seule liste d'objets; c'est-à-dire que l'on trie des groupes d'informations suivant un ordre déterminé par un objet particulier de ce groupe.

Par exemple, on n'aura pas à trier simplement des noms de personnes, mais on utilisera ces noms pour trier toutes les informations qui se rapportent à ces personnes : prénom, adresse...

Au lieu d'avoir simplement un vecteur NOM(500), on aura aussi les vecteurs PRENOM(500), ADRESS(500), etc., de telle manière que le $i^{ème}$ prénom et la $i^{ème}$ adresse se rapporteront au $i^{ème}$ nom.

Vous commencez probablement à voir le problème : si l'on trie les noms et qu'on les échange, il faut également échanger les prénoms et les adresses si l'on ne veut pas mélanger nos informations. Or, ce sont ces échanges qui vont ralentir particulièrement le tri, comme on l'a vu en comparant le tri par sélection et le tri à bulles.

La solution consiste à faire intervenir des données supplémentaires, sous la forme d'un vecteur qui repère la position initiale : dans la $i^{ème}$ case de ce vecteur, on trouvera la position qu'occupait le $i^{ème}$ élément au début.

Avant

MOT →	I	N	F	O	R	M	A	T	I	Q	U	E
REPERE →	1	2	3	4	5	6	7	8	9	10	11	12

Après

MOT →	A	E	F	I	I	M	N	O	Q	R	T	U
REPERE →	7	12	3	9	1	6	2	4	10	5	8	11

En fait, il suffit d'initialiser le vecteur repère par

REPERE(I) = I

puisque, effectivement, au début chaque lettre est à sa place initiale, par définition de celle-ci.

Ensuite, dès que l'on échange MOT(I) et MOT(J), on échange aussi REPERE(I) et REPERE(J); on fait donc deux fois plus d'échanges que dans l'algorithme dépouillé. Dans la mesure où l'on n'a pas de donnée associée à chaque lettre du mot INFORMATIQUE, ça peut ne pas sembler éblouissant de malice, et effectivement ça ne l'est pas.

Mais, supposons maintenant que nous gérons un vidéo-club et que nous conservons pour chaque film les données suivantes :

— titre du film,
— réalisateur,
— pays,
— vedette principale,
— code censure.

Suivant les intérêts de nos clients, il peut être souhaitable de pouvoir fournir une liste des films disponibles triée suivant chacune des données, grâce à un magnifique sous-programme.

Supposons que nos données sont les suivantes :

Titre	Réalisateur	Pays	Vedette	Censure
Troisième homme (le)	Reed, C.	GB	Welles, O.	PG
Orange mécanique	Kubrik, S.	USA	McDowell, M.	R
Temps modernes (les)	Chaplin, C.	USA	Chaplin, C.	F
Mort aux trousses (la)	Hitchcock, A.	USA	Grant, C.	PG
Grande illusion (la)	Renoir, J.	F	Fresnay, P.	PG
Guépard (le)	Visconti, L.	I	Lancaster, B.	PG

Citizen Kane	Welles, O.	USA	Welles, O.	PG
M le Maudit	Lang, F.	RFA	Lorre, P.	AA
Dolce vita (la)	Fellini, F.	I	Mastroiani, M.	R
African queen	Huston, J.	USA	Bogart, H.	F
Beauté du diable (la)	Clair, R.	F	Philipe, G.	PG

Le code utilisé pour la censure est celui de l'Ontario :

F : Family
PG : Parental Guidance
AA : Adult Accompaniment
R : Restricted (+18 ans)

Supposons que nous ayons trié, en utilisant un vecteur REPERE, la liste des réalisateurs; nous obtenons :

REPERE	Réalisateur
3	Chaplin, C.
11	Clair, R.
9	Fellini, F.
4	Hitchcock, A.
10	Huston, J.
2	Kubrik, S.
8	Lang, F.
1	Reed, C.
5	Renoir, J.
6	Visconti, L.
7	Welles, O.

Tous les autres vecteurs ont été laissés tels quels.

Si maintenant nous cherchons le titre du film commis par le 7e réalisateur de la liste triée (Fritz Lang), REPERE(7) nous indique qu'il était en 8e position dans la liste initiale. Il suffit donc d'aller chercher Titre (8) pour obtenir 'M le Maudit'. Ça n'est pas joli, tout ça?

11.6 Les recherches

C'est intéressant de pouvoir trouver tout ce qui se rapporte au 7e réalisateur, mais en pratique un client ne viendra pas demander «Qu'est-ce que vous avez du 7e réalisateur?», mais «Qu'est-ce que vous avez de Fritz Lang?» (ou encore, parce que les vieilleries culturelles c'est bien, mais il ne faut pas en abuser, «Qu'est-ce que vous avez de Spielberg?»).

11.6.1. La recherche séquentielle

La manière la plus simple de retrouver la position du réalisateur est de faire une recherche séquentielle, recherche bête et méchante où l'on lit tout depuis le début jusqu'à ce que l'on ait trouvé ou que l'on ait atteint la fin de la liste.

L'algorithme sera :

♯ Recherche séquentielle

Lire le nom du réalisateur recherché

I = 1

♯ Tant que Réalisateur(I) <> Réalisateur recherché
et I < 11

I = I + 1

Tant que ♯

♯ Si Réalisateur(I) = Réalisateur recherché

Alors	J = REPERE(I) Imprimer titre(J)
Sinon	Imprimer 'Pas de film de ce réalisateur'

Si ♯

Recherche séquentielle ♯

(on suppose pour simplifier qu'il n'y a qu'un film par réalisateur).

Au passage, cet algorithme, tout à fait acceptable par ailleurs, est améliorable sur le plan des performances; en effet, chaque « tour » dans la boucle ♯ tant que ♯ demande deux tests (ce qui ralentit) : un pour comparer la valeur courante à la valeur cherchée, et l'autre pour voir si l'on ne va pas trop loin. D.E. Knuth, auteur de « The Art of Computer Programming » (la bible en ce qui concerne les tris et recherches, si l'on résiste aux mathématiques de très haut niveau), indique une méthode assez simple qui permet de ne plus faire qu'un test : il suffit d'avoir une position supplémentaire (la dernière) dans le vecteur dans lequel on cherche, et d'y mettre la valeur cherchée : ainsi on est sûr de la rencontrer avant d'aller trop loin. Donnez l'organigramme de cette recherche séquentielle améliorée à titre d'exercice.

Pour Lang, on va faire 7 comparaisons avant de le trouver; pour Spielberg, on va en faire 11 avant de pouvoir dire qu'on n'a rien de lui; le jour (qu'il faut espérer prochain) où vous disposerez d'un plus vaste choix de films, il faudra faire encore plus de comparaisons pour pouvoir affirmer qu'on n'a aucun film d'un réalisateur.

De plus, il est peut-être bon de se poser l'intérêt du tri : si l'on avait repris la liste initiale, le nombre de comparaisons aurait été le même pour Spielberg, on en aurait fait une de plus pour Lang, mais si l'on était tombé sur un fan de Kubrik on aurait été en mesure de lui donner plus vite une réponse; en fait, pour trouver quelqu'un de la liste, on fera en moyenne 5 ou 6 comparaisons dans l'un et l'autre cas.

Pour tout dire, on n'utilise en rien le fait que la liste soit triée.

On a beau dire, ça facilite pourtant les choses, une liste triée; quand on cherche un mot dans le dictionnaire, sans même que cela soit « zoomorphie », il est quand même agréable de ne pas devoir lire tous les mots depuis le début.

11.6.2. La recherche binaire

Que fait-on avec le dictionnaire lorsque l'on recherche un mot? On ouvre vers le milieu, et suivant que l'on se trouve avant ou après le mot que l'on cherche on ira ouvrir, au hasard, dans telle ou telle moitié et ainsi de suite jusqu'à tomber sur la bonne page. De plus, on mettra le même temps à peu près pour trouver un mot que pour se rendre compte qu'il n'existe pas.

Le principe de la recherche binaire (on dit aussi dichotomique) est exactement le même : on va chercher l'élément du milieu (sur notre exemple le 6e réalisateur) et comparer ce réalisateur à celui que l'on cherche; s'il est avant, on regardera le 8e, s'il est après on regardera le 3e et ainsi de suite.

Recherche binaire.

Supérieur = 11 (nombre de données dans la liste)
Inférieur = 1
Milieu = int((Supérieur + Inférieur) / 2)

Lire le nom du réalisateur recherché

Tant que Réalisateur(Milieu) < > Réalisateur recherché et
Supérieur > Inférieur

Si Réalisateur(Milieu) > Réalisateur recherché

Alors	Supérieur = Milieu − 1
Sinon	Inférieur = Milieu + 1

Si #

Milieu = int((Supérieur + Inférieur) / 2)

Tant que #

<table>
<tr><td colspan="3"># Si Réalisateur(Milieu) = Réalisateur recherché</td></tr>
<tr><td rowspan="2"></td><td>Alors</td><td>J = REPERE(Milieu)
Imprimer Titre(J)</td></tr>
<tr><td>Sinon</td><td>Imprimer 'Aucun film de ce réalisateur'</td></tr>
<tr><td colspan="3">Si #</td></tr>
</table>

Recherche binaire #

Exercice
Combien fait-on de comparaisons avant de fournir un résultat pour :

— Lang?
— Spielberg?
— Kubrik?

En moyenne on fera 4 comparaisons (contre les 5 ou 6 de tout à l'heure).

11.6.3. Comparaison

Plus la liste à trier comporte d'éléments, plus la différence entre les deux types de recherche sera marquée : des calculs savants montrent qu'en moyenne, il faudra faire 250 comparaisons avec une liste de 500 objets dans laquelle on cherche de manière séquentielle, et seulement 8 avec la même liste soumise à une recherche binaire.

Quelle conclusion en tirer?

En fait, il ne faut pas oublier que la condition nécessaire de la recherche binaire est le tri préalable. En reprenant notre exemple de vidéo-club, si le premier client est intéressé par un réalisateur particulier, le deuxième un titre, le troisième une vedette, etc., ce n'est pas idéal de trier sur chacun des critères avant de faire la recherche; en effet, notre tri demandait 20 comparaisons par lui-même, qui s'ajoutent à celles de la recherche binaire; n'importe quel tri demandera plus de comparaisons que la recherche séquentielle.

En revanche, quand le critère de recherche est toujours le même, cela vaut le coup de faire un bon tri une fois pour toutes avant les recherches (plus il y a de recherches à faire, plus vite on « amortit » le coût du tri).

Nous dirons donc qu'il ne faut pas enterrer trop vite la recherche séquentielle, qui pour des recherches occasionnelles s'avère plus économique qu'une recherche binaire.

Dans la réalité, on recherche plus souvent dans des fichiers que des tableaux; la recherche binaire nécessite des fichiers non seulement triés, mais encore à accès direct, alors que la recherche séquentielle « rouleau compresseur » s'accommode de tout fichier.

12

Introduction aux méthodes numériques

« It will be a very delicate point to cut the feather, and divide the several reasons to a nice and curious reader, how this numerical difference in the brain can produce effects of so vast a difference. »

« Cela va être une affaire délicate que d'entrer dans les détails, et de séparer les différentes raisons pour montrer à un agréable et curieux lecteur comment cette différence numérique dans le cerveau peut produire des effets d'une différence si vaste. »

Swift, *A Tale of a Tub*

L'ordinateur permet de faire vite un important volume de calculs, mais il ne permet pas de faire n'importe quoi n'importe comment.

Un exemple simple et néanmoins frappant : soit le système d'équations

$$10^{-13}*x + y = 1$$
$$x + y = 2.$$

Nous pouvons le remplacer par

$$10^{-13}*x + y = 1$$
$$(1 - 10^{-13})*y = 1 - 2*10^{-13}$$

dont la solution est

$$x = 1/(1 - 10^{-13})$$
$$y = (1 - 2*10^{-13}) / (1 - 10^{-13})$$

soit, si l'on travaille avec un ordinateur ne conservant que 12 chiffres décimaux

$$x = 1$$
$$y = 1$$

or, dans la mémoire de notre ordinateur

$$10^{-13}*x + y = 1$$
$$(1 - 10^{-13})*y = 1 - 2*10^{-13}$$

sera remplacé par

$$10^{-13} * x + y = 1$$
$$1 * y = 1$$

dont la solution est

$x = 0$
$y = 1$, soit pas vraiment tout à fait ce qu'il faudrait...

Ce n'est pas la peine de jeter votre ordinateur à la ferraille, il n'y est pour rien. C'est l'algorithme utilisé qui n'est pas approprié; en fait, en prenant autrement le problème, on arrivait au bon résultat.

Comme un peu dans tout, il y a, pour effectuer des calculs sur un ordinateur, de bonnes méthodes, et de mauvaises méthodes. Parfois, il y a aussi des méthodes bonnes en général qui donnent soudainement de mauvais résultats sur un cas particulier.

On désigne sous le nom d'analyse numérique le domaine des mathématiques où l'on étudie des algorithmes pour la résolution numérique des problèmes de l'analyse mathématique.

On peut dire que l'analyse mathématique nous fournit des outils pour tout ce qui est théorie et calcul littéral (c'est-à-dire aboutissement à des formules les plus simples possible), et que l'analyse numérique essaie de nous aider dans le passage à la pratique, soit aux méthodes numériques.

Les méthodes numériques sont par essence tournées vers la pratique; il est difficile de ne pas les rencontrer souvent dans le génie!

L'analyse numérique est, elle, assez horriblement théorique et explique pourquoi, dans tel ou tel cas, une méthode qui fonctionnait bien donne des résultats complètement faux ou pourquoi une méthode est beaucoup plus efficace qu'une autre.

L'analyse numérique n'est pas une science récente; en fait, jusqu'au XIXe siècle les mathématiciens étaient souvent physiciens. Ils eurent donc amplement l'occasion de faire des tas de calculs (et à l'époque, tout se faisait à la main...); il y a peu de gens que les calculs amusent vraiment. Aussi nos mathématiciens cherchèrent-ils à développer des méthodes permettant de miniser les calculs et créèrent ainsi une analyse numérique adaptée au calcul manuel.

Par la suite, tant les mathématiques que la physique se firent plus abstraites, et l'analyse numérique se retrouva un peu sur une voie de garage.

L'apparition de l'ordinateur l'a relancée : en effet, la vitesse de calcul qui devenait accessible permettait de résoudre en quelques minutes des calculs qui auraient demandé des siècles à la main; simplement, il fallait maintenant prendre en compte, non seulement le nombre d'opérations, mais aussi la mémoire occupée (elle est toujours limitée, on ne peut pas manipuler des tableaux de dimension (1000, 1000)), et la précision (parce que les valeurs numériques sont conservées sur un nombre limité d'octets, et que l'on a donc un nombre limité de chiffres significatifs).

Quels sont les principaux problèmes rencontrés par les ingénieurs et les physiciens?

— La résolution de systèmes linéaires.
— La recherche des éléments caractéristiques d'une matrice carrée.
— La résolution d'équations ou de systèmes d'équations algébriques ou transcendantes.
— La recherche de polynômes d'interpolation.
— L'approximation de fonctions.
— Les calculs d'intégrales.
— La résolution d'équations différentielles ou intégrales.
— La recherche du minimum d'une fonction dans un domaine donné.
— La recherche opérationnelle.
— etc.

Dans ce qui suit, nous couvrirons un certain nombre (pas tous) de ces sujets, en montrant des méthodes qui permettent de les résoudre lorsque l'on a à sa disposition un ordinateur.

12.1 L'approche des problèmes

Les méthodes numériques utilisées doivent permettre de déterminer une approximation de la solution d'un problème
— dont on ne connaît pas l'expression analytique,
— ou dont l'expression analytique est complexe ou s'exprime au moyen de fonctions non usuelles.

Par exemple, on sait résoudre analytiquement un problème tel que l'équation du mouvement de deux masses isolées, uniquement soumises à leur attraction mutuelle.

Introduisons une troisième masse qui a une vitesse initiale quelconque, et l'on aboutit à un magnifique ensemble d'équations que l'on ne sait pas résoudre; on est forcé de recourir à l'ordinateur pour calculer les positions à divers instants donnés.

Ce genre d'exemple se retrouve aussi en physique quantique, avec l'équation de Schrödinger (expression atroce, au demeurant, qui donne les niveaux d'énergie des particules) que l'on ne sait résoudre que pour l'hydrogène, avec un seul proton et un seul malheureux électron qui gravite autour.

Mais, et c'est là qu'intervient l'analyse numérique, on n'emploie pas n'importe quelle méthode
— à cause de l'utilisation des ressources (temps et mémoire),
— et surtout à cause des erreurs d'arrondi.

12.2. L'utilisation des ressources

Par exemple, si l'on a à résoudre un système de 50 équations à 50 inconnues :

Par la méthode des déterminants on effectuera environ 7.6 10^{67} multiplications, contre 41 700 environ par la méthode de l'élimination de Gauss; le temps passé étant plus ou moins proportionnel au nombre d'opérations, vous pouvez calculer combien de siècles prendra la méthode des déterminants si la méthode de Gauss prend une seconde sur un ordinateur donné...

Ce qui précède n'enlève rien à l'intérêt théorique des déterminants; mais dans la pratique, il y a mieux.

12.3. Les erreurs

Les écarts entre les temps de calcul par deux méthodes différentes ne sont pas toujours aussi impressionnants que dans l'exemple précédent; et en fait il n'est pas toujours bon de se précipiter sur la méthode la plus rapide.

En effet, elle n'est pas toujours la plus précise, et cela vaut parfois la peine (tout dépend du problème que l'on traite : une grande précision est souvent utile en aéronautique par exemple, et beaucoup moins en génie civil) d'attendre un peu plus pour obtenir un résultat meilleur, surtout pour un résultat intermédiaire.

Quelles sont les erreurs qui peuvent provenir dans le calcul pour un problème bien analysé? Tout dépend en fait des méthodes et des problèmes.

Méthodes directes et problèmes réels.

On appelle méthode directe une méthode qui donnerait le résultat exact si l'ordinateur pouvait garder un nombre infini de chiffres significatifs en mémoire.

Si l'on a par exemple un circuit électrique un peu compliqué, on peut déterminer, grâce aux lois des nœuds et des mailles, les intensités des courants qui passent dans chacune des branches : il suffit de résoudre un système d'équations qui est d'autant plus gros que l'on a davantage de branches; si l'on ne s'est pas trompé dans les équations, on doit obtenir le résultat exact.

En fait, et le problème est exactement le même avec une calculatrice qu'avec un ordinateur, comme la précision est limitée, on va avoir des erreurs d'arrondi, surtout si l'on a par exemple à la fois de très grandes et de très petites résistances dans le circuit. On n'aura aucun problème pour déterminer des valeurs « normales » d'intensités, mais pour des valeurs très petites les erreurs, en pourcentage, peuvent être très importantes.

De plus, on itère très souvent lorsque l'on calcule sur un ordinateur : une erreur d'arrondi sur un calcul peut ne pas nous soucier énormément, mais si l'on utilise son résultat pour en calculer un autre, que l'on réutilise le nouveau résultat obtenu et ainsi de suite, en faisant une nouvelle erreur d'arrondi chaque fois, on peut arriver à un peu n'importe quoi, même si, en théorie, le résultat exact est à notre portée. On se pose alors des problèmes de stabilité des méthodes utilisées.

Ces erreurs d'arrondi peuvent prendre une apparence assez surprenante; considérons par exemple le programme suivant, qui calcule des puissances (élevées) de 3 de deux manières différentes (en faisant le produit n fois et en élevant directement 3 à la puissance n) et fait la différence entre les résultats obtenus :

```
              real X, PROD
              integer I, J
              X = 3.
              do 1 I = 35, 45
                   PROD = 1
                   do 2 J = 1, I
                        PROD = PROD * X
2                  continue
                   print 10, I, PROD, X**I, PROD - X**I
                   print *
1             continue
10            format(2x,'Puissance ',I2,5x,'Produit         ',F25.0
         C             ,/,19x,'Exponentiation ',F25.0,/,19x,
         C             'Difference      ',F9.1)
              end
```

Voilà ce que donne l'exécution :

```
Puissance 35    Produit              50031545098999970.
                Exponentiation       50031545098999970.
                Difference           0.0

Puissance 36    Produit              150094635296999910.
                Exponentiation       150094635296999910.
                Difference            0.0

Puissance 37    Produit              450283905890999730.
                Exponentiation       450283905890999730.
                Difference            0.0

Puissance 38    Produit             1350851717672999200.
                Exponentiation      1350851717672999200.
                Difference            0.0

Puissance 39    Produit             4052555153018977600.
                Exponentiation      4052555153018977600.
                Difference           64.0

Puissance 40    Produit            12157665459056928000.
                Exponentiation     12157665459056928000.
                Difference          256.0
```

```
Puissance 41      Produit                 3647299637717078000.
                  Exponentiation          3647299637717078000.
                  Difference              1024.0

Puissance 42      Produit                 10941898913151230000.
                  Exponentiation          10941898913151230000.
                  Difference              4096.0

Puissance 43      Produit                 32825696739453700000.
                  Exponentiation          32825696739453700000.
                  Difference              8192.0

Puissance 44      Produit                 98477090218361120000.
                  Exponentiation          98477090218361120000.
                  Difference              32768.0

Puissance 45      Produit                 295431270655083300000.
                  Exponentiation          295431270655083300000.
                  Difference              131072.0
```

Troublant, non? Ce résultat bizarre s'explique par le fait que, d'une part la machine ne dispose pas de suffisamment de bits pour conserver tous les chiffres significatifs, et d'autre part elle passe par des calculs intermédiaires de logarithmes pour calculer directement une élévation à une puissance élevée. Résultat, à partir d'un certain moment des bits apparaissent çà et là, où ils n'auraient pas dû. Vous remarquerez au passage que la plupart des produits indiqués ne sont pas divisibles par 3, ce qui est un peu embarrassant (en fait, les chiffres de droite ne riment à rien), et que les différences non nulles sont des puissances de 2 : quand l'ordinateur se trompe, il se trompe en base 2.

Pour éviter ce genre d'erreur, il existe un type en Fortran 77 que nous n'avons pas encore mentionné mais qui est très important lorsque l'on utilise des méthodes numériques : le type DOUBLE PRECISION. Qu'est-ce que ce type, et pourquoi a-t-il été oublié jusqu'à présent? En fait, c'est, pour le programmeur, exactement la même chose que le type REAL. Au lieu de déclarer :

```
real X, Y
```

il déclarera

```
double precision X, Y
```

et il pourra faire exactement la même chose dans les deux cas. La différence est pour la taille de la boîte réservée par le système d'exploitation : dans le second cas, elle sera deux fois plus grosse. Bon côté de la chose : on pourra avoir, comme le nom l'indique, une précision double puisque l'on pourra ranger deux fois plus de chiffres significatifs. Mauvais côté : on occupe de la place en mémoire, et l'on peut avoir des problèmes si l'on veut manipuler de très grosses matrices en double précision.

ATTENTION

Avec des variables en double précision, on ne peut utiliser les mêmes fonctions qu'en simple précision. Les fonctions portent le même nom, sinon que celui-ci est précédé d'un D (par exemple : DSIN, DCOS, ...).

Lorsque l'on a des problèmes de précision, il est bon de se reporter aux manuels de référence du langage; en effet il est souvent possible d'obtenir une précision « double double précision », grâce à des extensions du langage par rapport à la norme.

Le type double precision n'existe pas en Watcom Fortran, pour lequel en fait les réels sont tous en double précision (la simple précision des autres versions de Fortran n'existe pas, et c'est ce qui est appelé « double precision » chez eux qui est appelé « real » dans ce langage).

Méthodes directes et problèmes approchés

Dans la pratique, on remplace extrêmement souvent un problème par un problème approché, plus simple; c'est presque toujours le cas en physique, où le bon sens nous fait négliger ce dont nous savons que l'influence sera minime sur le phénomène qui nous intéresse.

Par exemple, pour reprendre notre circuit électrique, on « oublie » pratiquement toujours la résistance des fils de connexion, qui n'est pourtant pas *rigoureusement* égale à 0; mais cela n'a pas d'importance parce que l'on est quasiment incapable de mesurer expérimentalement leur influence dans un circuit réel.

De même, si l'on calcule la trajectoire d'un satellite terrestre, on appliquera la loi de l'attraction universelle entre ce satellite et la terre; si l'on veut être très précis, on pourra peut-être tenir compte de l'attraction de la lune et de celle du soleil. Et si l'on voulait être parfaitement précis, il faudrait tenir compte, non seulement de toutes les planètes du système solaire, mais encore de toutes celles de notre galaxie, et même l'univers! Comme on se moque d'avoir la trajectoire avec une précision du millimètre (il faudrait d'ailleurs connaître toutes les masses de toutes les planètes avec une grande précision), la terre nous suffit assez souvent.

Lorsque l'on néglige des termes, on fait donc ce que l'on appelle une erreur systématique, que l'on peut en général estimer (ou dont on peut au moins dire qu'elle sera inférieure à telle valeur). Cette erreur s'ajoute bien sûr à l'erreur d'arrondi, toujours présente.

Lorsque l'on calcule par itération, on se retrouve évidemment avec des difficultés similaires au cas précédent, accentuées.
On peut par exemple imaginer de vouloir calculer la longueur d'une courbe bizarre avec précision. Une méthode pourrait être de choisir un certain nombre de points pas trop éloignés les uns des autres sur cette courbe, de calculer leurs coordonnées, ce qui permet d'avoir la distance entre deux points successifs, puis d'ajouter toutes les distances.

En fait, à chaque étape on a fait une erreur systématique (puisque l'on a confondu la courbe et un segment de droite) et une erreur d'arrondi (inévitable). Quand on ajoute toutes les distances on ajoute toutes les erreurs, que l'on appelle des erreurs héritées. On pourrait croire que plus on met de points, plus le résultat sera précis puisque l'on minimise, à chaque étape, l'erreur systématique. Cela n'a rien d'évident en fait puisque l'on va ajouter beaucoup plus d'erreurs héritées probablement plus petites; le résultat final peut aussi bien, à partir d'un certain nombre de points, être moins précis que plus précis.

Par exemple, si l'on veut calculer la longueur de la courbe d'équation

$$f(x) = y = x^2$$

entre les points de la courbe de coordonnées (0, 0) et (2, 4), on peut prendre un pas h, calculer $f(h)$, en déduire la longueur du segment reliant les points (0, 0) et $\big(h, f(h)\big)$, puis la longueur du segment reliant $\big(h, f(h)\big)$ à $\big(2h, f(2h)\big)$ et l'ajouter à la précédente, et ainsi de suite.

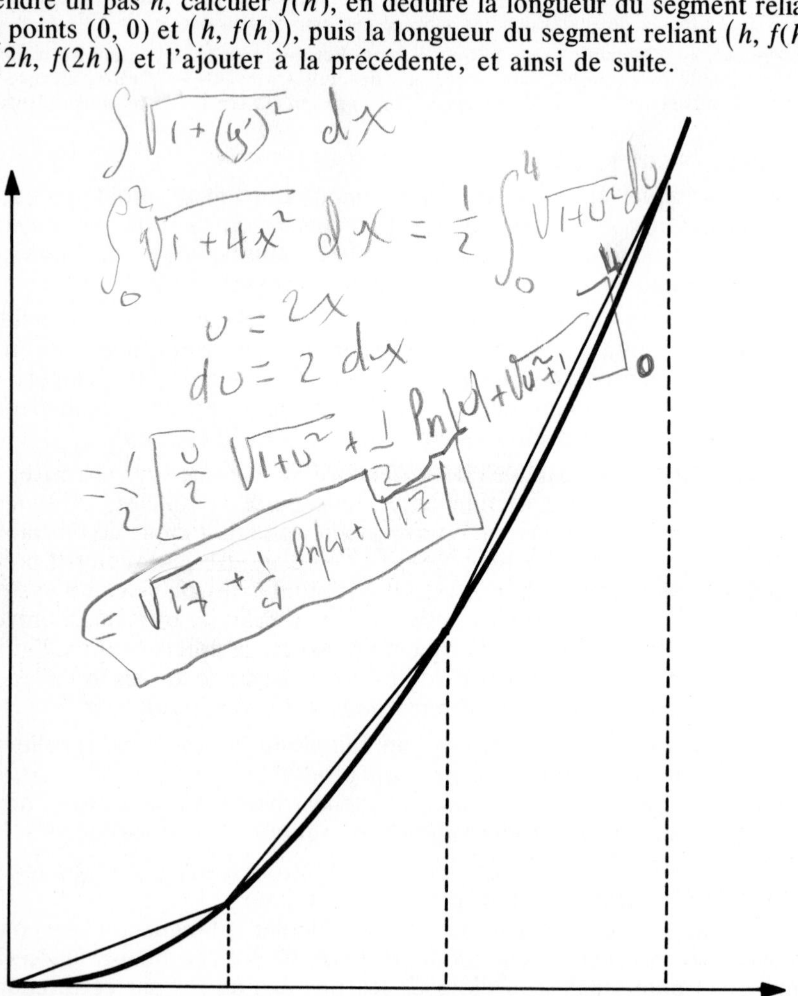

En fait, on peut faire le calcul exact (même s'il n'est pas vraiment élémentaire) et l'on trouve que cette longueur vaut

$$\sqrt{17} + \frac{1}{4}\,\mathrm{Log}\big(4 + \sqrt{17}\big)$$

précisément.

Si l'on divise l'intervalle qui nous intéresse en n segments, on aura

$$h = \frac{2}{n}$$

La distance entre les points $\big(kh, f(kh)\big)$ et $\big((k+1)h, f\big((k+1)h\big)\big)$ pour un segment de longueur quelconque est calculable, et en principe on devrait voir diminuer l'erreur commise lorsque n augmente.

Pour rendre les erreurs d'arrondi plus apparentes, tous les résultats ont été, en cours de calcul, arrondis au cinquième chiffre après le point décimal.

Voici ce qu'on obtient dans ce cas, suivant le nombre d'intervalles :

n	Différence valeur calculée — valeur exacte
1	– 0.17464
5	– 0.01291
10	– 0.00322
20	– 0.00079
50	– 0.00015
60	– 0.00006
70	– 0.00001
80	– 0.00005 < anomalie
100	– 0.00003 < anomalie
150	+ 0.00002 < anomalie
200	– 0.00005 < anomalie

D'après la méthode utilisée, on devrait toujours obtenir une valeur plus petite que la longueur de la courbe réelle, donc une erreur négative. En fait, à cause des imprécisions sur la longueur de chacun des segments, pour 150 intervalles on obtient l'inverse. Le meilleur résultat est obtenu pour $n = 70$; après quoi, tout devient imprévisible, la même erreur étant par exemple obtenue avec 80 et 200 intervalles. L'erreur systématique est plus faible pour $n = 200$ que pour $n = 70$, mais comme l'erreur d'arrondi est plus grande, on obtient finalement une erreur totale plus grande.

Méthodes itératives

Certaines méthodes utilisent des calculs itératifs : on trouve une première valeur très approximative du résultat que l'on cherche, on l'utilise pour calculer une nouvelle valeur plus précise, et ainsi de suite jusqu'à obtenir une précision satisfaisante.

Par exemple, ce genre de méthode peut être utilisé pour calculer la racine carrée d'un nombre :

On commence par approximer cette racine carrée par la moitié du nombre en question. Si X est notre nombre on fait donc

APPROX = *X* / 2.

puis on calcule une nouvelle approximation par la formule

APPROX = APPROX – (APPROX * APPROX – *X*) / (2 * APPROX)

formule que l'on réutilise jusqu'à avoir une précision suffisante (par exemple ABS(*X* – APPROX * APPROX)/*X* inférieur à un pourcentage donné).

On constate que les erreurs d'arrondi se compensent en général les unes les autres et n'ont pas (toujours en général) de conséquence sur le résultat final. On peut donc considérer que l'erreur héritée se limite à l'erreur systématique, s'il y en a une.

Le gros inconvénient des méthodes itératives est qu'elles ne convergent pas dans tous les cas, c'est-à-dire que l'on n'atteint pas toujours une limite finie (le résultat que l'on cherche). Parfois elles convergent bien pour certaines valeurs (qui appartiennent au domaine de convergence), et pas du tout pour d'autres (cela peut en plus dépendre de la machine que l'on utilise).

Ainsi, une tentative pour trouver la racine de 5 par la formule indiquée plus haut avec une erreur relative de 10^{-6} a donné instantanément le résultat. Avec une erreur relative de 10^{-7} en revanche le programme bouclait.

Sur une autre machine, pas de problème particulier même pour une erreur relative très faible. En revanche, avec la même erreur relative, les temps de réponses (donc la convergence) étaient très différents suivant la valeur dont on cherchait la racine.

Ces méthodes demandent donc souvent une étude théorique préalable qui peut être assez difficile.

Pour résumer, le choix d'un algorithme doit tenir compte de plusieurs critères :

— le temps de calcul,
— la précision des résultats obtenus,
— l'encombrement de la mémoire.

De plus, il faut tenir compte pour les méthodes itératives du domaine de convergence et de la rapidité de convergence.

En priorité pour un praticien il faudra toutefois se poser la question :

puis-je trouver quelque part cet algorithme déjà programmé?

En effet, il est souvent plus économique d'acheter ou de louer un programme déjà existant (quitte éventuellement à légèrement le modifier pour mieux s'adapter à un cas particulier) que de refaire tout le travail de A à Z. Les algorithmes déjà programmés ont généralement fait leurs preuves, et en pratique l'ingénieur aura surtout à faire un choix judicieux, suivant la difficulté à résoudre, entre plusieurs sous-programmes à sa disposition : d'où l'intérêt de savoir comment ils fonctionnent et quelles sont leurs limites.

13

Les recherches de zéros

« Jedem Vorhaben stehn Schwierigkeiten und Bemühungen ohne Ende entgegen, und bei jedem Schritt häufen sich die Hindernisse. »

« Rien qui ne soit séparé de nous par des difficultés et des travaux sans fin, et à chaque pas surgissent des obstacles. »

Schopenhauer, *Die Welt als Wille und Vorstellung*

On entend par recherche des zéros (sous-entendu : d'une fonction f) la recherche des points dont l'image par la fonction est zéro.

Soit, x est un zéro de f si $f(x)=0$.

Quel peut être l'intérêt de ce genre d'activité? En fait, savoir trouver les zéros d'une fonction permet de résoudre n'importe quelle équation. En effet, résoudre

$$f(x)=h(x)$$

ce n'est jamais rien d'autre que chercher les zéros de

$$g(x)=f(x)-h(x).$$

Notons bien que par « équation », on entend ci-dessus une équation honnête, et non pas l'une de ces horreurs connues sous le nom d'équations différentielles qui mettent en jeu une fonction et ses dérivées successives, et dont le sort se règle différemment. Non, l'équation sera pour nous une égalité ne faisant intervenir que des fonctions indépendantes (pas liées par un opérateur de fonction du genre dérivation ou intégration), éventuellement assez compliquées.

Ce qui nous intéresse ici n'est pas l'équation du type premier degré ni même second degré, qui ne mérite de notre part que des ricanements méprisants, mais bien plutôt une bonne petite expression du style :

$$\mathrm{Log}(x+3)-x^2\sin(x).$$

Le problème revient en fait à trouver les zéros de

$$f(x)=\mathrm{Log}(x+3)-x^2\sin(x).$$

Trouver les x qui vérifient l'équation précédente commence à devenir sportif, et nous plongerait dans la dépression la plus noire si la magnanimité des analystes numériques ne nous fournissait les armes adéquates.

Il est important de souligner que ces armes ne sont toutefois pas absolues : il ne suffit pas de programmer la fonction et un bel algorithme pour voir arriver les zéros en rangs serrés. La plupart des méthodes de recherche de zéros exigent que *l'on ait une idée des « zones » dans lesquelles les zéros se trouvent.* On ne peut chercher au hasard de moins l'infini à plus l'infini. Par conséquent, l'emploi d'une méthode nécessite un minimum d'étude préalable de la fonction.

Ce minimum d'étude peut, sur un cas simple, se limiter au tracé de la fonction : ceci nous permet d'établir grossièrement là où l'on va trouver les zéros, même si, là encore, on ne peut tracer de moins l'infini à plus l'infini.

Le problème de recherche de zéro qui nous préoccupe se pose donc en ces termes : nous avons une belle équation de la forme

$$f(x)=0,$$

où f est comme de bien entendu continue (nous n'allons tout de même pas compliquer à plaisir!); nous savons que $f(a)$ et $f(b)$ sont de signes opposés (ce qui se traduit en informatique classique par $f(a) * f(b)<0$), et donc qu'il y a au moins une racine x_0 (le au moins parce qu'il peut y en avoir un nombre impair) dans $]a, b[$ telle que

$$f(x_0)=0.$$

La seule, mais importante difficulté est de trouver x_0 avec une précision satisfaisante.

Première chose à voir : comment nous débrouillerions-nous à la main pour résoudre l'équation ci-dessous (la réponse : « j'essaie des valeurs de x au hasard » n'est pas la bonne)?

13.1 Méthode brutale

Une approche relativement sensée consiste à recherche la valeur de x_0 avec une précision croissante.

Par exemple, un informateur que nous avons payé très cher nous a assuré que la fonction $\text{Log}(x+3)-x^2 \sin(x)$ mentionnée ci-dessus admettait un zéro entre 1 et 2.

Vérifions prudemment :

$$f(1)=0.5448234$$
$$f(2)=-2.0277518.$$

Admettons que la précision que l'on recherche est le millième. Nous pouvons calculer $f(1.1)$, $f(1.2)$, ... jusqu'à trouver le premier qui est du signe de $f(2)$.

$$f(1.1)=0.3326261$$
$$f(1.2)=0.0929482$$
$$f(1.3)=-0.1697983$$

Et maintenant, c'est reparti pour un tour entre 1.21 et 1.29 :

$f(1.21) = 0.0676273$
$f(1.22) = 0.0420796$
$f(1.23) = 0.0163107$
$f(1.24) = -0.0096742$

L'étau se resserre :

$f(1.231) = 0.0137218$
$f(1.232) = 0.0111308$
$f(1.233) = 0.0085376$
$f(1.234) = 0.0059423$
$f(1.235) = 0.0033449$
$f(1.236) = 0.0007453$
$f(1.237) = -0.0018564$

Nous arrivons ainsi à 1.236 comme valeur approchée par défaut du zéro. Que reprocher à cette méthode? Ce qui prend du temps est le calcul de la fonction; même si l'on exclut les calculs initiaux de $f(1)$ et de $f(2)$, nous avons calculé 14 valeurs distinctes, ce qui est un peu mieux que la moyenne. On peut dire en effet qu'en moyenne la fonction change de valeur « vers le milieu » de l'intervalle, donc que l'on exécute en moyenne, à un niveau de précision donné, 5 calculs. En moyenne, améliorer la précision de 10^n par rapport à ce que l'on connaissait initialement demandera donc $5*n$ calculs de la fonction.

Une remarque pratique : comme il l'a été signalé plus haut, vérifier que $f(a)$ et $f(b)$ sont de signes différents se programme d'ordinaire (c'est-à-dire dans la plupart des livres de programmation) $f(a)*f(b) < 0$. Cela peut conduire à des difficultés lorsque la fonction tend vers 0 assez vite autour de la racine (une fonction aussi simple que $(X - X_0)^n$ est un bon exemple), même en double précision.

En effet, il se peut que $f(x)$ soit très petit (dans les 10^{-20}), et que $f(x+h)$ soit également très petit et du même ordre de grandeur bien que de signe opposé. Sauf si la machine utilisée est à vocation scientifique et est capable de conserver en mémoire les nombres avec une très grande précision, il est probable qu'elle ne pourra pas représenter un nombre aussi petit que $f(x)*f(x+h)$ (dans les 10^{-40}).

Il va donc y avoir une erreur, due à un débordement par valeur inférieure (underflow).

Un moyen d'éviter cela est de recourir aux fonctions qui donnent le signe (SIGN(X, Y) en Fortran) et de comparer les signes directement, sans effectuer de produit. Cela permet de gagner quelques décimales dans la recherche précise d'une racine.

Néanmoins, le débordement peut toujours se produire dans le calcul de la fonction : et là, il n'y a pas de remède, sinon chercher à écrire la fonction autrement!

13.2. Méthode de la bissection

Une approche meilleure que la précédente sera la même que celle utilisée dans la recherche dichotomique; quand on parle de recherche de zéros, on se réfère plutôt au terme de méthode de bissection, mais c'est toujours la même idée.

Reprenons toujours la même équation : il nous aurait fallu calculer d'abord

	Signe		
$f(1)$	+		
puis $f(1.5)$	−	⟶	]1, 1.5[
puis $f(1.25)$	−	⟶	]1, 1.25[
puis $f(1.125)$	+	⟶	]1.125, 1.25[
puis $f(1.1875)$	+	⟶	]1.1875, 1.25[
puis $f(1.21875)$	+	⟶	]1.21875, 1.25[
puis $f(1.234375)$	+	⟶	]1.234375, 1.25[
puis $f(1.2421875)$	−	⟶	]1.234375, 1.2421875[
puis $f(1.23828125)$	−	⟶	]1.234375, 1.23828125[
puis $f(1.236328125)$	−	⟶	]1.234375, 1.236328125[
puis $f(1.2353515625)$	+	⟶	]1.2353515625, 1.236328125[

A ce stade, on sait que le zéro se trouve entre 1.2353515625 et 1.236328125.

Le compte se monte cette fois à 11 calculs, ce qui n'est guère mieux que la méthode précédente. De plus, il faut remarquer que si l'on donne comme condition d'arrêt "fin de l'intervalle — début de l'intervalle $<= 10^{-3}$" on s'arrête après avoir calculé $f(1.2353515625)$: du fait des divisions par 2 successives, on n'a plus les intervalles décimaux et cela peut porter à confusion : on aurait tendance à conclure que 1.236 est une approximation par excès, ce qui est faux (c'est 1.236*328125* l'approximation par excès).

Redonnons l'organigramme pour mémoire (comme précédemment, on suppose que les bornes a et b de l'intervalle dans lequel on recherche le zéro ont été trouvées par une étude préalable) :

♯ Bissection

Lire la précision epsilon Lire les bornes a et b de l'intervalle
Calculer fdeb = $f(a)$
♯ Tant que abs$(b-a)$ > epsilon
milieu = $(a+b)/2$ fmil = f(milieu)

<table>
<tr><td colspan="3"># Si fdeb * fmil < 0</td></tr>
<tr><td></td><td>Alors</td><td>b = milieu</td></tr>
<tr><td></td><td>Sinon</td><td>a = milieu
fdeb = fmil</td></tr>
<tr><td colspan="3">Si #</td></tr>
<tr><td colspan="3">Tant que #</td></tr>
</table>

Bissection #

On notera l'emploi des deux variables auxiliaires fdeb et fmil, qui permettent de limiter les appels de f (et donc des calculs qui peuvent être lourds) au minimum.

Cette méthode, bien que meilleure que la précédente, n'est pas encore optimale. Pour améliorer la précision de 10^n par rapport à ce qui est connu au départ, que faut-il faire?

Supposons que notre valeur initiale approchée soit exacte à 1 près, et que nous voulions une précision de 0.1 (soit 10 fois meilleure que celle du départ). En divisant une première fois par 2 l'intervalle, nous allons obtenir une valeur à 0.5 près (logique). Ça ne suffit pas. En redivisant par deux, la valeur obtenue sera exacte à 0.25 (soit $1/2^2$) près, ce qui est encore insuffisant. Il va falloir diviser encore deux fois par 2, pour obtenir successivement une valeur à 0.125 ($1/2^3$) et une valeur à 0.0625 ($1/2^4$) près. Arrivé là, on a enfin une précision supérieure à ce qui était imposé.

Donc, pour obtenir une précision du dixième, il a fallu faire 4 divisions successives par 2 de l'intervalle, puisque;

$$\frac{1}{2^4} < \frac{1}{10} < \frac{1}{2^3}$$

ou encore, on a fait q divisions par 2 jusqu'à avoir :

$$2^q >= 10.$$

Dans le cas général, pour améliorer de 10^n la précision par rapport à ce qui était connu au départ, il faut faire un nombre q de divisions par 2 de la taille de l'intervalle tel que :

$$2^q >= 10^n$$

soit $q >= n \log_2 10 \simeq 3.3n$.

Ce nombre correspond aussi au nombre d'appels de f (à comparer aux $5n$ antérieurs).

13.3. Méthode de Newton

Newton, qui ne s'intéressait pas qu'à la gravitation (même universelle) et aux anneaux d'interférence, a trouvé une méthode meilleure reposant sur des considérations géométriques simples.

Si l'on connaît un point au voisinage du zéro, la tangente en ce point coupera l'axe des abscisses à peu près au même endroit que la courbe, et donc l'intersection de cette tangente et de l'axe pourra être considérée comme une bonne (ou du moins meilleure) approximation du zéro.

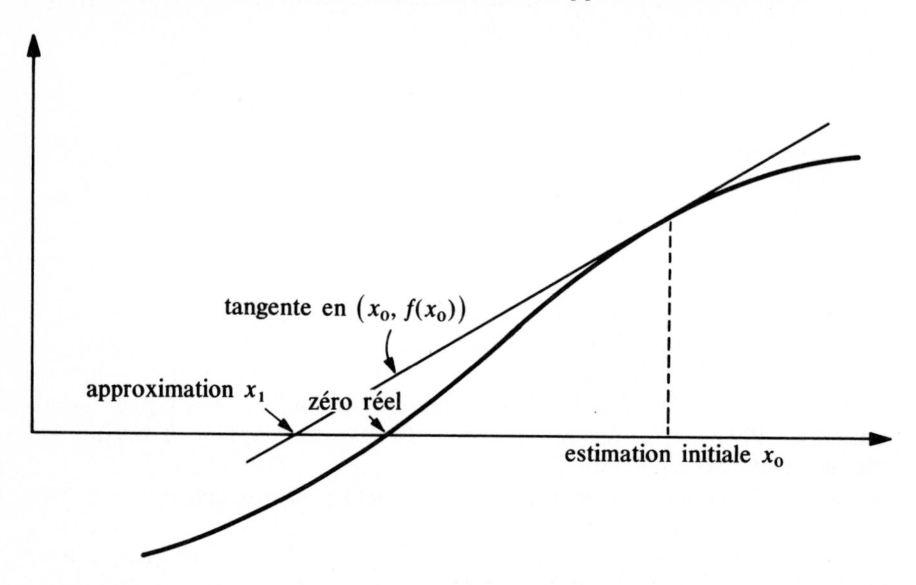

Cette intersection est un autre point proche du zéro (et même plus proche que le premier), et rien ne nous empêche d'appliquer de nouveau le procédé :

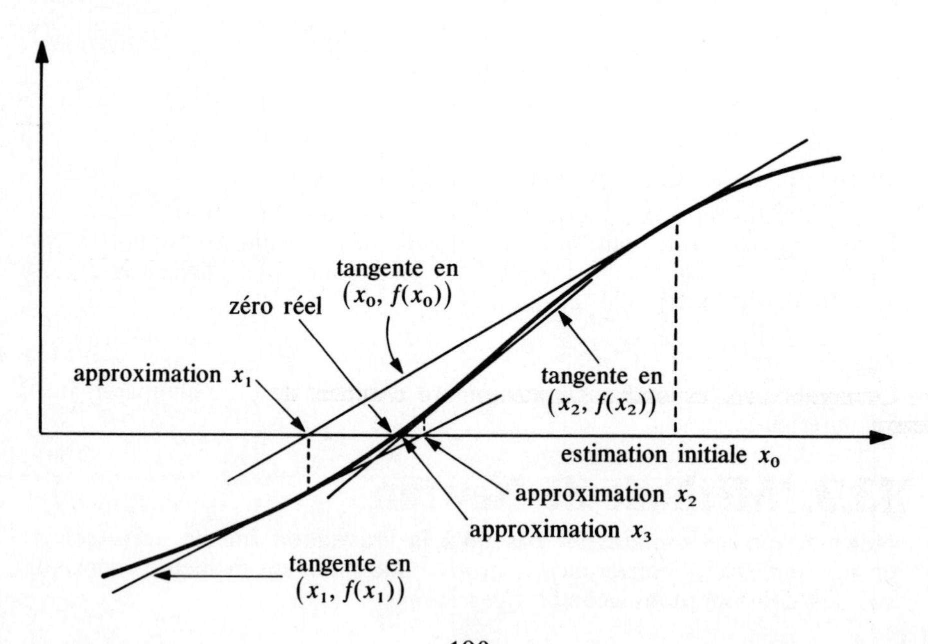

On construit ainsi une suite de points x_n, x_{n+1}, ... qui converge vers la valeur du zéro.

Quelles sont les équations?

La pente de la tangente en x_n est $f'(x_n)$. Un point (x, y) de cette tangente autre que le point $\big(x_n, f(x_n)\big)$ vérifiera donc

$$\frac{y - f(x_n)}{x - x_n} = f'(x_n) \text{ (rapport d'accroissement égal à la pente)}$$

et l'équation de la tangente au point x sera

$$y - f(x_n) = f'(x_n) * (x - x_n).$$

x_{n+1} est l'intersection de cette droite et de l'axe des abscisses $(y=0)$, donc

$$-f(x_n) = f'(x_n) * (x_{n+1} - x_n)$$

ou encore

$$x_{n+1} = x_n - \underbrace{\frac{f(x_n)}{f'(x_n)}}_{\text{Terme correctif}}$$

On teste le terme correctif pour savoir si la précision obtenue est satisfaisante ou non.

Voyons pratiquement ce que cela donne avec notre équation

$$f(x) = \text{Log}(x+3) - x^2 \sin(x) = 0$$

le premier matheux venu se fera un plaisir de nous dériver f et nous apprendre que

$$f'(x) = \frac{1}{x+3} - 2x \sin(x) - x^2 \cos(x).$$

Partons donc avec $x = 1$.

Le premier calcul du terme correctif donne -0.2761.

On va donc prendre $1 + 0.2761$ comme nouvelle approximation.

Deuxième terme correctif : 0.0392.

Nouvelle approximation : $1.2761 - 0.0392 = 1.2369$.

Troisième terme correctif : 0.0006.

Nouvelle approximation : $1.2369 - 0.0006 = 1.2363$.

On voit que l'on converge vers le zéro avec une rapidité effrayante; en fait, l'approximation obtenue après le calcul du deuxième terme correctif donnait déjà un troisième chiffre décimal correct, et le critère de la différence entre x_n et x_{n+1}, c'est-à-dire en fait du terme correctif, inférieure à 10^{-3} nous fait arrêter après le troisième terme correctif.

On aura donc calculé trois fois la fonction et (il ne faut pas l'oublier) trois fois sa dérivée avant de fournir un résultat satisfaisant.

A quoi correspond le terme correctif? Si nous utilisons la formule de Taylor en un point $x_n = R + h$ (où R désigne la racine), nous pouvons écrire

$$f(x_n) = f(R) + hf'(R) + \frac{h^2}{2} f''(R) + o(h^2)$$

mais aussi

$$f'(x_n) = f'(R) + hf''(R) + o(h)$$

Comme $f(R)$, par définition, est nul, nous voyons que nous pouvons écrire le terme correctif sous la forme

$$[hf'(R) + \frac{h^2}{2} f''(R) + o(h^2)] * [f'(R) + hf''(R) + o(h)]^{-1}.$$

ce qui peut encore être écrit

$$\left[hf'(R) + \frac{h^2}{2} f''(R) + o(h^2)\right] * f'(R)^{-1} * \left[1 - h\frac{f''(R)}{f'(R)} + o(h)\right].$$

Quand on développe tout cela, on trouve pour terme correctif

$$h - \frac{h^2}{2} \frac{f''(R)}{f'(R)} + o(h^2).$$

Qu'est-ce que cela veut dire? Si l'on part de $x_n = R + h$ on va donc, en enlevant h à x, obtenir

$$x_{n+1} = R + \frac{h^2}{2} \frac{f''(R)}{f'(R)} + o(h^2)$$

et l'on a donc une nouvelle valeur bien meilleure, et d'autant meilleure que h est plus petit : on dit que la convergence est quadratique, parce que la différence entre x_{n+1} et R est, en ordre de grandeur, égale au carré de la différence entre x_n et R.

Par exemple si l'on a pour différences :

entre x_n et R	celle entre x_{n+1} et R sera environ
0.1	0.01
0.01	0.0001

Contrairement aux méthodes précédentes, il est difficile de donner une expression du nombre de calculs de la fonction que l'on effectuera en fonction de la précision requise, d'abord parce que l'on ignore évidemment la différence entre la valeur initiale et la racine, et ensuite parce que l'écart entre x_{n+1} et R fait intervenir un rapport de dérivées en R que l'on ne connaît pas. Une étude de la fonction pourrait toutefois permettre de borner ce rapport de dérivées.

Avant de discuter plus avant de la méthode de Newton, donnons tout de même son organigramme, d'une simplicité de bon aloi :

Remarque
On suppose dans ce qui suit que la dérivée f' est disponible sous forme de fonction au même titre que f. Pas question ici de chercher numériquement f'.

♯ Méthode de Newton

Lire l'approximation initiale X du zéro et la précision epsilon que l'on recherche
Calculer le terme correctif COR = f(X)/f'(X)
♯ Tant que abs(COR) > epsilon
X = X − COR Calculer COR = f(X)/f'(X)
Tant que ♯
Imprimer le résultat X − COR

méthode de Newton ♯

Que peut-on reprocher à cette splendide méthode? Bien des choses.

Tout d'abord, la division par $f'(x)$ (dans le terme correctif) doit inciter à se poser la question : que se passe-t-il quand $f'(x)$ vaut zéro?

La réponse est : rien ne va plus!

En fait, le cas où $f'(x)$ vaut zéro à un moment donné peut être rattaché à un cas de figure plus général qui correspond au schéma :

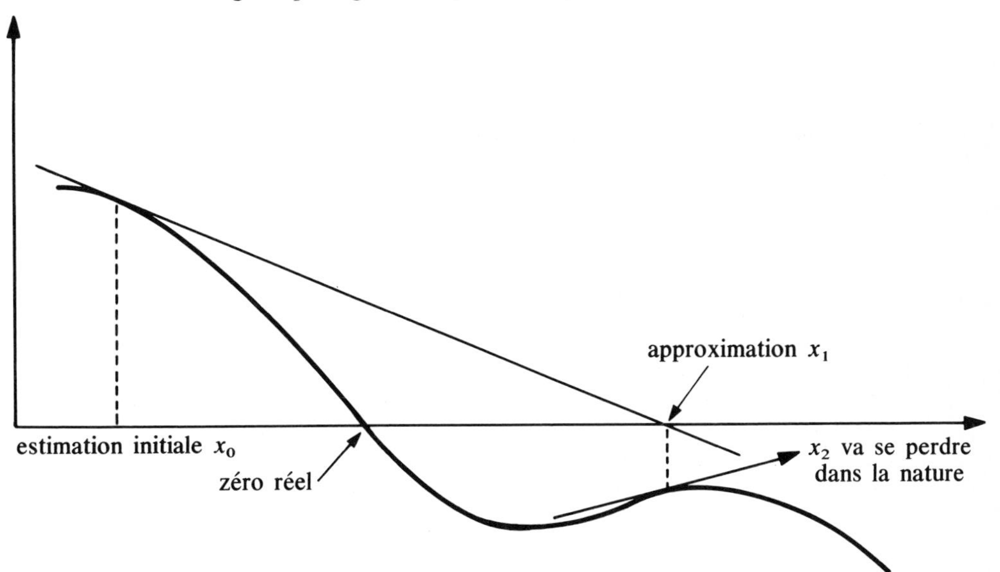

Si la dérivée s'annule et change de signe entre une valeur x_n et le zéro réel, on risque les pires ennuis, car rien ne nous garantit plus la convergence. Même si la dérivée ne s'annule pas entre la valeur initiale et le zéro, il se peut, comme sur la figure, que l'on ait malgré tout des bizarreries par la suite. Toutefois, c'est, toujours sur la figure, parce que $f'(x_0)$ est faible que x_1 part assez loin, dans des zones dangereuses. Si x_0 avait été plus proche du zéro réel, nous n'aurions pas eu d'ennui.

Cela signifie que la valeur initiale doit être suffisamment proche du zéro pour ne pas laisser s'insinuer d'accident en cours de convergence.

Un argument de plus en faveur des partisans d'une étude préalable de la fonction.

Supposons maintenant que notre but est d'obtenir un terme correctif inférieur à, mettons, 10^{-n}. Cette condition se traduit en pratique :

$$\left|\frac{f(x)}{f'(x)}\right| < 10^{-n}$$

ou encore $|f'(x)| > 10^n |f(x)|$.

On sait (du moins on l'espère), que $f(x)$ tend vers 0 au fur et à mesure des itérations. Le seul problème, c'est si $f'(x)$ tend aussi vers 0, c'est-à-dire que le zéro est aussi un extrêmum ou un point d'inflexion de la courbe.

En fait, un dessin suffit pour se persuader que la convergence se produira toujours, mais pourra devenir extrêmement lente :

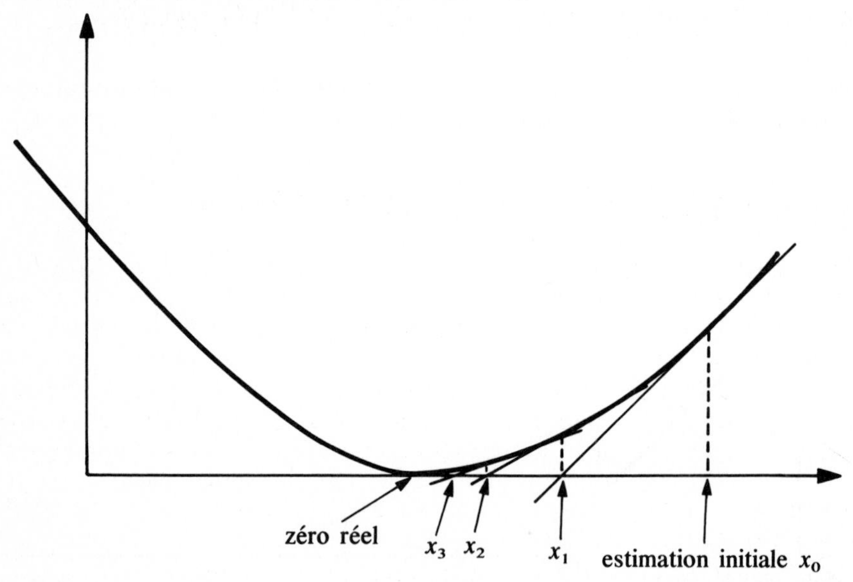

Que se passe-t-il? Reprenons la formule de Taylor pour calculer $f(R+h)$ et $f'(R+h)$ dans le cas où $f(R)$ et $f'(R)$ valent 0.

$$f(x_n) = f(R) + hf'(R) + \frac{h^2}{2} f''(R) + \frac{h^3}{6} f^{(3)}(R) + o(h^2)$$

et

$$f'(x_n) = f'(R) + hf''(R) + \frac{h^2}{2} f^{(3)}(R) + o(h^2).$$

On voit que si l'on néglige tous les termes sauf le premier non nul dans chacune des expressions et que l'on fait le rapport, on obtient

$\frac{h}{2}$ au lieu de h comme dans le cas précédent.

Cela signifie que dans nos efforts pour nous rapprocher de R on fait chaque fois moitié moins de chemin qu'avant (cela se voit assez bien sur le dessin), et donc que la convergence va être très sérieusement ralentie (elle n'est plus quadratique).

En fait, on peut généraliser cela au cas où la fonction et les m premières dérivées sont nulles : vous pouvez montrer à titre d'exercice que le terme correctif devient alors

$$\frac{h}{m}.$$

Idée simple : pourquoi ne pas alors multiplier le terme correctif par m, puisqu'il est m fois trop faible?

Cette méthode fonctionne très bien : son seul inconvénient est qu'il faut déjà en savoir long sur la fonction pour savoir que les m premières dérivées sont nulles là où se trouve la racine!

Pour remédier à ce cas, une amélioration de la méthode de Newton a été proposée.

13.4. Méthode de Newton améliorée

En fait, le problème qui se pose est de faire tendre le terme correctif vers zéro plus vite, ou en d'autres termes de trouver plus vite la valeur de x pour laquelle il vaut zéro (ou à la rigueur pas grand'chose). Relisez la phrase précédente.

C'est fait? Elle contient un terme intéressant : zéro. Ce terme correctif, c'est en fait une fonction de x (fonction qui admet les mêmes zéros que f, d'ailleurs); donc, l'idée est de rechercher les zéros du terme correctif de préférence aux zéros de f. Et pour trouver ces zéros, nous allons évidemment utiliser la meilleure méthode que nous ayons rencontrée jusqu'à présent : la méthode de Newton.

Appelons $g(x)$ la fonction qui correspond au terme correctif.

On peut calculer : $g'(x)=\frac{f'^2(x)-f(x)f''(x)}{f'(x)^2}$

on obtient donc pour g un terme correctif :

$$\frac{g(x)}{g'(x)}=\frac{f(x)f'(x)}{f'(x)^2-f(x)f''(x)}.$$

Lorsque l'on applique la méthode de Newton à g, on obtient une convergence plus rapide que lorsqu'on l'applique à f (dans l'hypothèse où le zéro de f est aussi un zéro de f', mais n'est pas un zéro de f'').

Supposons par exemple que nous cherchons le zéro de $(3x-5)^2$ à 0.01 près, et que nous partions avec 1 pour valeur initiale.

Si nous appliquons la méthode de Newton « normale » nous allons successivement obtenir :

Premier terme correctif : -0.333, d'où $x_1 = 1.333$
2ᵉ terme correctif : -0.167, d'où $x_2 = 1.500$
3ᵉ terme correctif : -0.083, d'où $x_3 = 1.583$
4ᵉ terme correctif : -0.042, d'où $x_4 = 1.625$
5ᵉ terme correctif : -0.021, d'où $x_5 = 1.646$
6ᵉ terme correctif : -0.010, d'où $x_6 = 1.656$
7ᵉ terme correctif : -0.005, d'où $x_7 = 1.661$

et l'on s'arrête (enfin) là.

Avec la méthode de Newton améliorée en revanche, le premier terme correctif donne -0.667, d'où $x_1 = 1.667$, et l'on a tout de suite atteint le zéro. C'est dire si la différence de rapidité de convergence est sensible.

Il est évident que le principal défaut de cette méthode est l'introduction de la dérivée seconde, qu'il faut calculer! De plus, chaque calcul du terme correctif pour g demandera trois calculs de fonctions (f, f' et f''), plus les calculs à effectuer entre elles. Enfin, si le zéro est aussi un zéro de f'' (en plus de f et de f'), elle est inapplicable.

Quand la dérivée de f ne pose pas de problème particulier, on a donc plutôt intérêt à utiliser la méthode de Newton simple : la rapidité de convergence des deux méthodes sera la même (c'est-à-dire que l'on bouclera le même nombre de fois avant de satisfaire le critère de convergence), mais l'importance des calculs faits dans la boucle sera alors notablement plus faible.

La méthode de Newton (éventuellement améliorée) est donc une excellente méthode, à laquelle on ne peut faire qu'un gros reproche : elle exige un bon travail préalable sur la fonction :
— puisqu'il faut en calculer la dérivée,
— et puisqu'il faut être certain que cette dérivée ne s'annule pas en cours de route entre une approximation du zéro et celui-ci.

Il existe une autre méthode, qui reprend un peu les mêmes idées que la méthode de Newton, un peu moins performante, mais aussi moins exigeante : la méthode sécante.

13.5 Méthode sécante

L'inconvénient de la bissection est que l'on divise toujours l'intervalle par deux, sans chercher particulièrement à se rapprocher du zéro, qui peut pourtant être assez proche d'une des valeurs initiales : on sait bien qu'à force de diviser, l'intervalle devenant de plus en plus petit, on finira par l'approcher d'aussi près que l'on veut.

Comme toujours, s'il est rassurant de savoir que l'on finira par obtenir le résultat, l'incertitude porte sur la question : « à quelle vitesse va-t-on l'obtenir? ». Le problème est ce qu'on appelle en analyse numérique la rapidité de convergence.

C'est sur ce point que la méthode de Newton affiche une supériorité écrasante. Apparemment, passer par la tangente est un bon truc. L'ennui, c'est le calcul de la dérivée.

Quand on ne connaît pas la tangente, on est fortement tenté de la remplacer par la droite passant par le point de la courbe où l'on veut la tangente et un autre point de la courbe proche du premier; cédons à la tentation (c'est le meilleur moyen de la faire cesser) et, si l'on sait que la fonction s'annule entre deux points, approximons* la tangente en l'un de ces points par la droite qui les joint. On peut alors imiter la méthode de Newton et calculer l'abscisse pour laquelle la droite passant par ces deux points rencontre l'axe des X.

Quand on regarde l'image par f de ce point (c'est-à-dire la valeur obtenue quand on lui applique f), elle sera soit positive, soit négative, suivant la concavité de la courbe.

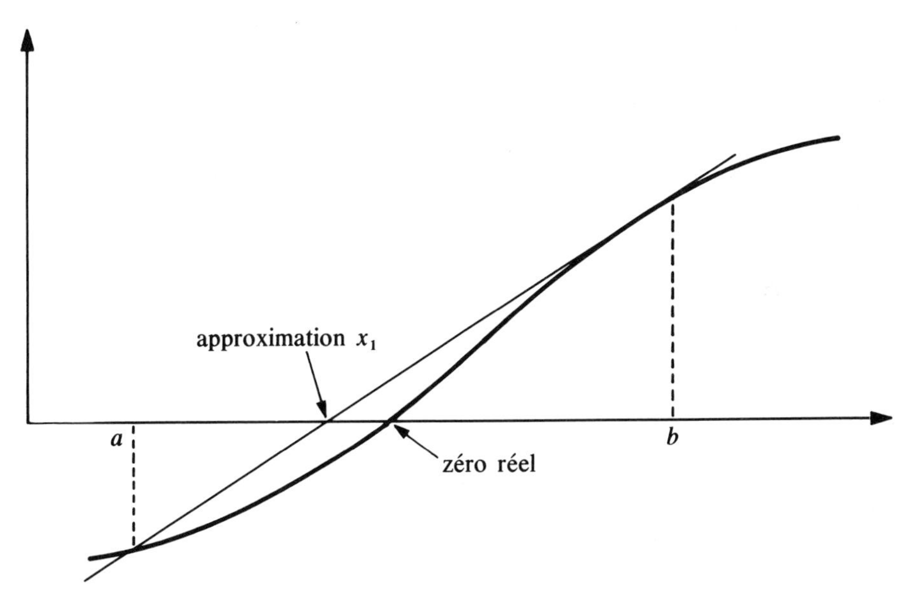

Poursuivons notre imitation de la méthode de Newton : on va donc approximer la tangente au tout dernier point trouvé par la droite passant par ce point et l'un des deux points antérieurs (l'autre partant à la retraite avec des remerciements chaleureux), et ainsi de suite. Évidemment, comme avec la méthode de Newton, on recommence et on obtient ainsi une suite de points qui converge vers le zéro.

* *Approximer : anglicisme pour approcher (Note de l'éditeur)*

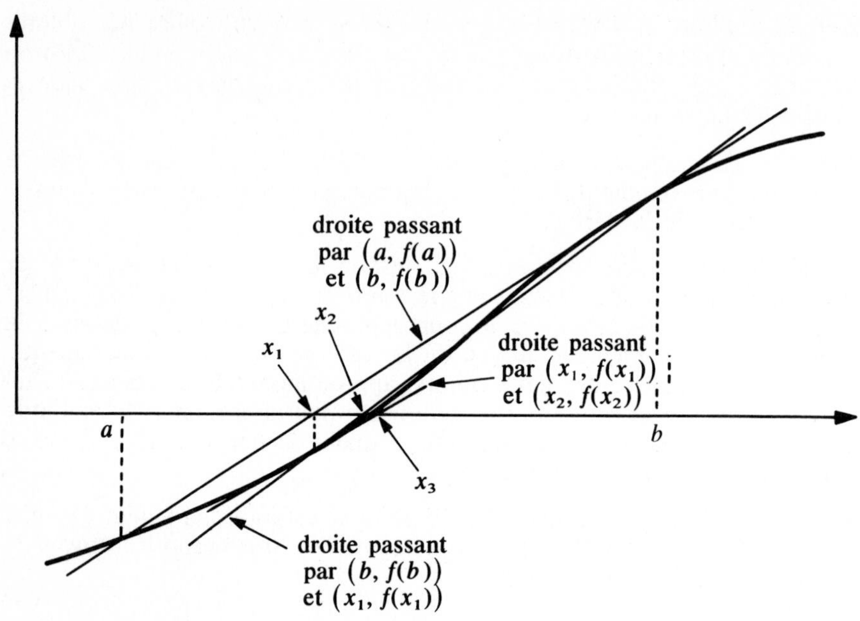

Passons aux équations; la droite passant par les points $(x_{n-1}, f(x_{n-1}))$ et $(x_n, f(x_n))$ s'écrira :

$$y = \frac{f(x_n) - f(x_{n-1})}{x_n - x_{n-1}} x + \frac{x_n f(x_{n-1}) - x_{n-1} f(x_n)}{x_n - x_{n-1}}$$

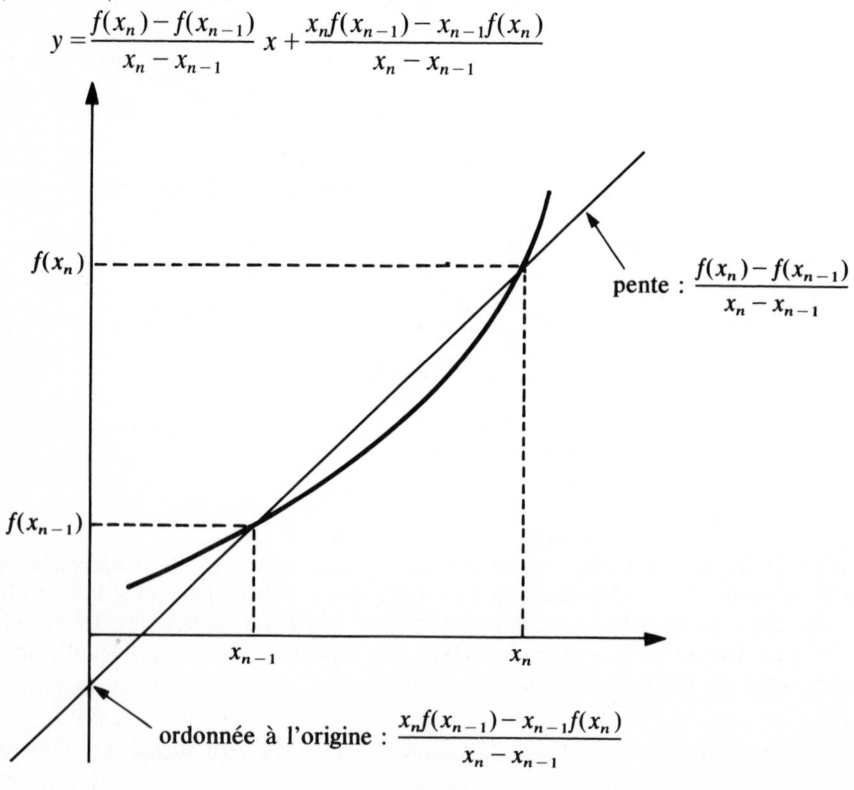

x_{n+1} est donné par l'intersection de cette droite et de $y=0$, d'où

$$x_{n+1}=\frac{x_{n-1}f(x_n)-x_nf(x_{n-1})}{f(x_n)-f(x_{n-1})}$$

ou encore

$$x_{n+1}=x_n-\frac{f(x_n)[x_n-x_{n-1}]}{f(x_n)-f(x_{n-1})}.$$

L'algorithme de la méthode sera :

♯ Méthode sécante

Lire $X1$, $X2$ et la précision epsilon
$Y1=f(X1)$
♯ Tant que abs$(X1-X2) >$ epsilon
$Y2 = f(X2)$ $XT = X2 - Y2 * (X2 - X1) / (Y2 - Y1)$ $X1 = X2$ $Y1 = Y2$ $X2 = XT$
Tant que ♯
Imprimer $X2$

Méthode sécante ♯

Soumettons encore une fois cette méthode au test de la fonction que nous supportons avec patience depuis le début de ce chapitre :

(on prend epsilon = 10^{-3})

Nous partons avec $X1 = 1$ et $X2 = 2$;
— Première intersection obtenue avec l'axe des X : 1.2178.

On remplace $X1$ par $X2$, et $X2$ par l'intersection trouvée;
— Deuxième intersection : 1.2356.

On remplace $X1$ (*ie* le $X2$ initial) par $X2$ (*ie* la première intersection) et $X2$ par la dernière intersection trouvée;
— Troisième intersection : 1.2363.

On arrête là.

La convergence est très rapide une fois de plus.

La méthode sécante présente l'avantage de ne demander qu'un appel de la fonction dans la boucle; néanmoins, tout comme la méthode de Newton elle devient beaucoup moins performante quand le zéro est un point d'inflexion ou un extrêmum de la courbe.

Pour conclure sur ces méthodes, disons que la meilleure (en termes d'itérations avant de converger) est la méthode de Newton améliorée qui donne soit une convergence très nettement plus rapide (pour les cas où le zéro est aussi un zéro de la dérivée) soit égale à la méthode de Newton simple. La méthode sécante demande quelques boucles de plus, mais se défend honorablement.

Toutefois, le nombre de boucles n'est pas, en analyse numérique, le seul critère à prendre en compte : tout dépend en effet du nombre d'opérations que l'on fait dans chaque boucle; et là, le classement s'inverse, puisque (sauf si la fonction est très simple, auquel cas il faut aussi tenir compte des autres opérations) le nombre de calculs de fonctions et/ou de dérivées successives est respectivement de 3, 2 et 1.

Comme le critère déterminant est :

nombre de boucles * nombre d'opérations par boucle,

on voit qu'en fait cela dépend de la fonction et que les trois méthodes se valent à peu près dans le cas général.

Quant aux autres méthodes, elles ne soutiennent pas la comparaison : sauf si l'on tombe par miracle sur le zéro en cours de calculs, elles demanderont un nombre d'opérations beaucoup plus grand. Néanmoins, comme elles sont insensibles à des accidents du style changement de signe de la dérivée entre la valeur initiale et le zéro, elles (la bissection en particulier, la plus efficace) peuvent servir à «préparer le terrain» et trouver un intervalle suffisamment petit pour pouvoir appliquer sans risque une autre méthode.

Nous avons donc trois méthodes satisfaisantes, mais qui ont une exigence : x quelconque étant donné, nous devons être capables de calculer $f(x)$!

Or, cette condition apparemment si simple n'est pas toujours remplie : il arrive en effet, sinon fréquemment, au moins occasionnellement, que l'on soit absolument incapable d'exhiber une expression simple de f; il se peut que f ne soit connue qu'expérimentalement par différentes mesures, ou que f soit définie de manière bizarre par une relation perverse entre x et $f(x)$ (c'est ce qu'on appelle fonction implicite). Si l'on vous dit par exemple que $y = f(x)$ vérifie

$$e^{xy} = \sin\left(\frac{y}{x}\right)$$

vous avouerez que vous êtes bien embêtés pour exprimer f.

Il peut y avoir d'autre cas où l'expression de f est tellement compliquée (définie à partir d'une intégrale pourrait être un exemple) que l'on s'avoue battu dès le départ et que l'on cherche un moyen de trouver le ou les zéros sans passer par ces calculs.

Tous les cas mentionnés plus haut peuvent se réduire à :

tout ce que l'on connaît de f, ce sont les coordonnées $(x_i, f(x_i))$ d'un certain nombre de points de son graphe.

13.6 Interpolation inverse

La méthode dite d'interpolation inverse consiste à rechercher une approximation de la fonction réciproque de la fonction dont on cherche le zéro.

Rappelons ce qu'est une fonction réciproque :

Si $y = f(x)$ la fonction réciproque f^{-1} est celle qui associe à la valeur y la valeur x pour tout x du domaine de définition.

$$f^{-1}(y) = x.$$

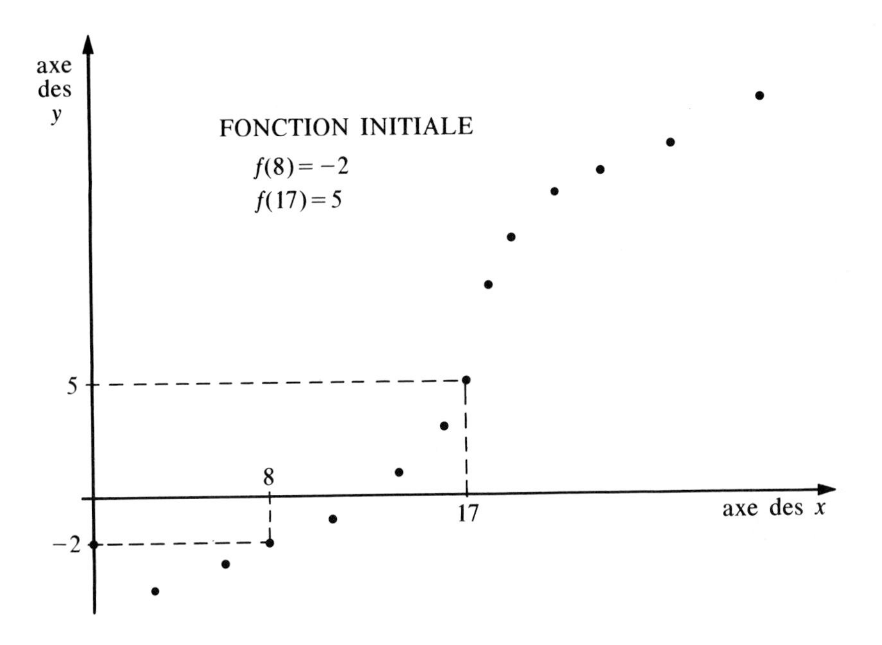

L'ennui, c'est que toute fonction n'admet pas forcément une fonction réciproque : en effet un point ne peut pas, par une fonction, être associée à deux images différentes, mais deux points distincts peuvent parfaitement avoir la même image.

Prenons par exemple $f(x) = x^2$. C'est une fonction relativement sympathique, mais qui présente l'inconvénient d'associer la même valeur à x et à $-x$; si l'on veut définir la réciproque, on sera forcé de décider que

$$f^{-1}(f(x)) = +\sqrt{|x|} \text{ (ou } -\sqrt{|x|}\text{, mais il faut choisir).}$$

Les fonctions qui sont inversibles sur tout leur domaine de définition sont dites bijectives; pour appliquer la méthode, il faudra se placer sur un intervalle tel que la restriction de la fonction à cet intervalle est bijective.

Une fois cette intervalle trouvé, on peut, connaissant un certain nombre de couples $(x_i, f(x_i))$ de cet intervalle, considérer ces couples comme des couples $(f^{-1}(y_i), y_i)$ et interpoler la fonction inverse par un polynôme (un chapitre ultérieur est consacré à l'interpolation) $P(x)$ qui se comporte à peu près comme f^{-1}. Il suffit ensuite de calculer $P(0)$, qui est, par définition de f^{-1}, une approximation de la valeur x_0 pour laquelle f vaut 0.

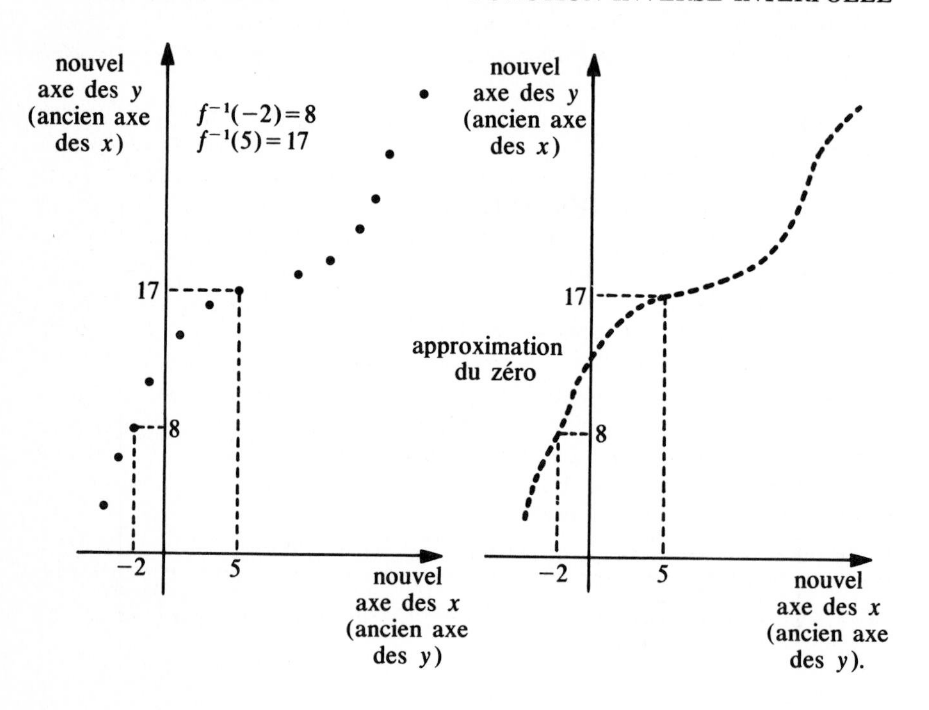

Cette méthode n'est évidemment pas à utiliser quand on sait exprimer f, car elle est assez lourde : l'interpolation est une opération coûteuse et pénible (bien qu'absolument passionnante — remarque destinée à maintenir l'intérêt pour un chapitre encore à venir...), et de plus il est assez difficile d'évaluer l'erreur commise dans l'estimation du zéro. Elle a tout de même un avantage, c'est qu'elle permet de trouver les zéros de relations qui ne sont pas des fonctions (paraboles, par exemple), mais dont l'inverse en est une.

Tant qu'on en est à interpoler, on peut se poser la question : pourquoi ne pas interpoler directement f par un polynôme, plutôt que f^{-1}, et rechercher ensuite les zéros du polynôme? Autant le dire tout de suite, c'est une très mauvaise idée. Néanmoins, les polynômes sont des fonctions suffisamment importantes pour que l'on s'intéresse à savoir comment calculer leurs zéros (et ici, tous leurs zéros d'un seul coup).

13.7. Recherche des zéros de polynômes

Contrairement à ce que l'on serait induit à penser, la recherche des zéros d'un polynôme n'est pas une opération triviale dès que le degré de ce polynôme commence à s'élever. Les degrés 0 et 1 n'offrent aucun intérêt, pas plus que le degré 2 pour lequel la résolution n'est un mystère pour personne. L'humanité sera éternellement reconnaissante à Jérôme Cardan, mathématicien italien du XVIe siècle et également inventeur en mécanique du système de transmission qui porte son nom, pour avoir découvert un moyen de résoudre les polynômes du troisième degré. Le degré 4 a également fait l'objet de travaux, mais dès que l'on arrive au degré 5 c'est la jungle.

Si l'on veut trouver tous les zéros d'un polynôme de degré 5 ou plus il faut passer d'abord par une étude de la fonction, un certain nombre de dérivations successives puis, dès que l'on sait facilement trouver les zéros de la nième dérivée, retour en arrière pour trouver les variations du polynôme et essayer de déterminer le nombre et la localisation approximative de ses racines.

Lorsque les racines sont plus ou moins situées, le travail n'est pas fini : il faut les déterminer précisément. Ceci peut être réalisé à l'aide de la méthode de Newton ou de la méthode sécante.

Comme on le voit, trouver tous les zéros d'un polynôme de cette manière est loin d'être simple. On préfère employer une autre méthode, qui peut sembler particulièrement farfelue, mais qui mérite d'être citée (elle ne sera pas développée, loin de là) à titre d'exemple des interférences de différentes théories mathématiques.

L'idée est de passer par la recherche des valeurs propres d'une matrice (ça ne sautait pas aux yeux).

En effet, si k est une valeur propre pour une matrice A, il existe un vecteur propre X non nul tel que :

$$AX = kX.$$

Or, kX est aussi égal à kIX, où I est la matrice identité.

On peut donc écrire :

$$AX = kIX$$

soit

$$(A - kI)X = 0.$$

Cela signifie que la matrice $A - kI$ n'est pas inversible; en effet, si elle admettait un inverse B, on pourrait écrire :

$$B(A - kI)X = B0$$
$$X = 0$$

ce qui est contraire à l'hypothèse sur X.

On peut donc dire avec certitude que si k est une valeur propre de A, alors

$$\det(A - kI) = 0$$

(det représente le déterminant).

Or, et c'est là que les choses deviennent (encore plus) intéressantes, $\det(A - kI)$ est un polynôme de degré n en k si A est de dimension n. On l'appelle polynôme caractéristique.

De plus

il existe des méthodes numériques pour trouver toutes les valeurs propres d'une matrice

Il suffit donc de poser le problème en ces termes :

— le polynôme étant donné, de quelle matrice peut-il être considéré comme le polynôme caractéristique (éventuellement à un coefficient de proportionnalité près)?

Si $P(x) = \sum_{k=0}^{n} a_k x^k$, la matrice en question sera

$$\begin{bmatrix} -\frac{a_{n-1}}{a_n} & -\frac{a_{n-2}}{a_n} & \cdots\cdots & -\frac{a_0}{a_n} \\ 1 & 0 & \cdots\cdots & 0 \\ 0 & 1 & & 0 \\ . & & . & . \\ . & & & .. \\ 0\cdots\cdots & & 0 & 1 \end{bmatrix}$$

(C'est le genre de chose qu'il faut croire sur parole, ou à la rigueur vérifier par le calcul.)

— Cette matrice construite, on peut donc, en appliquant une méthode de recherche de valeurs propres, trouver toutes les racines du polynôme P.

Les méthodes de recherche de valeurs propres ne sont pas abordées dans cet ouvrage; elles consistent en fait à modifier la matrice de manière à aboutir, par itération, à une matrice diagonale équivalente; les termes non nuls de cette matrice diagonale seront les valeurs propres cherchées, soit les zéros du polynôme.

14

Approximations de courbes

« Où l'Indécis au Précis se joint. »

Verlaine, *Jadis et Naguère*

Lorsque l'on essaie de tracer expérimentalement la courbe représentatrice de la variation d'une grandeur en fonction d'une autre, il faut en général tricher abominablement pour obtenir la courbe théorique. En effet, les erreurs de manipulation, le fonctionnement hasardeux de certains appareils de mesure, les erreurs de lecture et le désir de bâcler le plus vite possible l'expérience font que la plupart des points s'égarent dans le voisinage

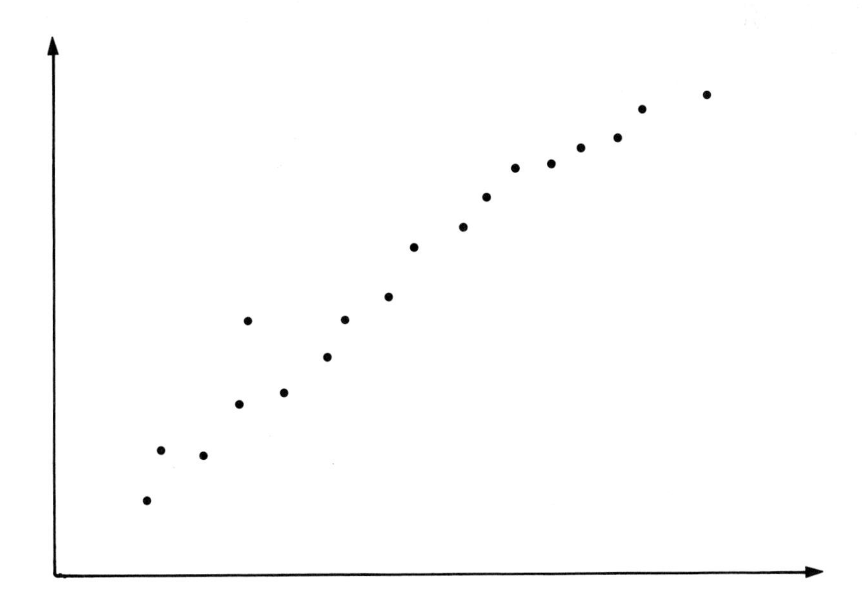

immédiat de leur localisation théorique. Quiconque a effectué des expériences de physique ou, pire encore, de chimie, a l'habitude de la chose.

Supposons que les appareils de mesure ne sont pas défectueux et ne donnent pas une erreur systématique plus ou moins constante.

Supposons également que l'expérimentateur est raisonnablement honnête.

Sous les hypothèses précédentes, les probabilités veulent que sur un grand nombre de mesures, le nombre de fois où la mesure aura été un peu forte correspondra grosso modo au nombre de fois où elle aura été un peu faible par rapport à ce qu'elle aurait dû être.

Cela veut dire que la courbe réelle passe à peu près au milieu du tout.

Aussi, lorsque l'on se retrouve avec un nuage de points, on considère que la « bonne courbe » est celle qui passe le plus près possible de l'ensemble des points, une fois éliminés les points aberrants qui, eux, détonnent totalement par rapport aux autres et ont pour origine (par exemple) une secousse tellurique de force 10 sur l'échelle de Richter (qui va jusqu'à 9) au moment où l'on cherchait à lire la déviation du spot sur le galvanomètre.

La notion de « passer le plus près possible de l'ensemble des points » demande des précisions : en fait, c'est assez comparable aux idées d'intérêt général et d'intérêt particulier. Il faut être capable de définir ce qu'on entend par distance globale de la courbe au nuage de points, en fonction de la distance de chacun des points à la courbe.

Tout d'abord, on considère pour chaque point de coordonnées (x_i, y_i) que l'erreur sur x_i est totalement négligeable, ce qui pourrait être discuté mais simplifie les calculs. Si la courbe théorique est

$$y = f(x)$$

on cherche donc à trouver f qui minimise la distance entre $f(x_i)$ et y_i.

Sans se lancer hors de propos dans des considérations mathématiques oiseuses, il faut tout de même signaler que la notion de distance découle directement de la notion de norme, et que l'on peut parfaitement définir plusieurs (et même une infinité) de normes distinctes.

Si l'on se limite aux deux normes les plus utilisées, on peut dire que la courbe la meilleure est :

au sens de la norme de Tchebycheff (matheux russe) celle représentant la fonction f qui minimise

$$\mathrm{Max}_{x_i} |f(x_i) - y_i|$$

au sens de la norme euclidienne (nommée ainsi d'après Euclide, matheux grec) celle qui représente h qui minimise

$$\sum_{x_i} (h(x_i) - y_i)^2.$$

On pourrait encore vouloir, par exemple, prendre la courbe qui minimise la somme des valeurs absolues des écarts; ce ne serait pas complètement idiot mais cela se prête mal aux calculs.

Le plus amusant de l'histoire est que, suivant la norme que l'on retient, on obtiendra des courbes différentes (bien que pas très différentes). En pratique, le choix d'une norme ou de l'autre dépend de ce que l'on veut faire et des conditions de l'expérience.

Le plus fréquent, et de loin, est l'utilisation de la norme euclidienne que nous utiliserons exclusivement. Comme elle fait intervenir des sommes de carrés et que l'on souhaite minimiser cette somme, on parle le plus souvent d'approximation au sens des moindres carrés quand on l'utilise.

14.1. Droite des moindres carrés

De toute les courbes, la plus simple est sans conteste la droite, dont on ne louera jamais assez toutes les qualités.

En effet, c'est la seule que l'on puisse identifier sans erreur lorsque l'on voit le tracé des points expérimentaux.

Aussi, dès que ceux-ci ont l'air, ne serait-ce que vaguement, d'être alignés, on se dépêche de calculer la droite des moindres carrés, c'est-à-dire la droite la plus proche de l'ensemble des points au sens de la norme euclidienne.

Cette droite aura une équation du type

$$f(x) = y = ax + b$$

et donc sa distance à l'ensemble des points sera, avec nos conventions

$$D = \sum_{i=1}^{n} (ax_i + b - y_i)^2 \text{ si l'on a } n \text{ points.}$$

Lorsque l'on cherche cette droite, on connaît parfaitement les x_i et les y_i, qui sont des données expérimentales. Ce qu'on cherche, ce sont a et b.

D peut donc être considérée comme une fonction de deux variables $D(a, b)$ que l'on cherche à minimiser.

La théorie sur les fonctions de plusieurs variables nous apprend que, si ce n'est pas toujours suffisant, il est du moins nécessaire pour avoir un extrêmum que les différentes dérivées partielles (*ie* les dérivées par rapport à une variable en considérant toutes les autres constantes) s'annulent.

Dérivons donc sauvagement :

$$\frac{\partial D}{\partial a} = \sum_{i=1}^{n} 2x_i(ax_i + b - y_i) = 0$$

$$\Longrightarrow \quad a \sum_{i=1}^{n} x_i^2 + b \sum_{i=1}^{n} x_i - \sum_{i=1}^{n} x_i y_i = 0 \qquad (1)$$

$$\frac{\partial D}{\partial b} = \sum_{i=1}^{n} 2(ax_i + b - y_i) = 0$$

$$\Longrightarrow \quad a \sum_{i=1}^{n} x_i + nb - \sum_{i=1}^{n} y_i = 0 \qquad (2)$$

de (2) on tire immédiatement b :

$$b = \frac{\Sigma y_i - a\Sigma x_i}{n}$$

d'où, en reportant ce résultat dans (1) on obtient

$$a\Sigma x_i^2 = \Sigma x_i y_i - \frac{\Sigma x_i \Sigma y_i - a(\Sigma x_i)^2}{n}$$

$$\Longrightarrow \quad a\left[n\Sigma x_i^2 - (\Sigma x_i)^2\right] = n\Sigma x_i y_i - (\Sigma x_i)(\Sigma y_i)$$

d'où finalement on tire, non sans mal :

$$a = \frac{n\Sigma x_i y_i - (\Sigma x_i)(\Sigma y_i)}{n\Sigma x_i^2 - (\Sigma x_i)^2}$$

$$b = \frac{\Sigma y_i - a\Sigma x_i}{n}$$

(N. B. : le résultat obtenu pour b montre que le point dont l'abscisse est la moyenne des x_i et l'ordonnée la moyenne des y_i appartient à la droite.)

Pour se persuader que a et b correspondent bien au minimum de $D(a, b)$, et non (cas classique avec les fonctions de deux variables) à un « col », où le maximum suivant l'une des directions correspond à un minimum suivant l'autre, il suffit de voir qu'étant donné le problème posé, il n'y a pas de maximum possible ailleurs qu'à l'infini.

On peut ainsi calculer l'équation de la droite des moindres carrés.

Le seul inconvénient de la méthode est qu'étant donnés n couples de points, on peut toujours calculer a et b, même si les n points en question dessinent une splendide courbe en forme de cloche. Autrement dit, il faut se poser la question de la validité de l'approximation par une droite.

Aussi calcule-t-on souvent ce que l'on appelle le coefficient de corrélation dont la formule est

$$C = \frac{\Sigma(x_i - \bar{x})(y_i - \bar{y})}{\sqrt{(\Sigma(x_i - \bar{x})^2 \Sigma(y_i - \bar{y})^2)}}$$

où $\bar{x}$ et $\bar{y}$ représentent les moyennes des x_i et y_i.

En programmation, on utilise plutôt la formule équivalente suivante (il suffit de développer et de remplacer les moyennes par leurs formules respectives; voir à ce sujet le chapitre sur les fonctions et sous-programmes, où un calcul similaire est développé), qui ne demande pas une première passe à travers les données pour calculer les moyennes :

$$C = \frac{\Sigma x_i y_i - \frac{1}{n}\Sigma x_i \Sigma y_i}{\sqrt{\left(\Sigma x_i^2 - \frac{1}{n}(\Sigma x_i)^2\right)\left(\Sigma y_i^2 - \frac{1}{n}(\Sigma y_i)^2\right)}}.$$

Il est hors du propos de cet ouvrage de s'étendre sur le coefficient de corrélation, qui est une mesure possible de la validité de l'approximation du nuage de points par une droite, et est fondé sur le fait que les écarts doivent suivre une loi normale, ou des bêtises de ce genre.

Le seul point intéressant à vérifier est ce qui se passe quand tous les points sont effectivement alignés; on se persuadera aisément que la droite trouvée par les moindres carrés est celle à laquelle appartiennent tous les points (ce qui est heureux), et on a alors

$$y_i = ax_i + b \text{ pour tout } i$$

comme par ailleurs le point dont les coordonnées sont les moyennes des coordonnées appartient toujours (et à plus forte raison ici) à la droite des moindres carrés, on peut écrire

$$y_i - \bar{y} = a(x_i - \bar{x})$$

et le report de ce résultat dans la première expression de C donne immédiatement

$$C = \frac{a}{|a|} = \pm 1, \text{ suivant le signe de } a.$$

Même les gens de peu de foi croiront sur parole que C augmente (en valeur absolue) avec la validité de l'approximation par la droite jusqu'à cette valeur de 1, et que la valeur 0 correspond à des points répartis, artistiquement peut-être, mais en tout cas sur n'importe quoi sauf une droite. Il est difficile de dire quelle valeur doit avoir un « bon » coefficient de corrélation, car sur un très grand nombre de données un coefficient de corrélation même pas très élevé peut signifier une forte corrélation. Si la question vous empêche de dormir, voyez votre livre de statistiques favori. Pour fixer les idées, donnons tout de même quelques valeurs (absolues) de C au-delà desquelles les chances qu'il n'y ait pas de corrélation sont inférieures à un pourcentage donné en fonction du nombre n de points.

Pour avoir moins de 5 % de chances de se tromper en décidant qu'il y a une corrélation entre la droite et les n points, il faut que la valeur absolue de C soit supérieure à :

n	$\lvert C_{\min} \rvert$
3	0.997
5	0.878
10	0.632
15	0.514
20	0.444

Notons que même s'il y a une corrélation forte entre les points, ce n'est nullement une garantie que la courbe sur laquelle sont les points est effectivement une droite : cela signifie avant tout qu'il y a « un rapport entre les points ».

Graphiquement, une corrélation forte peut correspondre aussi bien à :

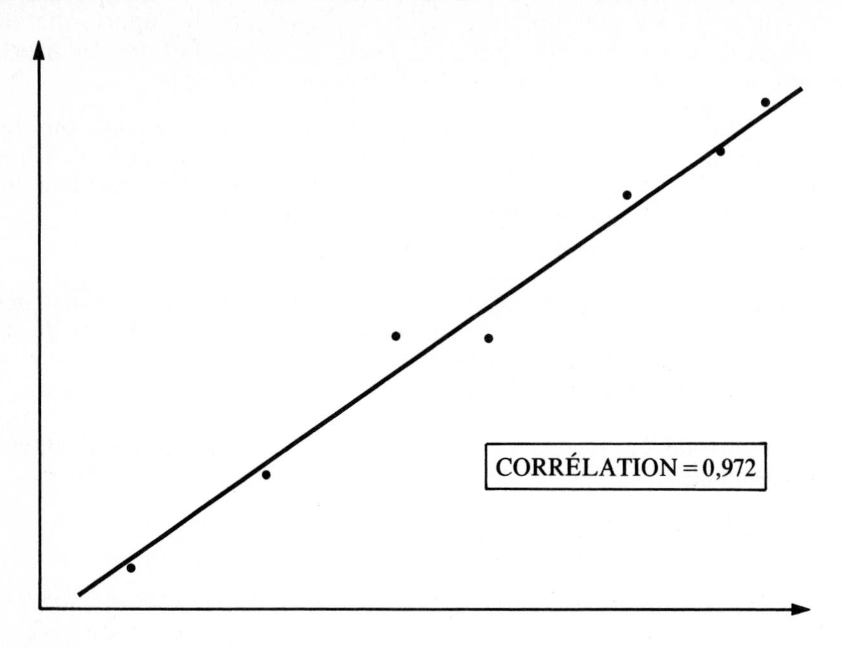

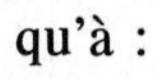
qu'à :

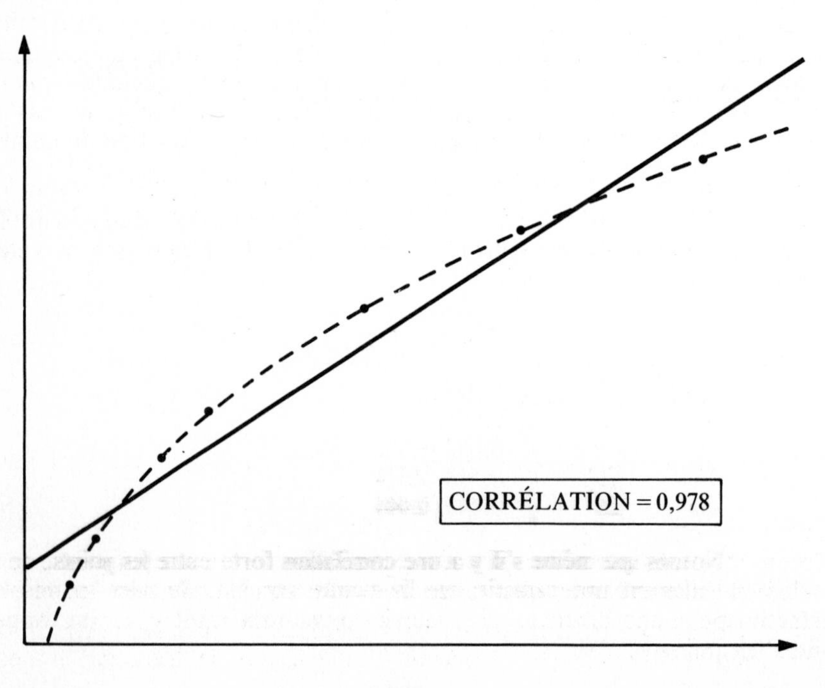

Pour avoir moins de 1 % de chances de se tromper en pariant sur la corrélation, il faut que C soit en valeur absolue supérieur à :

n	$\lvert C_{min} \rvert$
5	0.959
10	0.765
15	0.641
20	0.561

Passons à l'organigramme rituel :

♯ Droite des moindres carrés

```
Initialiser Sx, Sy, Sxx, Syy et Sxy à 0

♯ Faire pour I = 1, N
    Sx = Sx + X(I)
    Sy = Sy + Y(I)
    Sxx = Sxx + X(I) * X(I)
    Syy = Syy + Y(I) * Y(I)
    Sxy = Sxy + X(I) * Y(I)
Faire ♯

A = (N * Sxy − Sx * Sy) / (N * Sxx − Sx*Sx)
B = (Sy − A * Sx) / N
C = (Sxy − Sx*Sy/N) / SQRT((Sxx − Sx*Sx/N)*(Syy
                                     − Sy*Sy/N))
```

Droite des moindres carrés ♯

Dans la mesure où ceci est idéal pour faire un sous-programme, les calculs des différentes sommes fournissent tout ce qu'il faut pour retourner également moyenne et écart-type, tant pour X que pour Y.

14.2 Autres courbes

Il est fréquent, lorsque l'on se retrouve en terrain inconnu, de chercher par tous les moyens à se raccrocher à quelque chose que l'on connaît. Ainsi avec les courbes : quand la décence ne permet pas de prétendre des points d'un nuage qu'ils sont alignés, on essaie de modifier les coordonnées pour retrouver une droite.

Si par exemple on mesure la puissance dissipée P entre les bornes d'une résistance en fonction de l'intensité I du courant, le tracé des points a fort peu de chances de donner une droite. Quand on a une idée du résultat, on ne trace donc pas

$$P=f(I)$$

mais

$$P=f(I^2)$$

dans ce cas, on a remplacé x_i par $X_i=x_i^2$, et le tour est joué.

Plus généralement, quand le phénomène étudié est soumis à une équation du type

$$y=kx^n$$

il est habile de faire la transformation

$$X_i=\text{Log}(x_i)$$
$$Y_i=\text{Log}(y_i)$$

en effet, l'équation ci-dessus se transforme, quand on lui applique la fonction Log, en

$$\text{Log}(y)=n\ \text{Log}(x)+\text{Log}(k)$$

et l'utilisation des X_i et des Y_i permet alors de trouver n et $\text{Log}(k)$ sans difficulté par les moindres carrés. Certains prétendent qu'il n'y a pas de courbe qui ne se transforme en droite quand on lui applique ce traitement (mais c'est pure médisance!).

Vous êtes invités à compléter le tableau suivant, qui donne un certain nombre d'équations, en indiquant comment on obtient X et Y à partir de x et de y pour que chacune des équations se transforme en équation de droite, et également comment les coefficients A et B obtenus par les moindres carrés sont liés aux coefficients a et b des équations.

Équation	Y	X	A	B
$y=ax+b$	y	x	a	b
$y=bx^a$	$\text{Log}(y)$	$\text{Log}(x)$	a	$\text{Log}(b)$
$y=be^{ax}$	$\text{Log}(y)$	x	a	$\text{Log}(b)$
$y=\frac{a}{x}+b$				
$y=\frac{1}{ax+b}$				
$y=\frac{x}{a+bx}$				

Pour savoir quelle est l'équation qui approxime le mieux la courbe réelle, il suffit de calculer les corrélations et de voir quelle est la plus forte; si même celle-là est petite en valeur absolue par rapport à 1, c'est raté. Pour plus de sûreté, il est aussi bon de tracer sur un même graphique le nuage de points et la courbe théorique : c'est encore le moyen le meilleur pour vérifier que l'on n'est pas en train de créer des relations inexistantes.

14.3 Approximation par un polynôme
(notions relativement avancées!)

La plupart des nuages de points ne résistent pas au traitement vigoureux mentionné plus haut; exceptionnellement, il se peut que quelle que soit la courbe par laquelle on essaie d'approximer le nuage, on obtienne un coefficient de corrélation ridiculement faible; ceci peut être une bonne raison pour chercher à approximer par un polynôme.

Toutefois, l'approximation par un polynôme est le plus souvent utilisée pour remplacer, pour des raisons de gain en temps de calcul, certaines fonctions compliquées par les fonctions plus simples que sont les polynômes.

La justification mathématique de cette approximation repose sur le théorème de Weierstrass qui, une fois traduit du charabia mathématique en français, dit en substance que si f est continue sur un intervalle, on peut sur cet intervalle l'approcher d'aussi près que l'on veut par un polynôme.
Plus le degré du polynôme par lequel on approxime sera élevé, meilleure sera l'approximation.

Le polynôme de degré 0 qui approxime une fonction sur un intervalle est sa moyenne sur cet intervalle. L'approximation par une droite des moindres carrés correspond à un polynôme de degré 1; l'approximation par un polynôme se fait en fait de la même manière que l'approximation par les moindres carrés, en disant que si l'on approxime par un polynôme de degré n on aura

$$D=\Sigma(a_n x_i^n + a_{n-1} x_i^{n-1} + \ldots + a_1 x_i + a_0 - y_i)^2$$

et que le minimum sera obtenu en cherchant les a_k tels que

$$\frac{\partial D}{\partial a_k}=0$$

d'où

$$a_n \Sigma x_i^{n+k} + a_{n-1} \Sigma x_i^{n+k-1} + \ldots + a_0 \Sigma x_i^k = \Sigma\, y_i x_i^k.$$

On obtient ainsi un système à $n+1$ équations et $n+1$ inconnues qu'il faut résoudre. En pratique, la résolution numérique de ce système donne de mauvais résultats si n est trop grand, et l'on se limite à n petit (6 ou 7 au maximum).

Pour approximer une fonction f qui est dérivable un certain nombre de fois, on préfère d'ordinaire utiliser la formule de Taylor tronquée.
En tronquant cette formule, on néglige tous les termes qui suivent le dernier pris en compte, et l'on commet donc une erreur.

En fait, cette erreur peut être réduite : en effet, dans la formule de Taylor « classique », on trouve le développement de f suivant les puissances de x. Or, l'ensemble des polynômes de degré n muni des opérations habituelles est un espace vectoriel de degré $n+1$, dont une base est $(1, x, x^2, \ldots, x^n)$.

Mais il existe d'autres bases, et il faut savoir qu'il est possible de trouver certaines bases telles que l'erreur que l'on fait lorsque l'on tronque la formule de Taylor (exprimée dans cette base) est minimale pour une norme donnée. Ainsi, il existe une base permettant de minimiser l'erreur au sens des moindres carrés, et une autre permettant de la minimiser au sens de la norme de Tchebycheff.

15

Interpolation et extrapolation

« Qui auget scientiam, auget et dolorem. »
« Celui qui accroît sa connaissance accroît sa douleur. »

L'Ecclésiaste

Nous avons, dans le chapitre précédent, étudié les moyens de trouver, à partir d'un certain nombre de points expérimentaux, la droite ou la courbe passant le plus près de l'ensemble de ces points. Cela supposait que nous savions que les points expérimentaux étaient approchés.

Attachons-nous à un problème cousin, mais cependant distinct : supposons que l'erreur sur les points expérimentaux est nulle, et qu'ils fournissent donc la valeur exacte de la fonction pour un certain nombre de valeurs; le problème est de chercher à calculer la valeur de la fonction pour une valeur autre que celles connues.

Si la fonction est une variation linéaire, les moindres carrés permettront de trouver son équation; de même si c'est une des autres fonctions par lesquelles nous cherchions dans le précédent chapitre à approximer la fonction inconnue, finalement la fonction qui approxime le mieux sera évidemment la fonction approximée.

Mais supposons maintenant que la fonction à approximer ne soit pas une fonction aussi simple. Ce que nous voulons, c'est trouver une fonction simple qui prend les mêmes valeurs en un certain nombre de points donnés que la fonction inconnue.

Prenons un exemple : avant la généralisation de la calculatrice (ça ne nous rajeunit pas), le seul moyen pratique de calculer un logarithme était l'emploi de feu la règle à calcul, qui demandait une certaine virtuosité mais sur laquelle la précision était limitée, ou de feu la table de log(arithme)s, la première de ces tables ayant été publiée par Napier, l'inventeur des logarithmes, à une époque incroyablement reculée (XVIe siècle).

Dans ces tables de logs, on trouvait des données comme :

x	Log(x)
3.00	1.0986123
3.10	1.1314021
3.20	1.1631508
3.30	1.1939225
3.40	1.2237754
3.50	1.2527630

etc.

Ces tables avaient à l'origine été calculées à la main (c'est dire que leurs auteurs témoignaient d'un enthousiasme scientifique sans doute un peu excessif), grâce à des formules genre Taylor. Evidemment, il y a des limites à l'amour de l'humanité et les auteurs en question se contentaient de calculer un point de loin en loin. Les ordinateurs apparus, on fut en mesure de publier des tables plus précises et contenant davantage de valeurs.

Cependant, quoi que l'on fasse, on est bien forcé de ne calculer qu'un nombre fini de points; et comme de juste, chaque fois que l'on avait le logarithme d'une valeur à utiliser, la valeur n'était pas dans la table.

15.1. Interpolation linéaire

Supposons que nous voulions calculer la valeur du logarithme de 3.24. On connaît les valeurs de Log(3) et de Log(4).
Dans ce cas, on considère que l'on peut approximer la courbe entre ces deux points par une droite.

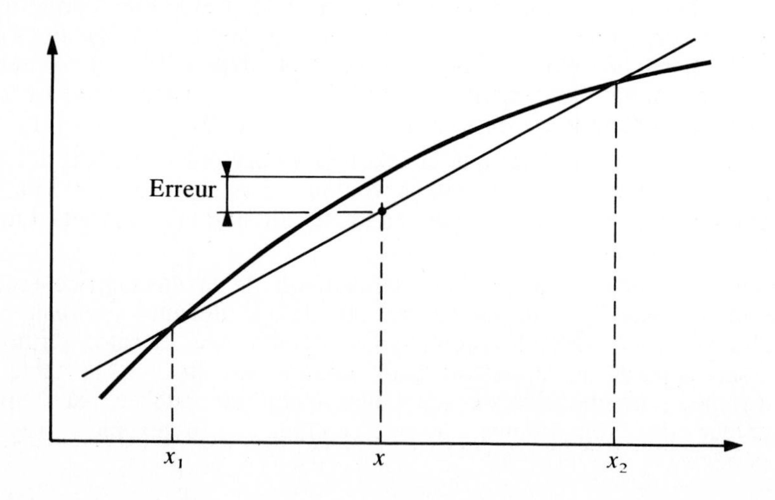

Quelle sera l'équation de la droite passant par $(x_1, f(x_1))$ et $(x_2, f(x_2))$?
Si a et b sont ses coefficients :

$$f(x_1) = ax_1 + b$$
$$f(x_2) = ax_2 + b$$

d'où

$$a = \frac{f(x_2) - f(x_1)}{x_2 - x_1} \qquad \text{(pente de la droite)}$$

$$b = \frac{x_2 f(x_1) - x_1 f(x_2)}{x_2 - x_1} \qquad \text{(ordonnée à l'origine)}$$

On peut donc écrire, pour x dans $]x_1, x_2[$ que la valeur interpolée de $f(x)$ sera

$$ax + b$$

qui peut encore s'écrire :

$$f(x_1) + (x - x_1) \frac{f(x_2) - f(x_1)}{x_2 - x_1}.$$

C'est ce qu'on appelle l'interpolation linéaire.

En appliquant cette formule pour calculer Log(3.24) à partir de Log(3) = 1.098612 et de Log(4) = 1.386294, on trouve comme valeur interpolée 1.167656, alors que la bonne valeur est 1.175573, soit une erreur d'environ 0.008, ce qui n'est pas si mal.

Cependant, ce mode d'interpolation n'est valable que si la courbe est extrêmement régulière entre les deux points que l'on connaît. Imaginez que lors d'une expérience on obtienne des points (précis) répartis de la façon suivante :

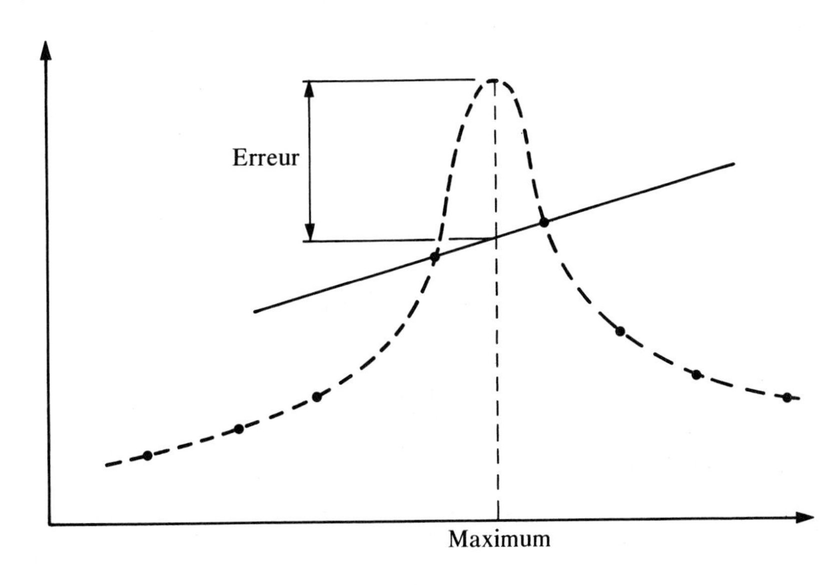

On se rend bien compte qu'il y a un maximum, et qu'on l'a manqué. Si l'on essaie d'interpoler sa valeur par interpolation linéaire, le résultat obtenu sera très inférieur à la valeur réelle.

Par conséquent, il est souvent nécessaire d'interpoler par autre chose qu'une droite.

15.2. Interpolation par spline

Par exemple, supposons que l'on connaisse aussi la valeur de la pente des tangentes en $(x_1, f(x_1))$ et $(x_2, f(x_2))$, qui est la valeur de la dérivée en ces points. Si l'on approxime la courbe entre les deux points par une courbe qui a même dérivée en ces deux points, on va grandement améliorer la précision :

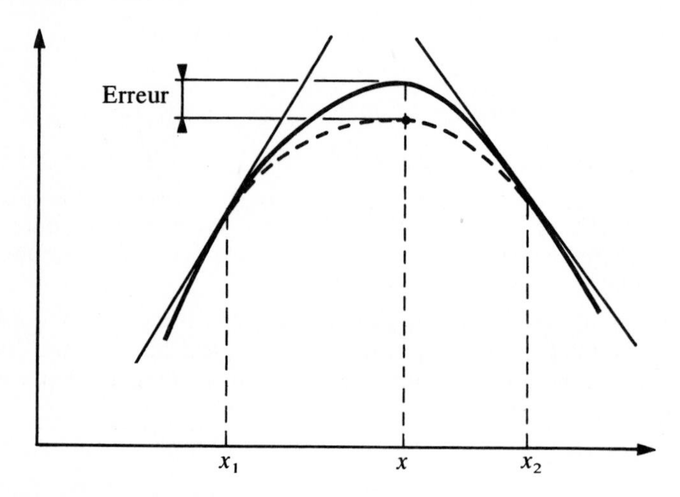

Comme toujours, lorsque la droite ne suffit pas, on se rue sur les polynômes (la droite n'étant qu'un polynôme de degré 1).
Quelles doivent être les qualités de notre polynôme, que nous baptiserons P?

— $P(x_1) = f(x_1)$
— $P(x_2) = f(x_2)$
— $P'(x_1) = f'(x_1)$
— $P'(x_2) = f'(x_2)$.

Cela nous fait un système de quatre équations, donc il faut prendre un polynôme comportant quatre coefficients (a_0, a_1, a_2, a_3) (à déterminer), et il sera donc de degré trois :

$$P(x) = a_3x^3 + a_2x^2 + a_1x + a_0.$$

Si l'on cherche de nouveau la valeur de Log(3.24), mais en tenant compte cette fois de la pente qui vaut 0.333333 au point $(3, \text{Log}(3))$ et 0.25 au point $(4, \text{Log}(4))$, on obtient, après résolution du système et calcul du polynôme pour $x=3.24$, la valeur 1.175634, soit seulement un écart de -0.000060 par rapport à la bonne valeur (1.175573).

Autrement dit, on a obtenu un résultat 100 fois plus précis qu'avec l'interpolation linéaire (mais au prix de calculs importants).

L'inconvénient est que l'on supposait la valeur de la tangente connue, et que ceci n'est pas toujours possible.

Dans les deux cas précédents, nous avons interpolé une valeur entre deux points sur lesquels on connaissait plus ou moins de choses.

Supposons maintenant que nous voulons interpoler sur un intervalle assez large, sachant que l'on connaît la valeur de la fonction en n points x_1, x_2, ..., x_n. On peut interpoler la fonction en la remplaçant par un segment de droite (correspondant à l'interpolation linéaire) entre deux points consécutifs :

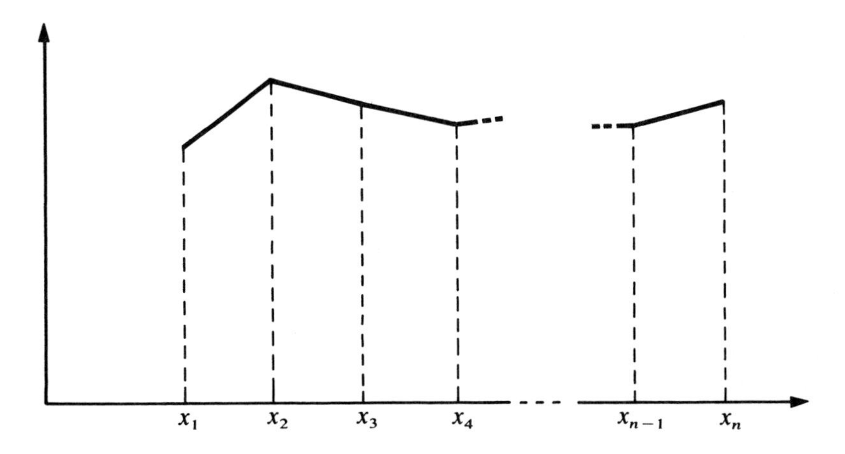

Mieux, on peut, si l'on connaît les valeurs des dérivées en chaque point, interpoler par un polynôme de degré trois entre deux points consécutifs :

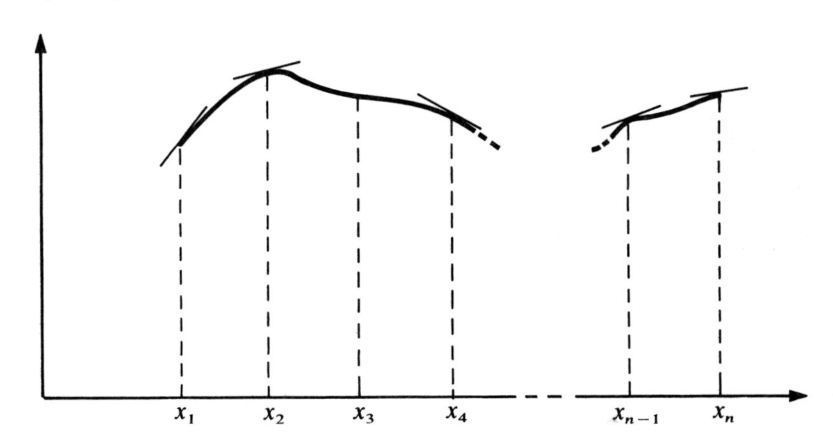

Supposons maintenant que l'on ne connaisse pas les dérivées. On peut encore se débrouiller et obtenir un plus joli résultat qu'avec l'interpolation linéaire en disant qu'il est raisonnable d'admettre que ces dérivées inconnues sont continues; comme on perd de l'information, il ne faut pas espérer interpoler par un polynôme de degré aussi élevé que précédemment. Aussi allons-nous sur chaque intervalle rechercher un polynôme de degré 2.

Appelons P_i le polynôme d'interpolation entre x_i et x_{i+1} (attention, le polynôme est toujours de degré 2 : le i correspond à un numéro, pas à son degré). Au lieu d'écrire :

— $P_i(x_i) \quad = f(x_i)$
— $P_i(x_{i+1}) = f(x_{i+1})$
— $P'_i(x_i) \quad = f'(x_i)$
— $P'_i(x_{i+1}) = f'(x_{i+1})$

on peut par exemple écrire

— $P_i(x_i) \quad = f(x_i)$
— $P_i(x_{i+1}) = f(x_{i+1})$
— $P'_i(x_i) \quad = P'_{i-1}(x_i)$
— $P'_i(x_{i+1}) = P'_{i+1}(x_{i+1})$

Pour $i \neq 1$ et $i \neq n$. Comme en fait chaque polynôme partage deux de ces quatre équations avec un polynôme voisin, on peut dire que l'on a $n-1$ équations de continuité des dérivées, et $2n$ équations provenant de la connaissance de la valeur de la fonction aux extrémités de chaque intervalle. Comme on a $3n$ coefficients à trouver, on rajoute une équation en disant par exemple que $P'_1(x_1) = 0$, ou n'importe quoi d'autre si l'on a une bonne raison d'avoir une autre opinion.

Prenons un exemple; supposons que

$f(0) = 2$
$f(1) = 1$
$f(3) = 4$

et cherchons à interpoler la valeur de $f(2)$. En fait on va interpoler entre 0 et 1 par $P_1(x) = a_1x^2 + b_1x + c_1$ et entre 1 et 3 par $P_2(x) = a_2x^2 + b_2x + c_2$.

Nos équations sont :

Valeurs connues :

$P_1(0) = f(0) \implies c_1 = 2$
$P_1(1) = f(1) \implies a_1 + b_1 + c_1 = 1$
$P_2(1) = f(1) \implies a_2 + b_2 + c_2 = 1$
$P_2(3) = f(3) \implies 9a_2 + 3b_2 + c_2 = 4$

Continuité des dérivées :

$P'_1(1) = P'_2(1) \implies 2a_1 + b_1 = 2a_2 + b_2.$

Équation arbitraire :

$P'_1(0) = 0 \implies b_1 = 0.$

Sautons les calculs intermédiaires pour aboutir à :

$$a_2 = \frac{7}{4},$$

$$b_2 = -\frac{11}{2},$$

$$c_2 = \frac{19}{4}.$$

(Il a bien évidemment aussi fallu calculer a_1, b_1 et c_1 pour en arriver là.)

D'où la valeur interpolée en 2 : $P_2(2) = \frac{3}{4}$.

Une variante plus utilisée en pratique interpole par des polynômes de degré 3 et recherche à avoir la continuité, non seulement des dérivées, mais aussi des dérivées secondes (les P_i''). On déclare arbitrairement que les dérivées secondes sont nulles en x_1 et x_n.

Ce mode d'interpolation s'appelle alors interpolation par spline cubique (et pan!).

Cette méthode donne de très bons résultats, mais elle présente un désavantage majeur :

Les calculs sont lourds car il faut calculer un polynôme de degré 3 (pour les splines cubiques) différent par intervalle.

Néanmoins, au vu des résultats, l'interpolation par un polynôme est une idée à conserver.

Reconsidérons le problème d'un autre point de vue : plutôt que d'essayer, comme dans l'interpolation linéaire ou l'interpolation par spline, d'interpoler la courbe par une droite ou un polynôme différent par intervalle, ce qui est coûteux lorsque l'on a beaucoup de points connus, ne pourrait-on pas plutôt chercher un polynôme qui passe par tous les points connus? Plus il y aura de points, plus le polynôme interpolera bien la fonction (théorème de Weierstrass).

Soit P notre polynôme d'interpolation, et x_1, x_2, ... x_n n variables pour lesquelles les valeurs $f(x_i)$ sont connues. On va déterminer P par le système d'équations :

$$P(x_i) = f(x_i).$$

Puisque l'on a n équations, on pourra déterminer n inconnues qui seront les coefficients a_0, a_1, a_2, ..., a_{n-1} de P. P sera donc un polynôme de degré $n-1$ et nous le désignerons dorénavant pour cette raison P_{n-1}.

Comment déterminer P_{n-1}? L'idée la plus immédiate est de résoudre le système d'équations linéaires donné ci-dessus. Ce n'est pas la méthode couramment utilisée car elle demande beaucoup trop de calculs : avant même de commencer à résoudre le système, il faut déjà calculer tous les x_i^k, k variant entre 1 et $n-1$ et i variant entre 1 et n. Ensuite il faut résoudre, ce qui est une opération assez titanesque en elle-même. Si l'on estime tout ceci en termes de nombre d'opérations on obtient, pour n élevé, de l'ordre de :

$$\frac{n^3}{6} \text{ opérations.}$$

Cela signifie, pour 30 points connus, environ 4 000 opérations.

Ce n'est pas fini : quand on interpole une valeur x, il faut calculer $P(x)$ chaque fois. Néanmoins, le nombre de calculs que l'on peut faire alors, même important, reste raisonnable.

15.3. Méthode de Lagrange

Nous devons donc trouver un polynôme $P_{n-1}(x)$ qui vaut $f(x_i)$ pour les $n\,x_i$ connus.

Simplifions outrageusement : cherchons un polynôme p_{n-1} qui vaut $f(x_1)$ en x_1 et 0 pour tous les autres x_i (en x quelconque, il peut prendre n'importe quelle valeur).

Trouver un polynôme qui vaut 0 en x_2, x_3, ..., x_n on sait faire : il suffit de former le produit

$$(x-x_2)(x-x_3)\ldots(x-x_n).$$

L'ennui, c'est qu'il ne vaut pas $f(x_1)$ en x_1. On peut calculer sa valeur pour x_1 :

$$(x_1-x_2)(x_1-x_3)\ldots(x_1-x_n).$$

Que fait-on alors? Comme la valeur en x_1 est une constante, il suffit de diviser par cette constante et de remultiplier par $f(x_1)$. On obtient :

$$\frac{(x-x_2)\ldots(x-x_n)}{(x_1-x_2)\ldots(x_1-x_n)}f(x_1)$$

qui a les bonnes propriétés : c'est une expression de degré $n-1$ qui vaut 0 en $x_2 \ldots x_n$ et $f(x_1)$ en x_1. On l'écrit d'ordinaire :

$$l_1(x)f(x_1)$$

et l'on appelle $l_1(x)$ un polynôme de Lagrange : sa propriété est de valoir 1 en x_1 et 0 en x_2, x_3, ..., x_n.

Ce que l'on a fait pour x_1, nous pouvons le recommencer pour tous les autres x_i; on forme ainsi n polynômes de Lagrange $l_i(x)$ dont la formule générale est :

$$l_i(x)=\prod_{\substack{j=1\\ j\neq i}}^{n}\frac{x-x_j}{x_i-x_j}.$$

(Le symbole Π représente la multiplication; tout comme

$$\sum_{i=1}^{n} x_i = x_1+x_2+x_3+\ldots+x_n$$

on définit

$$\prod_{i=1}^{n} x_i = x_1 x_2 x_3 \dots x_n \Big).$$

Formons maintenant la somme des $l_i(x)f(x_i)$:

— C'est la somme de polynômes de degré $n-1$, donc c'est un polynôme de degré $n-1$.

— Quand on calcule l'image obtenue par cette somme pour l'un des points connus x_j, comme tous les $l_i(x_j)$ valent 0 sauf $l_j(x_j)$ qui vaut 1, on obtient $f(x_j)$.

Autrement dit, nous avons tout à fait innocemment (enfin, presque) construit le polynôme P_{n-1} que nous cherchions.

Donnons sa formule générale :

$$P_{n-1}(x) = \sum_{i=1}^{n} l_i(x) f(x_i)$$
$$= \sum_{i=1}^{n} \left[\prod_{\substack{j=1 \\ j \neq i}}^{n} \frac{x - x_j}{x_i - x_j} \right] f(x_i).$$

Donnons un exemple numérique d'application de cette méthode. Nous savons que :

$f(0) = 2$
$f(1) = 1$
$f(3) = 4.$

Nous voulons interpoler $f(2)$. Comme on connaît trois points, nous allons interpoler par un polynôme de degré 2 qui vaut 2 en $x_1 = 0$, 1 en $x_2 = 1$ et 4 en $x_3 = 3$.

Calculons les l_i (2) :

$$l_1(2) = \frac{(2-1)(2-3)}{(0-1)(0-3)} = -\frac{1}{3}$$
$$l_2(2) = \frac{(2-0)(2-3)}{(1-0)(1-3)} = 1$$
$$l_3(2) = \frac{(2-0)(2-1)}{(3-0)(3-1)} = \frac{1}{3}$$

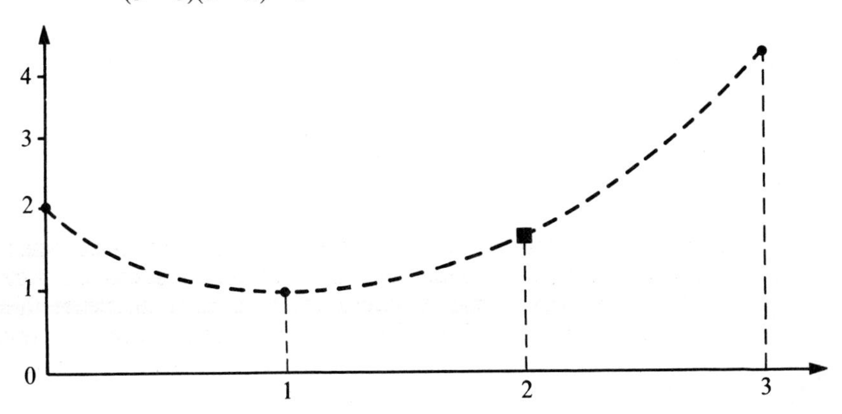

d'où

$$P(2) = l_1(2)f(0) + l_2(2)f(1) + l_3 f(3)$$
$$= \frac{1}{3}(-2+3+4)$$
$$= 1.66666\ldots$$

(sensiblement différent de ce que l'on obtenait en interpolant par deux polynômes de degré 2)

Passons à l'organigramme; nous supposons que les coordonnées $(x_i, f(x_i))$ des n points connus sont contenues dans les vecteurs XC et YC.
On cherche à interpoler la valeur Y prise en X.

♯ Méthode de Lagrange

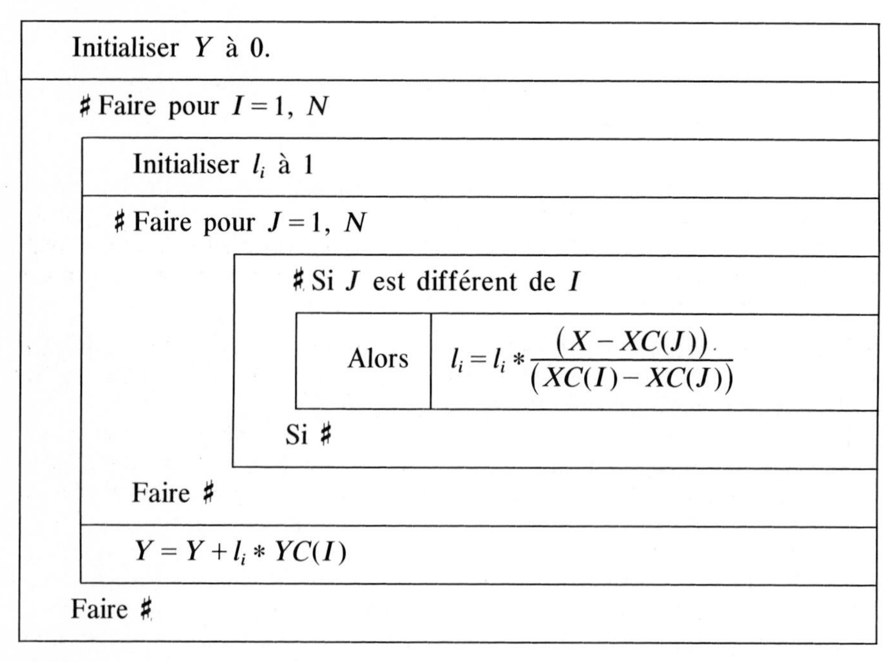

Méthode de Lagrange ♯

15.4. Méthode de Newton (toujours les mêmes!)

Il est certain que quelle que soit la méthode employée, le polynôme d'interpolation sera le même (il est en effet parfaitement déterminé); néanmoins, on peut l'obtenir de différentes façons et ces façons peuvent être plus ou moins efficaces. Ainsi, le calcul de chaque valeur interpolée par la méthode de Lagrange demandera environ $4n^2$ opérations, soit notablement moins que la résolution du système si l'on a peu de points à interpoler.

La méthode de Newton consiste à déterminer $P_{n-1}(x)$ d'une autre manière encore. On veut en effet :

$$P_{n-1}(x_1)=f(x_1)$$

ce que l'on peut encore écrire

$$Q_{n-1}(x_1)=P_{n-1}(x_1)-f(x_1)=0$$

si

$$Q_{n-1}(x) = P_{n-1}(x)-f(x_1).$$

Autrement dit, x_1 est racine de $Q_{n-1}(x)$, que nous pouvons mettre sous la forme

$$Q_{n-1}(x)=(x-x_1)R_{n-2}(x)$$

où $R_{n-2}(x)$ est un polynôme de degré $n-2$; soit, en réintégrant tout dans la même équation :

$$P_{n-1}(x)=f(x_1)+(x-x_1)R_{n-2}(x)$$

mais on a aussi $P_{n-1}(x_i)=f(x_i)$ pour tous les autres points. Par conséquent :

$$R_{n-2}(x_i)=\frac{f(x_i)-f(x_1)}{x_i-x_1}.$$

Si nous voulons déterminer $P_{n-1}(x)$, polynôme de degré $n-1$ qui prend en n points x_1, x_2, ..., x_n des valeurs données, nous devons donc d'abord déterminer $R_{n-2}(x)$, polynôme de degré $n-2$ qui prend en $n-1$ points x_2, ..., x_n des valeurs également fixées.

Si l'on connaissait la valeur que prend $R_{n-2}(x)$ au point à interpoler, on n'aurait aucun mal à calculer la valeur prise par $P_{n-1}(x)$ en ce même point. Seulement, voilà, on ne connaît pas $R_{n-2}(x)$!

Il faut donc recommencer, en remarquant tout de même, petite lueur d'espoir, que chaque fois on fait baisser d'un le degré du polynôme recherché. Lorsque ce degré vaudra 0, le polynôme $Z_0(x)$ recherché sera une constante qui prend une valeur donnée au point x_n; mais, si c'est une constante, cette valeur sera aussi celle qu'il prendra au point à interpoler, quel qu'il soit. On pourra donc calculer la valeur prise par le polynôme de degré 1 qui précédait le polynôme de degré 0; d'où la valeur prise par le polynôme de degré 2... d'où la valeur prise par le polynôme de degré $n-1$! Ouf, on a bien cru qu'on n'y arriverait pas.

Voyons pratiquement comment se passent les choses, en reprenant le même exemple qu'avec la méthode de Lagrange; soit, on connaît :

$$f(0)=2$$
$$f(1)=1$$
$$f(3)=4$$

et l'on cherche à interpoler $f(2)$.

Le polynôme que l'on cherche sera $P_2(x)$. Si l'on forme

$$Q_2(x)=P_2(x)-f(0)=P_2(x)-2$$

on a $Q_2(0)=0$, donc $Q_2(x)=xR_1(x)$.

Si l'on écrit $P_2(x)$:

$$P_2(x)=2+xR_1(x).$$

On a donc

$P_2(1)=2+R_1(1) \ \ =1 \implies R_1(1)=-1$
$P_2(3)=2+3R_1(3)=4 \implies R_1(3)=0.6666...$

Formons $S_1(x)=R_1(x)-R_1(1)=R_1(x)+1$
$S_1(1)=0$ donc :

$S_1(x)=(x-1)T_0(x)$, et par conséquent
$R_1(x)=-1+(x-1)T_0(x)$.

Comme $R_1(3)=0.6666...=-1+2T_0(3)$ on a
$T_0(3)=0.83333...$

Inscrivons tous ces résultats dans un tableau :

x_i	$P_2(x_i)$	$R_1(x_i)$	$T_0(x_i)$
0	2		
1	1	−1	
3	4	0.666...	0.833...

Les différentes opérations effectuées sur les polynômes sont en fait des divisions euclidiennes successives de polynômes (division par $(x-x_i)$ chaque fois) et les valeurs du tableau sont les restes de ces divisions.

Maintenant que ces restes sont calculés, nous pouvons interpoler la valeur de $f(2)$.

Tout d'abord, $T_0(2)=0.8333...$
donc $R_1(2)=-1+(2-1)\,T_0(2)=-0.16666...$
donc $P_2(2)=2+2R_1(2)=1.66666...$

On retrouve bien sûr le résultat obtenu par la méthode de Lagrange.

Si l'on considère l'organigramme de cette méthode, il va être très différent de celui de la méthode de Lagrange : en effet, alors que dans la méthode de Lagrange on construit les polynômes de Lagrange pour chaque valeur à interpoler, ici le calcul des différents restes est fait une fois pour toute, qu'il y ait une ou cent valeurs à interpoler. C'est donc un organigramme en deux parties distinctes : calcul des restes et interpolation, correspondant à deux sous-programmes distincts et appelés séparément, l'un calculant les restes utilisés par l'autre.

Ces restes seront rangés dans une matrice carrée à N lignes et N colonnes (N étant le nombre de points connus), qui ne sera remplie qu'à moitié (voir le tableau ci-dessus). Les coordonnées des points connus sont dans les tableaux XC et YC, Y est la valeur interpolée pour X.

♯ Calcul des restes

♯ Faire pour $I=1,\ N$

RESTE(I, 1) = $YC(I)$

Faire ♯

```
♯ Faire pour J = 2, N
    ♯ Faire pour I = J, N
        RESTE(I,J) = (RESTE(I,J-1) - RESTE(J-1,J-1)) / (XC(I) - XC(J-1))
    Faire ♯
Faire ♯
```

Calcul des restes ♯

♯ Interpolation

```
Y = RESTE(N, N)
♯ Faire pour I = N-1, 1, -1
    Y = Y*(X - XC(I)) + RESTE(I, I)
Faire ♯
```

Interpolation ♯

Comparons maintenant les méthodes de Lagrange et de Newton :

	Lagrange	Newton
1er point		
Additions	n^2+3n+1	n^2+3n
* et /	$2n(n+1)$	$n(n+3)/2$
Points suiv.		
Additions	Comme pour	$2n$
* et /	le premier	n

Conclusion : la méthode à utiliser en pratique est évidemment la méthode de Newton. La méthode de Lagrange a un intérêt essentiellement théorique, d'une part à cause des polynômes de Lagrange que nous aurons l'occasion de revoir dans le chapitre suivant, et d'autre part parce qu'elle permet de donner une expression d'un majorant de l'erreur commise (expression faisant intervenir la dérivé n[ième] de f en un point mal défini, et par conséquent de peu d'intérêt pour nous).

On trouve souvent la méthode de Newton appelée méthode des différences divisées, pour des raisons qu'il est inutile d'expliquer.

15.5. Approche critique des méthodes d'interpolation

La méthode de Newton permet, avec un nombre de calculs décent, d'interpoler des valeurs, n valeurs étant déjà connues. Il faut néanmoins avoir conscience qu'elle donne parfois des résultats horriblement mauvais. Par exemple, si la courbe en traits pleins est celle dont on a extrait les points d'où l'on calcule, le polynôme d'interpolation va avoir l'allure suivante :

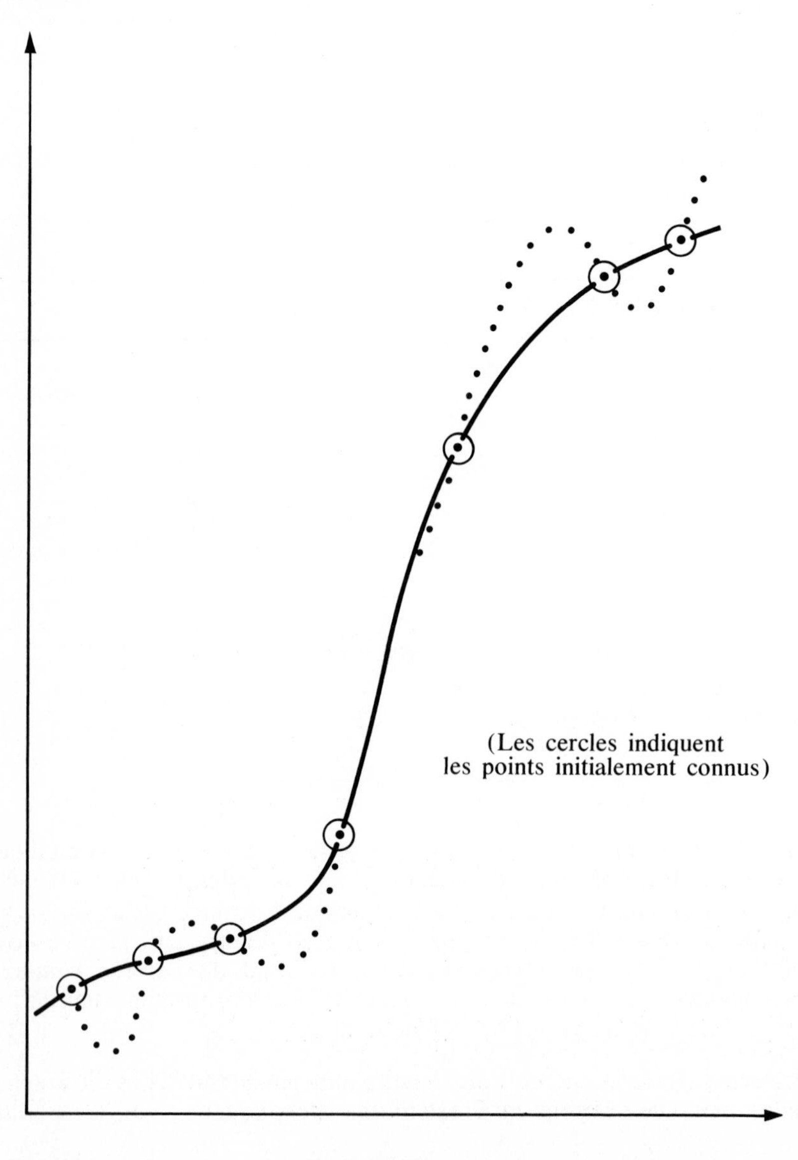

Les oscillations sont sévères; en revanche, pour une courbe du style $e^{-x} \cos x$ par exemple, les résultats sont bons :

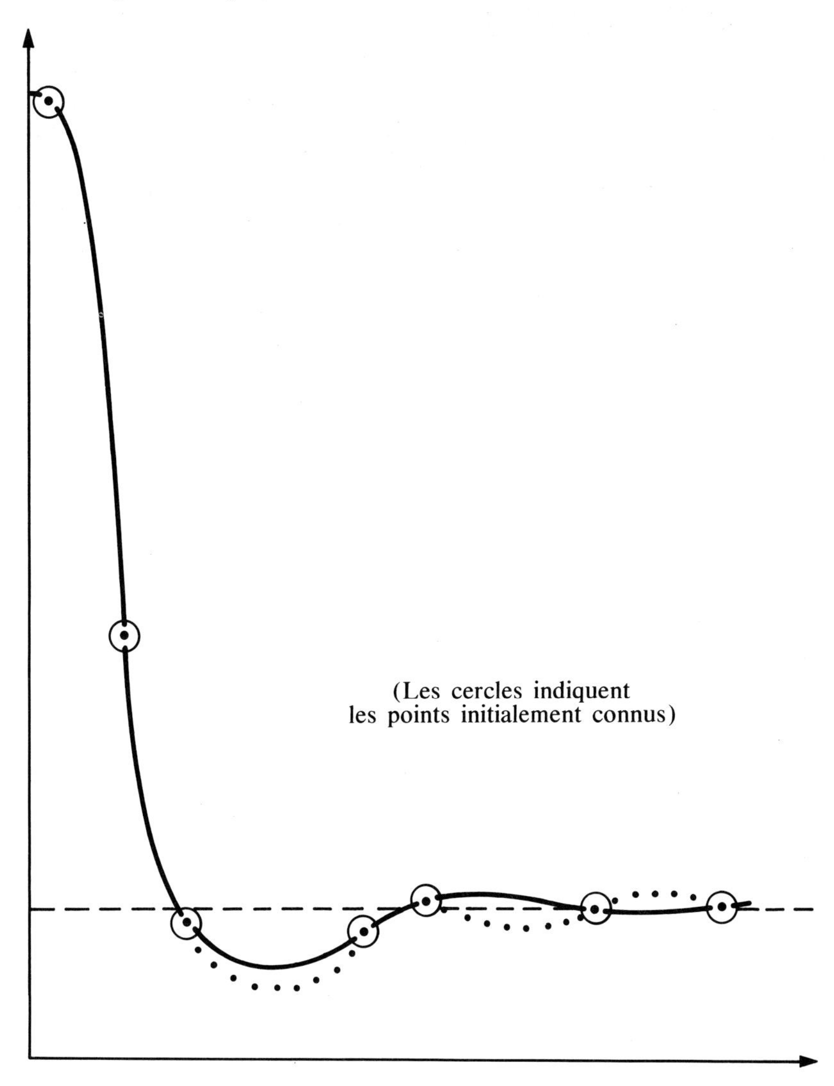

En fait, certaines courbes s'interpolent assez mal : il se produit ce que l'on nomme pudiquement des effets de bord, c'est-à-dire que si la valeur à interpoler se trouve à peu près au milieu de $[x_1, x_n]$ le résultat sera excellent; si elle se rapproche des bornes de l'intervalle on peut avoir des surprises.

La pratique montre toutefois que plus le degré du polynôme d'interpolation est élevé, moins on a d'effets de bord.

Les splines ont un effet de bord négligeable; mais comme il l'a été déjà signalé, leur inconvénient réside dans l'importance des calculs à faire.

15.6. Extrapolation

Interpoler consiste à déduire la valeur de $f(x)$, connaissant les valeurs de $f(a)$ et $f(b)$, a et b encadrant x. Extrapoler consiste à faire la même chose, mais lorsque l'on ne connaît les valeurs de f que pour des valeurs toutes plus petites ou plus grandes que x. Il n'y a pas de méthode particulière d'extrapolation, on utilise les mêmes que pour l'interpolation. Evidemment, les risques d'effets de bord deviennent considérables, et il faut avoir une bonne dose d'inconscience pour chercher à extrapoler « loin » de la dernière valeur connue.

16

Le calcul d'intégrales

« The worst is ever nearest truth »
« Le pire est toujours le plus proche de la vérité »

Byron, *Lara*

On introduit d'habitude les intégrales en mathématiques par les sommes de Darboux ou les sommes de Riemann. Cela consiste à prendre une « bonne » fonction (en ce qui nous concerne, nous la choisirons continue sur $[a, b]$), à choisir un certain nombre de points (disons $n-1$) dans cet intervalle, à rebaptiser pour plus de commodité $a\,x_0$ et $b\,x_n$, et à considérer les sommes :

$$A_n = \sum_{k=0}^{n-1} M_k(x_{k+1} - x_k)$$

et

$$a_n = \sum_{k=0}^{n-1} m_k(x_{k+1} - x_k)$$

où M_k et m_k représentent respectivement le maximum et le minimum de f sur $[x_k, x_{k+1}]$.

Darboux a montré que lorsque n, et donc le nombre de points choisis dans $[a, b]$, tendait vers l'infini les deux sommes A_n et a_n tendaient vers une même limite I que l'on appelle intégrale de f sur $[a, b]$ et que l'on note :

$$I = \int_a^b f(x)\,\mathrm{d}x.$$

En fait, Riemann a montré que toute somme de la forme :

$$\sum_{k=0}^{n-1} f(\alpha_k)(x_{k+1} - x_k)$$

où α_k est un point quelconque de $[x_k, x_{k+1}]$ tendait vers cette limite I quand n tendait vers l'infini.

L'idée la plus simple en informatique pour calculer une intégrale est d'utiliser une somme de ce genre : c'est ce que l'on nomme la méthode des rectangles.

16.1. Méthode des rectangles

Lorsque l'on a à calculer la valeur d'une intùgrale sur un intervalle $[a, b]$, on commence par subdiviser l'intervalle en sous-intervalles $[x_k, x_{k+1}]$. Décidons arbitrairement dans un premier temps que tous ces intervalles auront la même longueur h; h est appelé le pas d'intégration. Si l'on veut n sous-intervalles :

$$a + nh = b$$

d'où

$$h = \frac{a-b}{n}.$$

On pourra ainsi exprimer x_k sous la forme :

$$x_k = a + kh.$$

Comme il est numériquement difficile de déterminer le maximum et le minimum de f sur $[x_k, x_{k+1}]$, on utilise le résultat de Riemann pour prendre la valeur de f n'importe où, par exemple en x_k. Une approximation de l'intégrale sera donc pour nous :

$$R_h = \sum_{k=0}^{n-1} f(x_k)(x_{k+1} - x_k)$$

(R comme rectangle)
ce qui correspond à peu près au dessin ci-dessous :

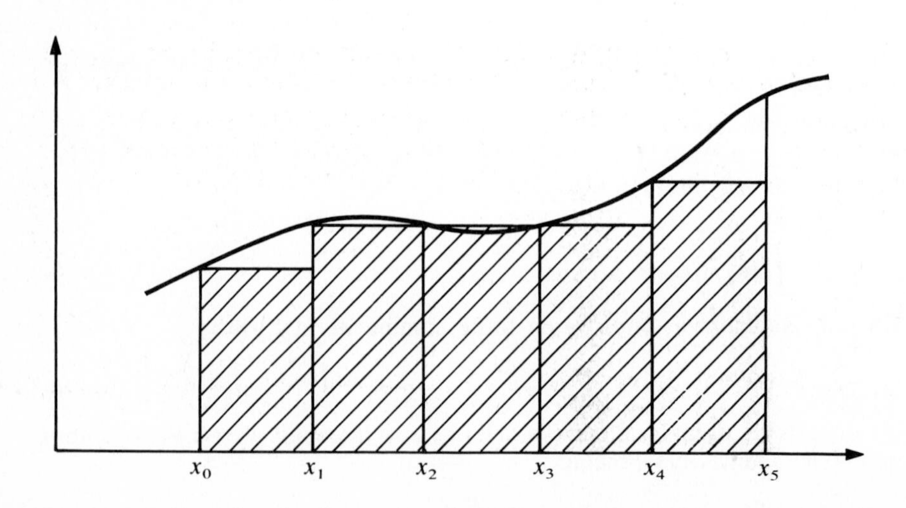

Évidemment, sur le plan de la précision ça n'est pas extraordinaire. Cela aurait-il été mieux en calculant f en un autre point que x_k? Par exemple (quelle imagination!) x_{k+1}?

Dessinons ce que cela donne, et comparons au résultat précédent :

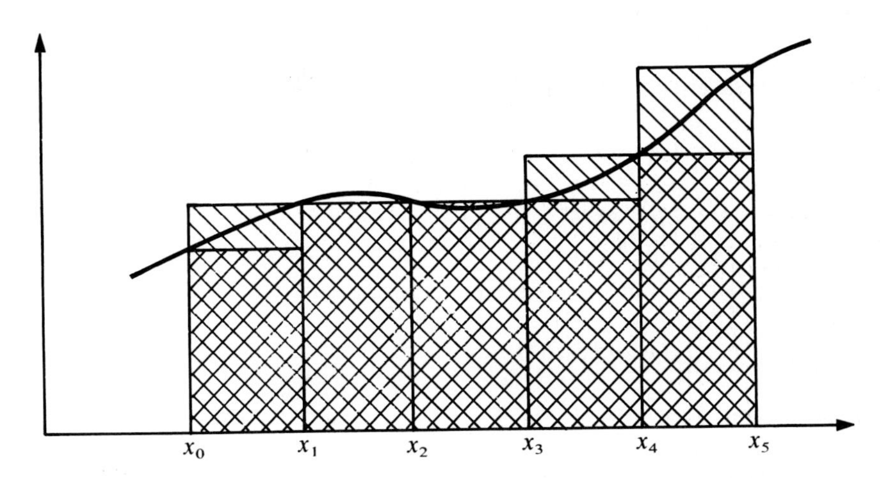

Ça n'est pas mieux, et le choix de $(x_{k+1} - x_k)/2$ n'apporte pas une amélioration foudroyante en général. Mais, voyez-vous comme c'est curieux, il se trouve que dans la plupart des cas la véritable valeur de l'intégrale se trouve entre

$$\sum_{k=0}^{n-1} f(x_k)(x_{k+1} - x_k)$$

et

$$\sum_{k=0}^{n-1} f(x_{k+1})(x_{k+1} - x_k)$$

et à peu près à mi-chemin des deux; prendre une valeur intermédiaire semblerait donc une meilleure approximation. Ce résultat un peu (n'ayons pas peur des mots : abominablement) intuitif peut en fait se démontrer rigoureusement, en cherchant à estimer l'erreur commise par la méthode.

Désignons par r_k^n l'approximation par un rectangle sur $[x_k, x_{k+1}]$ avec n intervalles, et r_k^{2n} celle avec $2n$ intervalles; évidemment, r_k^{2n} fournira un meilleur résultat que r_k^n; de combien sera-t-il meilleur?

$$r_k^{2n} - r_k^n = \frac{h}{2}\left[f(x_k) + f\left(x_k + \frac{h}{2}\right)\right] - hf(x_k)$$

$$= \frac{h}{2}\left[f\left(x_k + \frac{h}{2}\right) - f(x_k)\right].$$

On peut utiliser la formule de Taylor et écrire que :

$$f\left(x_k + \frac{h}{2}\right) = f(x_k) + \frac{h}{2} f'(x_k) + o(h)$$

donc, en reportant cette expression dans la formule précédente :

$$r_k^{2n} - r_k^n = \frac{h}{2}\left[f(x_k) + \frac{h}{2} f'(x_k) + o(h) - f(x_k)\right]$$
$$= \frac{h^2}{4} f'(x_k) + o(h^2)$$

mais r_k^{4n} sera encore meilleur que r_k^{2n}. De combien?

$$r_k^{4n} - r_k^{2n} = \frac{h}{4}\left(f(x_k) + f\left(x_k + \frac{h}{4}\right) + f\left(x_k + \frac{h}{2}\right) + f\left(x_k + \frac{3h}{4}\right)\right)$$
$$- \frac{h}{2}\left(f(x_k) + f\left(x_k + \frac{h}{2}\right)\right)$$

en développant comme précédemment on obtient

$$= \frac{h^2}{8} f'(x_k) + o(h^2).$$

On peut donc écrire :

$$r_k^{2n} = r_k^n + \frac{h^2}{4} f'(x_k) + o(h^2)$$
$$r_k^{4n} = r_k^{2n} + \frac{h^2}{8} f'(x_k) + o(h^2)$$
$$= r_k^n + \frac{h^2}{4}\left(1 + \frac{1}{2}\right) f'(x_k) + o(h^2).$$

Il est facile de montrer que

$$r_k^{2^p n} = r_k^n + \frac{h^2}{4}\left(1 + \frac{1}{2} + \frac{1}{4} + \ldots + \frac{1}{2^p}\right) f'(x_k) + o(h^2).$$

Ce qui est intéressant, c'est que d'après ce bon vieux Riemann, lorsque p tend vers l'infini, cette expression tend vers i_k, l'intégrale *exacte* de f sur l'intervalle considéré. Or on sait (c'est la somme d'une suite géométrique) que

$$1 + \frac{1}{2} + \frac{1}{4} + \ldots + \frac{1}{2^p} = 2\left(1 - \frac{1}{2^{p+1}}\right)$$

et tend vers 2 quand p tend vers l'infini; on a donc :

$$i_k = r_k^n + \frac{h^2}{2} f'(x_k) + o(h^2)$$

On voit que l'erreur commise avec r_k^n est donc $\frac{h^2}{2} f'(x_k) + o(h^2)$. Elle est nulle si toutes les dérivées sont nulles, et donc la formule est exacte quel que soit n si $f = C^{te}$.

L'expression de i_k conduit à la méthode des trapèzes.

16.2. Méthode des trapèzes

Ce qui serait intéressant, c'est d'obtenir la valeur de $f'(x_k)$. Nous n'avons aucune raison de la connaître, mais nous pouvons l'approximer par

$\frac{f(x_{k+1})-f(x_k)}{h}$, par définition de la dérivée.

Donc il est tout à fait raisonnable d'écrire

$$
\begin{aligned}
i_k &= r_k^n + \frac{h^2}{2}\left[\frac{f(x_{k+1})-f(x_k)}{h}\right] + o(h) \\
&= r_k^n + \frac{h}{2}\left[f(x_{k+1})-f(x_k)\right] + o(h) \\
&= hf(x_k) + \frac{h}{2}\left[f(x_{k+1})-f(x_k)\right] + o(h) \\
&= \frac{h}{2}\left(f(x_{k+1})+f(x_k)\right) + o(h)
\end{aligned}
$$

voilà que surgit la moyenne entre les deux formules des rectangles que nous suggérions précédemment, puisque d'après le choix des points $x_{k+1} - x_k = h$...

On va donc prendre comme approximation

$$
\begin{aligned}
T_n &= \frac{1}{2}\sum_{k=0}^{n-1} (x_{k+1}-x_k)\left(f(x_k)+f(x_{k+1})\right) \\
&= \frac{1}{2}\sum_{k=0}^{n-1} h\left(f(x_k)+f(x_{k+1})\right) \\
&= \frac{h}{2}\sum_{k=0}^{n-1} \left(f(x_k)+f(x_{k+1})\right).
\end{aligned}
$$

Cette méthode tire son nom du fait que l'aire calculée pour chaque intervalle correspond à celle d'un trapèze.

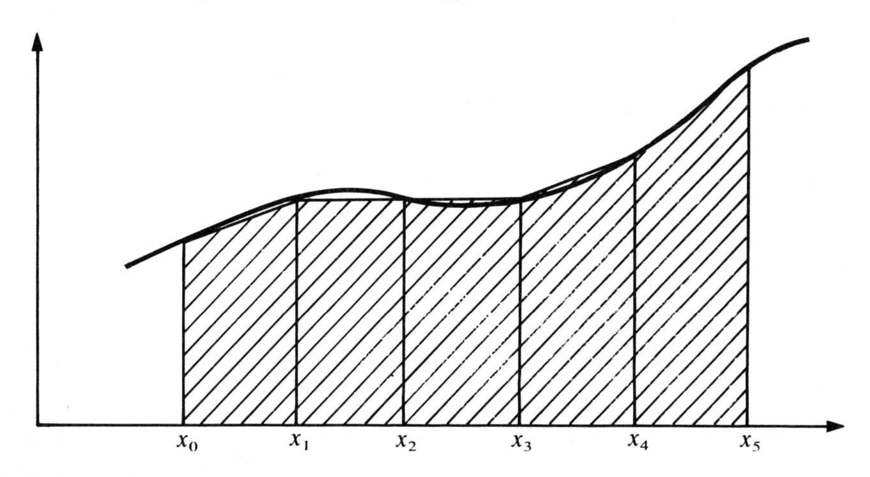

Notons que

$$T_n = \frac{h}{2} \sum_{k=0}^{n-1} \left(f(x_k) + f(x_{k+1})\right)$$

peut aussi s'écrire

$$T_n = \frac{h}{2}\left[f(x_0) + 2 \sum_{k=1}^{n-1} f(x_k) + f(x_n)\right].$$

L'algorithme de cette méthode est naturellement très simple :

Méthode des trapèzes

Lire les bornes A et B de l'intervalle d'intégration Lire le nombre d'intervalles N
Calculer $H = (B - A) / N$
Initialiser SOMME à $(F(A) + F(B)) / 2$ Initialiser X à A
Faire pour $I = 1, N - 1$
$X = X + H$ SOMME = SOMME + $F(X)$
Faire #
SOMME = SOMME * H

Méthode des trapèzes #

Essayons d'interpréter un peu ces deux méthodes (les rectangles et les trapèzes), ce qui nous permettra de les juger.

En fait, sans le dire, qu'a-t-on fait? On a approximé la fonction que l'on ne savait pas intégrer sur chaque intervalle par une fonction que l'on savait bien intégrer : lorsque l'on utilise la méthode des rectangles, on approxime $f(x)$ par $f(x_k)$ pour tout x de l'intervalle; on fait donc comme si sur l'intervalle la fonction était constante, ou en d'autres termes on l'approxime par un polynôme de degré 0.

De même, lorsque l'on utilise la méthode des trapèzes, on approxime la fonction sur chaque intervalle par un segment de droite, soit un polynôme de degré 1; si f est elle-même un polynôme de degré 1 ou 0, le résultat sera exact. Sinon il sera approché.

Puisque cela nous a bien réussi avec les rectangles, essayons d'estimer l'erreur commise avec la méthode des trapèzes, en calculant de combien on améliore la précision entre le calcul avec un trapèze (appelons son résultat t_k^n) et le calcul avec deux trapèzes, correspondant à deux fois plus d'intervalles en pratique (appelons le donc t_k^{2n}) :

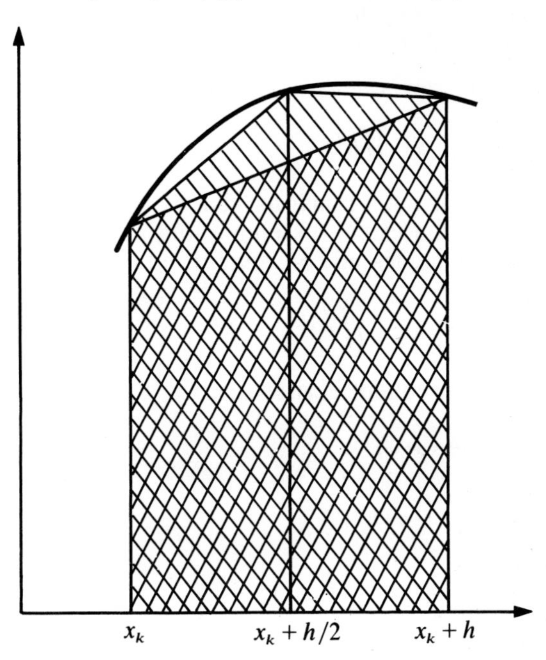

On a $t_k^n = \frac{h}{2}\left[f(x_k) + f(x_k + h)\right]$.

On peut développer $f(x_k + h)$ suivant la formule de Taylor, pour obtenir :

$$t_k^n = \frac{h}{2}\left[2f(x_k) + hf'(x_k) + \frac{h^2}{2} f''(x_k) + o\,(h^2)\right]$$

que nous noterons, avec l'esprit de synthèse qui nous caractérise,

$t_k^n(x_k, h)$.

Pour calculer t_k^{2n} on utilise la même formule que la formule initiale de t_k^n deux fois, avec un pas de $\frac{h}{2}$ au lieu de h, et entre x_k et $x_k + \frac{h}{2}$ d'abord, puis entre $x_k + \frac{h}{2}$ et $x_k + h$ ensuite :

$$t_k^{2n} = \frac{h}{4}\left[f(x_k) + f\left(x_k + \frac{h}{2}\right)\right] + \frac{h}{4}\left[f\left(x_k + \frac{h}{2}\right) + f(x_k + h)\right]$$

ce qui donne, en factorisant :

$$t_k^{2n} = \frac{h}{4}\left[f(x_k) + 2f\left(x_k + \frac{h}{2}\right) + f(x_k + h)\right].$$

Les développements de Taylor s'imposent encore une fois, et, après un calcul similaire à celui mené pour t_k^n bien qu'un peu plus compliqué (en vérité je vous le dis, heureux ceux qui sentiront le besoin de refaire le calcul pour croire) on aboutit à

$$t_k^{2n} = t_k^n\left(x_k, \frac{h}{2}\right) + t_k^n\left(x_k + \frac{h}{2}, \frac{h}{2}\right).$$

D'où il saute aux yeux après deux lignes de calcul que nous escamoterons que

$$t_k^{2n} - t_k^n = -\frac{h^3}{16} f''(x_k) + o\,(h^3).$$

Comme précédemment, nous pouvons voir maintenant à quoi ressemble la différence $t_k^{4n} - t_k^{2n}$. Le calcul ressemble tout à fait, en plus compliqué, à celui fait sur les rectangles et l'on obtient, au bout d'une demi-page de calculs fiévreux :

$$t_k^{4n} - t_k^{2n} = -\frac{h^3}{64} f''(x_k) + o\,(h^3).$$

Nous pouvons par conséquent écrire

$$t_k^{2n} = t_k^n - \frac{h^3}{16} f''(x_k) + o\,(h^3).$$

$$t_k^{4n} = t_k^{2n} - \frac{h^3}{64} f''(x_k) + o\,(h^3).$$

$$= t_k^n - \frac{h^3}{16}\left(1 + \frac{1}{4}\right) f''(x_k) + o\,(h^3).$$

Cette formule permet, comme avec les rectangles, de déterminer une expression générale de :

$t_k^{2^p n}$ en fonction de t_k^n

d'où l'on déduit l'expression exacte de i_k, qui est la surface *exacte* de l'intégrale de f sur l'intervalle $[x_k,\ x_k + h]$, en faisant tendre p vers l'infini. On obtient :

$$i_k = t_k^n - \frac{h^3}{16}\frac{4}{3} f''(x_k) + o\,(h^3)$$

$$= t_k^n - \frac{h^3}{12} f''(x_k) + o\,(h^3).$$

Ce qui suit le t_k^n dans cette expression représente donc l'erreur commise sur l'intervalle $[x_k,\ x_k + h]$ par la méthode des trapèzes. Si les dérivées de f d'ordre supérieur ou égal à 2 sont nulles, la formule est exacte (puisque ce sont elles que l'on néglige).

$$f''(x) = o \implies f'(x) = C^{te} = a.$$

$$\implies f(x) = ax + b.$$

Le lecteur dont les calculs précédents n'auront pas anéanti les facultés intellectuelles dira alors : « Nous avons une expression de l'erreur commise, mais que nous donne-t-elle si nous ignorons la valeur de $f''(x_k)$? ». En fait, nous allons faire la même chose que ce qui nous a permis de passer des rectangles aux trapèzes : nous allons essayer d'exprimer $f''(x_k)$, ce qui va nous conduire à la méthode de Simpson, de sinistre mémoire.

16.3. Méthode de Simpson

Si nous négligeons les termes $o(h^3)$, nous pouvons en effet écrire deux formules :

d'une part $\quad i_k \simeq s_k^n = t_k^n - \frac{h^3}{12} f''(x_k)$

et d'autre part $\quad t_k^{2n} \simeq t_k^n - \frac{h^3}{16} f''(x_k)$

et nous pouvons alors éliminer le $f''(x_k)$ inconnu entre ces deux équations :

$$f''(x_k) \simeq \frac{12}{h^3}(t_k^n - s_k^n)$$

d'où l'on obtient par trituration primaire

$$s_k^n \simeq \frac{4}{3} t_k^{2n} - \frac{1}{3} t_k^n.$$

C'est le moment idéal pour se rappeler que parmi les invraisemblables quantités de calculs antérieures, on trouve les expressions de t_k^{2n} et de t_k^n et en reportant ces valeurs on obtient finalement pour expression de s_k^n :

$$s_k^n \simeq \frac{h}{6}\left[f(x_k) + 4f\left(x_k + \frac{h}{2}\right) + f(x_k + h)\right].$$

C'est cette formule qui est connue dans les milieux mathématiques sous le nom de formule de Simpson.

Or, si l'on considère l'intégrale sur $[a, b]$:

$$I = \sum_{k=0}^{n-1} i_k.$$

Nous pouvons approximer cette expression par

$$\begin{aligned} S_n &= \sum_{k=0}^{n-1} s_k^n \\ &= \frac{h}{6} \sum_{k=0}^{n-1} \left[f(x_k) + 4f\left(x_k + \frac{h}{2}\right) + f(x_{k+1})\right] \\ &= \frac{h}{6}\left[\sum_{k=0}^{n-1}\left(f(x_k) + 4f\left(x_k + \frac{h}{2}\right)\right) + \sum_{k=0}^{n-1} f(x_{k+1})\right]. \end{aligned}$$

Soit, après un habile changement d'indice sur la deuxième somme :

$$S_n = \frac{h}{6}\left[f(x_0) + 4f\left(x_0 + \frac{h}{2}\right) + \sum_{k=1}^{n-1}\left(2f(x_k) + 4f\left(x_k + \frac{h}{2}\right)\right) + f(x_n)\right].$$

En remplaçant $\frac{h}{2}$ par h', x_0 par a, x_n par b et x_k par $a + 2kh'$ on obtient la formule, dite formule de Simpson composite :

$$S_n = \frac{h'}{3}\left[f(a) + 4f(a + h') + 2f(a + 2h') + 4f(a + 3h') + \ldots + 2f(b - 2h') + 4f(b - h') + f(b)\right].$$

Une remarque importante sur le nombre d'intervalles : depuis le début nous avons considéré que nous avions n intervalles mais que nous pouvions calculer la valeur de f pour le milieu de l'intervalle. Cela signifie qu'en fait nous avons utilisé sans le dire non pas $n+1$ valeurs dans $[a, b]$ comme avec les trapèzes, mais $2n+1$; en réfléchissant assez fort on se rend par ailleurs compte qu'avec les rectangles, n intervalles correspondent à n valeurs utilisées.

Si nous voulons comparer les résultats respectifs des méthodes, nous devons donc pour être honnêtes utiliser le même nombre de points dans $[a, b]$ pour chaque et comparer par exemple S_n à T_{2n}. Beaucoup d'auteurs expriment la même chose autrement en considérant que la formule donnée ci-dessus est S_{2n} et non S_n, ou encore en disant que l'on ne peut appliquer la formule de Simpson que pour un nombre pair d'intervalles.

Passons maintenant à une estimation de l'erreur commise. En appliquant le même procédé que pour les rectangles ou les trapèzes, moyennant un calcul bestial que nous ne développerons pas pour des raisons humanitaires, nous arrivons (sauf erreur), à :

$$s_k^{2n} - s_k^n = -\frac{1}{3\,072}\, h^5 f^{(4)}(x_k) + o(h^5)$$

puis à

$$i_k = s_k^n + \mathrm{C^{te}} \times h^5 f^{(4)}(x_k) + o(h^5).$$

Lorsque l'on approxime I par S_n, on néglige donc les dérivées d'ordre supérieur ou égal à 4. *La formule de Simpson donne donc un résultat exact, quel que soit n, pour un polynôme de degré inférieur ou égal à 3 pour lequel ces dérivées sont nulles.*

Ceci est un résultat fondamental, pour la raison suivante :

Nous pouvons utiliser comme « mesure » de la précision d'une méthode, le degré du polynôme de degré le plus élevé pour lequel la méthode donne le résultat exact (dans les deux cas précédents il correspond au degré du polynôme par lequel on approxime la fonction). En effet, d'après le théorème de Weierstrass mentionné dans le chapitre sur les approximations on peut approcher n'importe quelle fonction d'aussi près que l'on veut sur un intervalle par un polynôme de degré suffisamment élevé; donc plus ce degré sera grand, moins on fera d'erreur sur une fonction quelconque.

Rectangles : pas d'erreur pour le degré 0, approché au-delà,
Trapèzes : pas d'erreur jusqu'au degré 1, approché au-delà,
Simpson : pas d'erreur jusqu'au degré 3, approché au-delà.

Avant de continuer à divaguer sur les méthodes numériques d'intégration, donnons l'organigramme de la méthode de Simpson.

La formule à programmer est :

$$S = \frac{h}{3}\left[f(a) + 4 \sum_{\substack{k=1 \\ k \text{ impair}}}^{n-1} f(a+kh) + 2 \sum_{\substack{k=2 \\ k \text{ pair}}}^{n-1} f(a+kh) + f(b)\right].$$

Nous allons donc devoir utiliser deux variables intermédiaires Spair et Simpair pour calculer les deux sommes des $f(a+kh)$, et boucler avec un pas de 2 (on se croirait à l'Opéra); plutôt que de faire deux boucles (une pour Spair, l'autre pour Simpair), on peut faire tous les calculs dans la même en calculant successivement $f(x)$ et $f(x+h)$.

Dans l'organigramme suivant se pose de nouveau le problème de savoir si l'on considère que l'on a n intervalles mais que l'on calcule la valeur de f au milieu de chaque intervalle (convention appliquée précédemment) ou si l'on considère simplement que le nombre d'intervalles est le nombre de points dont on calcule la valeur -1 (convention la plus courante, mais qui exige que n soit pair; il correspond au double du n de l'autre convention). Par raison de cohérence nous conserverons les conventions antérieures. Il ne faut donc pas perdre de vue que l'on calcule donc f en $2n+1$ points (extrémités de l'intervalle total d'intégration comprises).

♯ Méthode de Simpson

Lire les bornes A et B de l'intervalle d'intégration Lire le nombre d'intervalles N
Calculer $H = (B - A)/N/2$
Initialiser SPAIR à 0 et SIMPAIR à $F(A + H)$
♯ Faire pour $I = 2, 2 * N - 2, 2$
$X = A + I * H$ SPAIR = SPAIR + $F(X)$ SIMPAIR = SIMPAIR + $F(X + H)$
Faire ♯
$S = \big(F(A) + F(B) + 4 * \text{SIMPAIR} + 2 * \text{SPAIR}\big) * H/3$

Méthode de Simpson ♯

16.4. Méthodes de quadrature

Si la méthode des trapèzes nous faisait gagner un degré par rapport à la méthode des rectangles sur le degré maximum des polynômes pour lesquels on obtient un résultat exact, la méthode de Simpson nous fait gagner deux degrés sur la méthode des trapèzes.

Cela est assez surprenant : en effet, nous avons vu que la méthode des rectangles approximait la fonction par un polynôme de degré 0 sur chaque intervalle, et la méthode des trapèzes par un polynôme de degré 1. Il est donc logique que quand la fonction est un polynôme de même degré que l'approximation, elle soit approximée par elle-même et que le résultat soit exact. Or, dans le cas de la méthode de Simpson, on n'approxime pas la courbe par un polynôme de degré 3, *mais par un polynôme de degré* 2. A quoi s'en rend-on compte? Pour calculer la surface sur chaque intervalle nous utilisons les valeurs de la fonction en trois points (début, milieu et fin); cela ne permettrait pas de déterminer un polynôme du troisième degré, qui a quatre coefficients. Le fait que la formule corresponde à l'approximation par un polynôme de degré 2 n'est sans doute pas évident, mais il en existe des démonstrations qui commencent par : « Cherchons quel est le polynôme du deuxième degré qui passe par $(x_k, f(x_k))$, $((x_k+x_{k+1})/2,\ f((x_k+x_{k+1})/2))$ et $(x_{k+1}, f(x_{k+1}))$ et intégrons-le sur $[x_k, x_{k+1}]$ ». Et le plus beau, c'est qu'elles arrivent à la bonne formule!

A quoi peut-on attribuer le fait qu'en approximant un polynôme de degré 3 par un polynôme de degré 2 on obtienne le résultat exact pour l'intégrale?

En fait, des calculs dont nous vous ferons grâce prouvent que, si l'on cherche à déterminer le polynôme d'interpolation du deuxième degré qui donne les mêmes images qu'une fonction f qui est un polynôme du troisième degré pour la borne inférieure d'un intervalle, sa borne supérieure et un point quelconque de l'intervalle, on n'aura pas exactement le même résultat en intégrant ce polynôme que f si le point quelconque est vraiment quelconque : cela ne marche que si ce point est le milieu de l'intervalle. En fait la position des points a de l'importance pour la précision.

Voilà qui nous ouvre des horizons nouveaux : car jusqu'à présent, nous avons dit que nous prenions un certain nombre de points dans $[a, b]$, et que nous les prenions régulièrement espacés. Et si nous essayions de les choisir de manière optimale, pas forcément régulièrement espacés?

C'est sur ce principe que reposent les méthodes de quadrature, issues de l'imagination fertile de Gauss.

Pour simplifier, supposons que nous cherchons à intégrer sur l'intervalle $[-1, 1]$. Nous montrerons plus tard que cela n'enlève rien à la généralité des résultats que nous allons obtenir. Ce que nous voulons, c'est trouver un polynôme d'interpolation de degré n que nous appellerons U_n tel que

$$\int_{-1}^{1} Q(x)\,\mathrm{d}x = \int_{-1}^{1} U_n(x)\,\mathrm{d}x$$

quel que soit le polynôme Q d'un degré le plus élevé possible.

Il existe en mathématiques une famille de polynômes extrêmement intéressants, qui s'appellent les polynômes de Legendre (du nom du célèbre mathématicien qui, etc.).

Ces polynômes, que nous noterons L_i (i correspondant au degré), présentent les amusantes propriétés suivantes :

(1) $$\int_{-1}^{1} L_i(x)\,L_j(x)\,\mathrm{d}x = 0, \text{ pour } i \neq j$$

(2) $$L_i(1) = 1.$$

La propriété (2) nous donne immédiatement que $L_0 = 1$. Cela nous permet de trouver $L_1(x)$, sous la forme $ax + b$.
En effet

$$\int_{-1}^{1} L_1(x)\, L_0(x)\, \mathrm{d}x = \int_{-1}^{1} (ax+b)\, \mathrm{d}x = 0$$

donc, en intégrant $ax + b$ entre -1 et 1 on a

$$2b = 0, \quad \text{d'où} \quad b = 0.$$

Comme de plus $L_1(1) = 1$ on obtient $a = 1$.
Nous avons donc les deux premiers polynômes :

$$L_0(x) = 1 \quad \text{et} \quad L_1(x) = x.$$

$L_2(x)$ est un polynôme de degré 2 et a donc trois coefficients. Nous allons déterminer ces coefficients par les trois équations

$$\int_{-1}^{1} L_2(x)\, L_0(x)\, \mathrm{d}x = 0$$

$$\int_{-1}^{1} L_2(x)\, L_1(x)\, \mathrm{d}x = 0$$

$$L_2(1) = 1$$

$\left(\text{on obtient } L_2(x) = \frac{3}{2}x^2 - \frac{1}{2}\right)$.

On peut naturellement poursuivre ainsi avec des degrés de plus en plus élevés.

Quel est l'intérêt de ces polynômes? Puisqu'ils sont tous de degrés différents, nous pouvons utiliser les $n+1$ premiers polynômes de Legendre comme base de l'espace vectoriel des polynômes de degré n.
Au lieu d'écrire un polynôme sous la forme

$$a_n x^n + a_{n-1} x^{n-1} + \ldots + a_1 x + a_0$$

nous l'écrirons :

$$a'_n L_n(x) + a'_{n-1} L_{n-1}(x) + \ldots + a'_1 L_1(x) + a'_0 L_0(x).$$

Par exemple, $3x^2 + 2x - 1$ peut s'écrire $2\left(\frac{3}{2}x^2 - \frac{1}{2}\right) + 2x$, soit

$$2L_2(x) + 2L_1(x).$$

Supposons maintenant que l'on cherche à intégrer sur $[-1, 1]$ un polynôme de degré $2n-1$. En y mettant les moyens, on peut l'amener sous la forme :

$$Q(x) = S_{n-1}(x)\, L_n(x) + R_n(x).$$

Si de plus on écrit S_{n-1} sous la forme de combinaison linéaire de polynômes de Legendre, lorsque l'on va intégrer on va obtenir :

$$\int_{-1}^{1} Q(x)\, \mathrm{d}x = \int_{-1}^{1} \big(s_{n-1} L_{n-1}(x) + \ldots + s_0 L_0(x)\big)\, L_n(x)\, \mathrm{d}x + \int_{-1}^{1} R_n(x)\, \mathrm{d}x.$$

Comme la première intégrale donne 0, puisqu'elle se ramène à l'intégrale d'une somme de produits $L_i(x)\ L_n(x)$, avec $i<n$, le résultat de l'intégration du polynôme de degré $2n-1$ sera égal au résultat de l'intégration du polynôme R_n de degré n.

Donc, R_n est typiquement le genre de polynôme que nous cherchions.

Que peut-on dire d'intéressant à propos de R_n?

Puisque l'on a

$$Q(x)=S_{n-1}(x)\,L_n(x)+R_n(x)$$

pour chaque racine x_i de $L_n(x)$ on a :

$$Q(x_i)=R_n(x_i).$$

Nous admettrons (c'est l'étude de ces polynômes qui le montre) qu'un polynôme de Legendre de degré n admet n racines réelles.

Nous nous retrouvons donc avec un polynôme de degré n qui a les mêmes valeurs qu'une autre fonction (à savoir un polynôme de degré $2n-1$) pour n valeurs x_i connues (ou du moins connaissables).

Cogite, cogite, cogite...

Cela n'aurait-il pas un rapport avec le chapitre (par ailleurs excellent [note de l'auteur]) sur l'interpolation? Eh oui, le monde est petit.

En fait, nous pouvons construire $R_n(x)$ à partir des polynômes de Lagrange associés aux racines x_i de $L_n(x)$ et écrire :

$$R_n(x)=\sum_{i=1}^{n} l_i(x)\,Q(x_i)$$

et, lorsque l'on intègre $R_n(x)$ entre -1 et 1 on obtient :

$$\int_{-1}^{1} R_n(x)=\sum_{i=1}^{n} Q(x_i) \quad \int_{-1}^{1} l_i(x)\,\mathrm{d}x.$$

Comme les $l_i(x)$ ne dépendent que du polynôme $L_n(x)$, lui-même parfaitement déterminé quand n est fixé, on a évidemment trouvé quelques fous pour calculer les valeurs des différents

$$\int_{-1}^{1} l_i(x)\,\mathrm{d}x \text{ (notés } \mathrm{A}_i \text{ dans ce qui suit)}$$

pour plusieurs degrés n distincts.

Voici les résultats de leur labeur (la colonne «degré de Q» donne le degré maximal que peut avoir Q pour que la formule obtenue en calculant

$$\sum_{i=1}^{n} A_i Q(x_i)$$

soit rigoureusement égale à $\int_{-1}^{1} Q(x)\,\mathrm{d}x$)

n	Racines de $L_n(x)$	A_i	Degré de Q
2	$x_1=-0.57735027$ $x_2=-x_1$	$A_1=A_2=1$	3
3	$x_1=-0.77459667$ $x_2=\ \ 0$ $x_3=-x_1$	$A_1=0.55555556$ $A_2=0.88888889$ $A_3=A_1$	5
4	$x_1=-0.86113631$ $x_2=-0.33998104$ $x_3=-x_2$ $x_4=-x_1$	$A_1=0.34785485$ $A_2=0.65214515$ $A_3=A_2$ $A_4=A_1$	7
5	$x_1=-0.90617985$ $x_2=-0.53846931$ $x_3=\ \ 0$ $x_4=-x_2$ $x_5=-x_1$	$A_1=0.236926885$ $A_2=0.47862867$ $A_3=0.56888889$ $A_4=A_2$ $A_5=A_1$	9

Généralisation

Quand nous voulons intégrer une fonction quelconque f et non plus un polynôme Q, il suffit simplement de calculer :

$$\sum_{i=1}^{n} A_i f(x_i) \quad \text{au lieu} \quad \sum_{i=1}^{n} A_i Q(x_i).$$

La différence, c'est que le résultat ne sera plus qu'approché, mais d'autant mieux approché que l'on peut obtenir un résultat exact avec un degré plus grand pour Q.

Lorsque l'on veut intégrer maintenant sur $[a, b]$ et non plus sur $[-1, 1]$, que faire? Un changement de variable!

En effet

$$\int_a^b f(t)\,dt \text{ peut se transformer.}$$

Si nous posons $x=\dfrac{2t-(b+a)}{b-a}$, nous obtenons :

pour $t=a \quad x=-1$
$\quad\quad\ t=b \quad x=1$

et

$$dx=\frac{2}{b-a}\,dt.$$

En exprimant t en fonction de x et en reportant tout dans l'intégrale on obtient donc finalement :

$$\int_a^b f(t)\,dt=\frac{b-a}{2}\int_{-1}^{1} f\left(\frac{(b-a)x+(b+a)}{2}\right)dx.$$

Si nous donnons l'organigramme dans le cas général nous aurons par conséquent

(Nota : $X(I) = i^{\text{ème}}$ racine de $L_n(x)$
$AA(I) = i^{\text{ème}}$ coefficient A_i [voir tableau précédent]
A et B = bornes de l'intervalle d'intégration)

♯ Quadrature

Initialiser SOMME à 0
♯ Faire pour $I = 1, N$ $T = ((B - A) * X(I) + (B + A)) / 2$ SOMME = SOMME + $AA(I) * F(T)$ Faire ♯
SOMME = SOMME $* (B - A) / 2$

Quadrature ♯

En pratique, on ne se bornera pas à intégrer en calculant seulement la fonction sur n points, quel que soit l'intervalle d'intégration. En fait, comme avec les autres méthodes, on choisira un pas h et l'on fera la somme des intégrales sur $[x_k, x_{k+1}]$. Simplement, *sur* $[x_{k_1}, x_{k+1}]$, on choisira les points où l'on va calculer la fonction de manière optimale.

L'organigramme général sera donc

(QUAD(X_k, X_{k+1}) représente le résultat obtenu par quadrature suivant l'organigramme ci-dessus sur l'intervalle $[X_k, X_{k+1}]$)

♯ Méthode de quadrature

Lire les bornes A et B de l'intervalle d'intégration Lire le nombre de sous-intervalles N
Calculer $H = (B - A) / N$
Initialiser SOMME à 0 Initialiser X à A
♯ Faire pour $I = 1, N-1$ SOMME = SOMME + QUAD$(X, X + H)$ $X = X + H$ Faire ♯

Méthode de quadrature ♯

Remarque
Si l'on suit exactement ce qui est indiqué ci-dessus, on fait $N - 1$ fois la multiplication par $H / 2$ qui apparaît sous la forme $(B - A) / 2$ à la fin de ♯ Quadrature ♯ (il ne faut pas oublier que les arguments transmis sont les bornes d'un sous-intervalle, et non le A et le B initiaux). Pour faire moins d'opérations, il vaut mieux ne la faire qu'une fois, en ne la faisant donc pas dans ♯ Quadrature ♯ mais en la reportant juste après la boucle dans ♯ Méthode de quadrature ♯.

Compléments

Il existe d'autres méthodes de quadrature, qui permettent en particulier de calculer ce qu'on appelle intégrales impropres, c'est-à-dire des intégrales pour lesquelles l'une au moins des bornes correspond à un point où la fonction n'est pas définie, ou encore pour lesquelles l'une au moins des bornes est l'infini.

Il faut alors utiliser des fonctions de poids (qui vérifient certaines propriétés) pour multiplier la fonction, et passer par d'autres polynômes que ceux de Legendre, mais qui présentent des propriétés similaires. Pour résumer, c'est un peu plus compliqué mais l'idée de base est la même.

Pour différencier ces méthodes, on les appelle méthodes de Gauss-XXX, si l'on utilise les polynômes de XXX. La méthode présentée ici est celle de Gauss-Legendre, mais on trouve aussi des méthodes de Gauss-Tchebycheff, Gauss-Laguerre, etc.

16.5. Comparaison pratique

La comparaison s'est fondée sur l'intégration sur [1, 5] de la fonction Log. L'intégration par parties de cette fonction donne qu'une primitive est $x \text{ Log}(x) - x$, et donc que sur [1, 5] le résultat de l'intégration vaut

$$(5 \log(5) - 5) - (1 \text{ Log}(1) - 1) = 5 \text{ Log}(5) - 4$$
$$= 4.04718956217.$$

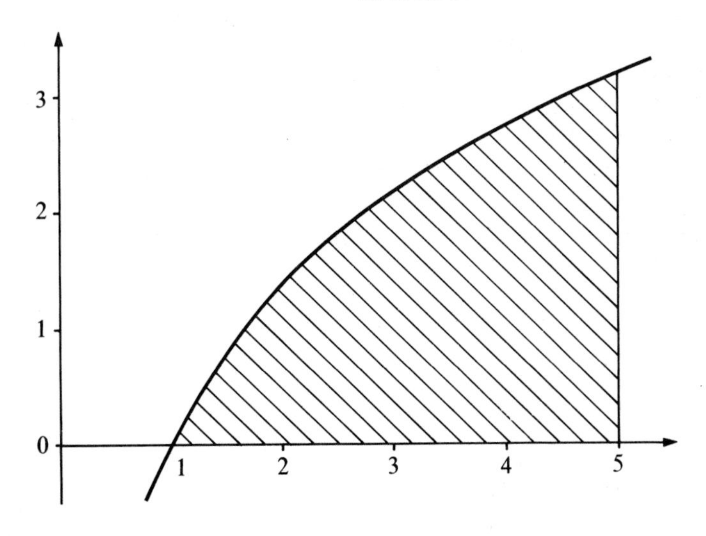

Pour avoir une comparaison équitable, le nombre de sous-intervalles a été choisi tel pour chaque méthode que la valeur de la fonction Log soit calculée en autant de points.

Ce nombre de points a été fixé à 5.

On a donc pris :
— pour la méthode des rectangles 5 intervalles (en calculant chaque fois la valeur de la fonction au début de l'intervalle),
— pour la méthode des trapèzes 4 intervalles,
— pour la méthode de Simpson 2 intervalles,
— pour la quadrature de Gauss-Legendre 1 intervalle (elle a été appliquée en utilisant les 5 zéros du polynôme de Legendre de degré 5).

Les résultats sont les suivants :

Rectangles	: 3.3617265	Pourcentage d'erreur :	16.9
Trapèzes	: 3.9827728	Pourcentage d'erreur :	1.6
Simpson	: 4.0414762	Pourcentage d'erreur :	0.14
Quadrature	: 4.0472240	Pourcentage d'erreur :	0.001

16.6. Conclusion

La méthode la meilleure est sans conteste la méthode de quadrature de Gauss parmi celles qui ont été exposées. Lorsque l'on a besoin d'une très grande précision, en particulier lorsque le calcul de l'intégrale n'est qu'un résultat intermédiaire, c'est elle qu'il faut utiliser.

Elle présente cependant un inconvénient : comme on choisit les points où l'on calcule la fonction, il faut disposer de l'expression analytique de cette fonction.

La méthode de Simpson est une bonne méthode qui a fait ses preuves et dont la précision suffit souvent. De plus, elle permet de calculer l'intégrale d'une fonction dont on ne connaît que des couples $(x_i, f(x_i))$, si les x_i sont régulièrement espacés.

Enfin, la méthode des trapèzes, bien que d'une précision approximative, est la seule utilisable lorsque l'on a des $(x_i, f(x_i))$ avec les x_i irrégulièrement espacés. En effet, bien qu'on les ait supposés jusqu'ici placés à des intervalles réguliers de h, rien n'empêche dans cette méthode d'utiliser un h variable entre les points consécutifs.

La méthode des rectangles n'offre évidemment aucun intérêt pratique.

17

La résolution d'un système d'équations linéaires

« Jesu, Jesu, the mad days that I have spent! »
« Jésus, Jésus, les jours fous que j'ai vécus! »

Shakespeare, *King Henry IV part II*

Les systèmes d'équations se rencontrent fréquemment : mécanique, électricité sont des exemples courants, mais ce ne sont pas les seuls. Comme chacun sait, il existe deux méthodes principales pour les résoudre : celle des déterminants (méthode de Kramer) et celle de l'élimination (méthode de Gauss), qui consiste à trafiquer le système pour exprimer toutes les inconnues en fonction d'une d'entre elles, et en déduire la valeur de celle-là. La méthode de Kramer est généralement présentée, au cours de la scolarité, en même temps que les systèmes d'équations que l'on commence d'ordinaire par faire sagement consister en deux équations à deux inconnues. L'inconvénient des déterminants, c'est que si c'est un plaisir (relatif) de les calculer dans ce cas-là, le calcul devient infernal avec davantage d'équations; comme il l'a été précédemment signalé, même sur un ordinateur ils ne sont pas à employer, et le cas Gauss vs Kramer se résoud sans discussion possible en faveur de Gauss. Pour résoudre un système on fera par exemple :

$$\begin{array}{ll} (1) & 3x+2y+5z=1 \\ (2) & x-\ y+2z=2 \\ (3) & x\qquad +\ z=3. \end{array}$$

A ce système on substitue le système équivalent obtenu en remplaçant la ligne (2) par la ligne (2) moins la ligne (3) (ce que l'on notera dorénavant [(2)−(3)]) et la ligne (3) par trois fois la ligne (3) moins la ligne (1) (ce que l'on notera [3∗(3)−(1)] :

$$\begin{array}{ll} (1) & 3x+2y+5z=\ \ 1 \\ (4) & \qquad -\ y+\ z=-1 \\ (5) & \qquad -2y-2z=\ \ 8. \end{array}$$

On remplace ce dernier par

$$\begin{array}{lrcr} (1) & 3x+2y+5z & = & 1 \\ (4) & -\ y+\ z & = & -\ 1 \\ (6) & 4z & = & -10 \end{array}$$

en substituant $[2*(4)-(5)]$ à (5). De là on tire évidemment sans trop de peine :

$$z=-\frac{5}{2}$$

d'où

$$y=z+1=-\frac{3}{2}$$

et

$$x=\frac{1}{3}(1-2y-5z)=\frac{1}{3}\left(1+3+\frac{25}{2}\right)=\frac{11}{2}.$$

Les combinaisons qui ont été effectuées ne sont pas les seules possibles, et l'on aurait pu souhaiter tout exprimer en fonction de x ou y au lieu de z. Mais aussi tortueux que soit le cheminement suivi, on peut toujours résumer la méthode à deux étapes :

— Amener le système, en le bousculant un peu, à se mettre sous une forme où une variable devient connue et où les autres variables s'expriment, soit directement, soit indirectement en fonction de celle-là.

— Calculer ces variables.

Écrivons le système « prêt-à-résoudre » précédemment sous forme matricielle :

$$\begin{bmatrix} 3 & 2 & 5 \\ 0 & -1 & 1 \\ 0 & 0 & 4 \end{bmatrix} \begin{bmatrix} x \\ y \\ z \end{bmatrix} = \begin{bmatrix} 1 \\ -1 \\ -10 \end{bmatrix}.$$

Et que découvrent avec stupeur nos yeux éblouis? Une matrice triangulaire. On ne se refuse rien.

En fait, tout système « prêt-à-résoudre » peut se mettre matriciellement sous une forme faisant intervenir une matrice triangulaire (en permutant éventuellement les lignes). Ce sont les seuls en effet que l'on puisse calculer; résoudre un système faisant intervenir une matrice triangulaire est d'une simplicité enfantine. Si l'on a :

$$\begin{bmatrix} a_{11} & a_{12} & \ldots & a_{1n} \\ 0 & a_{22} & \ldots & a_{2n} \\ 0 & . & & . \\ . & & a_{ii} & . \\ . & & . & . \\ . & & . & . \\ 0 & \ldots & ..0 & a_{nn} \end{bmatrix} \begin{bmatrix} x_1 \\ x_2 \\ . \\ . \\ . \\ . \\ x_n \end{bmatrix} = \begin{bmatrix} b_i \\ b_2 \\ . \\ . \\ . \\ . \\ b_n \end{bmatrix}$$

$$a_{nn}x_n=b_n \implies x_n=\frac{b_n}{a_{nn}}$$

$$a_{n-1\,n-1}x_{n-1}+a_{n-1\,n}x_n=b_{n-1} \implies x_{n-1}=\ldots$$

et ainsi de suite.

Ce mode de calcul, qui part de x_n et permet de trouver successivement x_{n-1}, x_{n-2}, ..., x_1 est connu sous le nom de retour inverse et permet de résoudre très facilement.

En fait, lorsque l'on résoudra le système sur une machine, on fera exactement comme on l'a fait à la main : on amènera d'abord le système sous forme triangulaire en formant des combinaisons linéaires des équations qui le composent (c'est la triangularisation), puis, retour inverse pour que les inconnues ne le soient plus.

Lorsque l'on calcule à la main, on peut essayer de trouver d'abord n'importe quelle variable, suivant l'humeur du moment, le « calculus-appeal » des équations (quand il faut multiplier une équation par 97/31 avant de pouvoir la soustraire à une autre pour éliminer une variable, on a tendance à considérer les autres équations avec un intérêt accru), et un tas de circonstances annexes de ce style.

Lorsque l'on veut écrire un programme qui fait la même chose, la cuisine ne peut plus être empirique et il faut fixer les recettes. Heureusement, dans ce cas, on ne se préoccupe plus de la complexité potentielle des calculs puisque la machine s'en charge.

Fixons-nous donc pour objectif d'obtenir une matrice triangulaire supérieure. Nous pouvons supposer que le système est intialement rangé en mémoire sous la forme :

$$A\ X = B$$

avec

$$A = \begin{bmatrix} a_{11} & \dots & a_{1n} \\ a_{21} & & \\ \vdots & & \\ a_{n1} & \dots & a_{nn} \end{bmatrix} \quad X = \begin{bmatrix} x_1 \\ x_2 \\ \vdots \\ x_n \end{bmatrix} \quad B = \begin{bmatrix} b_1 \\ b_2 \\ \vdots \\ b_n \end{bmatrix}$$

Pour le mettre sous forme triangulaire, il est inutile de toucher à la première équation. En revanche, il faut par des opérations habiles remplacer a_{i1} par 0 pour $i \neq 1$. Si l'on suppose, pour plus de commodité, $a_{11} \neq 0$, nous pouvons faire cela assez facilement en remplaçant l'équation correspondante à la ligne i par la ligne i – la ligne 1 multipliée par a_{i1} et divisée par a_{11}. Si a_{i1} est déjà égal à zéro, il n'y a rien à faire. Il ne faut surtout pas oublier d'appliquer toute transformation faite sur A au vecteur B, qui correspond aux seconds membres des équations.

On aura alors

$$A'X = B'$$

avec

$$A' = \begin{bmatrix} a_{11} & \dots & & a_{1n} \\ 0 & a'_{22} & & \\ \vdots & \vdots & & \\ 0 & a'_{n2} & \dots & a'_{nn} \end{bmatrix} \quad X = \begin{bmatrix} x_1 \\ x_2 \\ \vdots \\ x_n \end{bmatrix} \quad B' = \begin{bmatrix} b_1 \\ b'_2 \\ \vdots \\ b'_n \end{bmatrix}$$

Une fois qu'on en est là, il suffit de recommencer la même opération pour mettre des zéros dans la deuxième colonne de A' en dessous du terme diagonal et de répéter jusqu'à avoir mis des zéros partout en dessous du terme diagonal dans toutes les colonnes jusqu'à la n-ième colonne incluse.

Comment pourrions-nous écrire cet algorithme de triangularisation?

Triangularisation

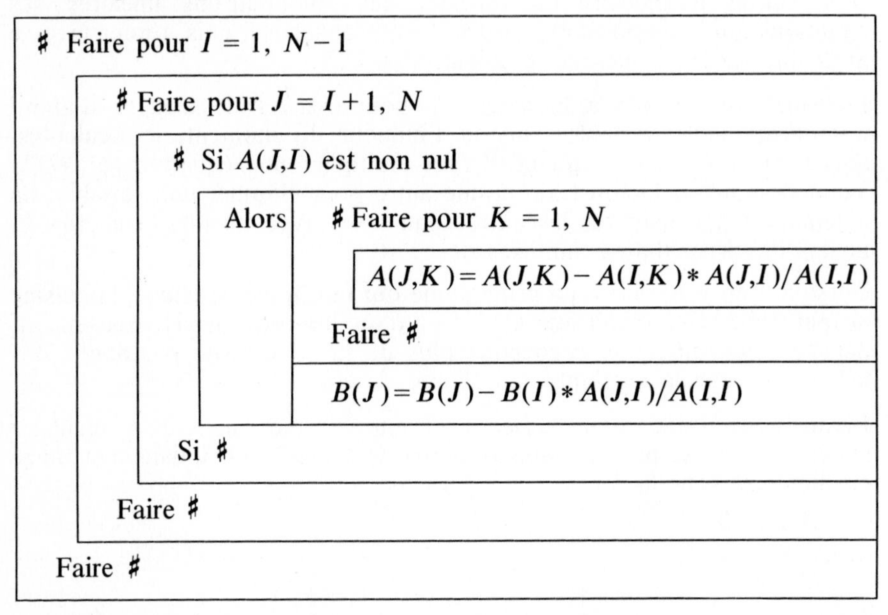

Triangularisation #

Voilà, sous forme informatique, ce qui correspond à ce qui a été expliqué au-dessus : la première boucle correspond au fait de s'occuper de mettre des zéros en dessous de la diagonale principale pour les colonnes 1 à $n-1$ successivement. La deuxième correspond à la modification successive de toutes ces lignes en dessous de la diagonale principale. La troisième boucle enfin est celle qui modifie effectivement tous les coefficients de chacune de ces lignes.

Cet algorithme, bien que correct, est sérieusement améliorable.

Tout d'abord, le traitement à part de B, alors que l'on applique les mêmes opérations qu'aux éléments de A, incite à modifier la structure des données de la manière suivante :

On va remplacer la matrice (n,n) A et le vecteur B par la nouvelle matrice $(n,n+1)$

$$\begin{bmatrix} a_{11} & \dots & a_{1n} & b_1 \\ a_{21} & & & b_2 \\ \vdots & & & \vdots \\ a_{n1} & \dots & a_{nn} & b_n \end{bmatrix}$$

à laquelle on va garder le nom A. Ainsi, la troisième boucle devra être faite jusqu'à $n+1$ au lieu de n, sachant que $a_{i\,n+1}$ a la valeur de b_i.

Autre point important, nous avons écrit dans l'organigramme que cette troisième boucle partait de 1. C'est complètement idiot, puisque toutes les opérations antérieures ont eu pour seul but de remplacer tous les a_{jk} et tous les a_{ik} pour k entre 1 et $i-1$ inclus par 0.

Faire des opérations sur des zéros ne présente pas un intérêt monstre, et l'on va donc s'en abstenir en faisant varier k à partir de i. En fait, on peut aller jusqu'à le faire varier à partir de $i+1$, puisque pour i le résultat va donner 0 (on fait tout pour ça) et il n'y a donc pas de surprise. Sachant qu'il y aura 0, on n'effectue pas l'opération et par la suite on fera comme s'il y avait 0.

Enfin, dans la troisième boucle on multiplie chacun des coefficients d'une ligne par un coefficient qui est le même pour toute la ligne : on peut le calculer *en dehors* de la boucle, cela nous demandera moins d'opérations globalement.

Notre organigramme revu est donc :

Triangularisation II

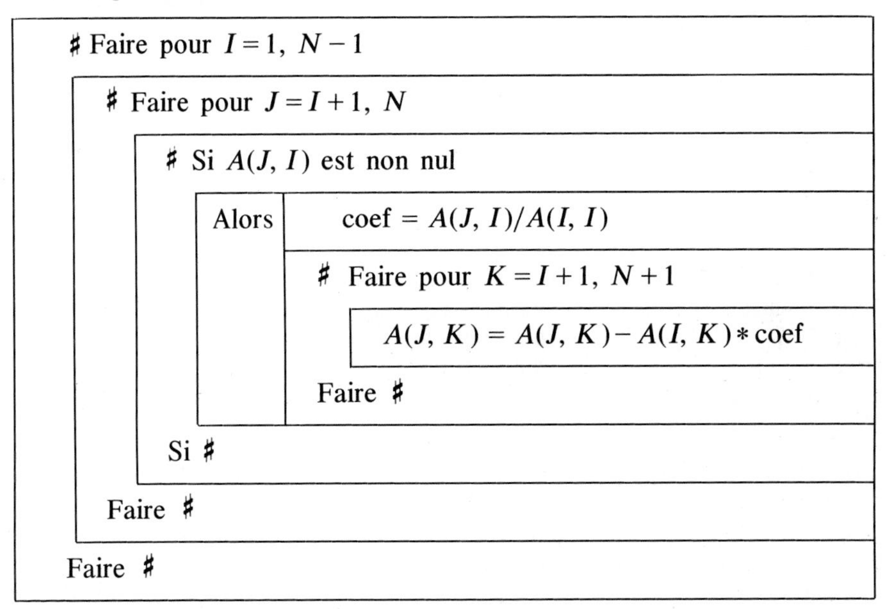

Triangularisation II #

Nous ne sommes malheureusement pas au bout de nos peines. Nous prenons bien soin de vérifier que a_{ji} est non nul pour éviter des opérations inutiles, mais si a_{ii} est nul, que se passe-t-il? Division par zéro. Aargh!

A quoi cela correspond-il pratiquement? On avait initialement un beau système du type

$$
\begin{aligned}
&(1)\quad x+y+5z=8\\
&(2)\quad 3x+3y-z=0\\
&(3)\quad x-y+2z=1.
\end{aligned}
$$

Appliquant notre algorithme, nous supprimons d'abord les termes en x dans les équations (2) et (3) en les remplaçant par une combinaison linéaire obtenue avec (1). Si l'on suit exactement l'algorithme, on va remplacer (2) par $[(2)-3*(1)/1]$ et (3) par $[(3)-1*(1)/1]$, soit

(1) $x+y+5z=8$
(4) $-16z=-24$
(5) $-2y-3z=-7$.

Le tour est joué, lorsque l'on veut recommencer pour les termes en y, on trouve que a_{22} est nul. Il n'y a pas de quoi en faire un drame sur l'exemple ci-dessus : on voit bien qu'il suffit d'échanger (4) et (5) pour avoir notre matrice triangulaire.

Dans un cas plus général, où il y aurait plus d'inconnues et d'équations, c'est encore une permutation des lignes qu'il faudrait effectuer. Sur le plan programmation, on fera la même chose : on commence par chercher, dans les lignes en dessous de celle (i) dont on voulait utiliser le terme diagonal a_{ii}, la ligne s avec laquelle on va former des combinaisons linéaires grâce à son terme non nul a_{si} par lequel on pourra diviser, et l'on échange les lignes i et s.

a_{si} est appelé le pivot.

En fait, et cela nous amène à la pratique informatique, de sérieux problèmes peuvent se poser même si a_{ii} n'est pas nul. Il ne faut pas oublier en effet que, du fait de la précision limitée de la représentation des nombres en mémoire, nous sommes la proie d'effroyables erreurs d'arrondi.

Si jamais l'on divise par un nombre a_{ii} très petit, cela revient à multiplier par un nombre très grand, et il se peut très bien que dans la différence équation i − équation i * quelque chose de très grand, le second terme soit tellement grand par rapport au premier que celui-ci disparaisse complètement en comparaison; un exemple de ce type a été traité dans les généralités sur l'analyse numérique.

De manière un peu intuitive, l'équation i représentait une quantité d'information nécessaire pour résoudre le système. Si on la fait disparaître pour la remplacer par n'importe quoi, on risque également de trouver n'importe quoi. En revanche, même si a_{ii} est extrêmement grand et dans ce cas on perd, par erreur d'arrondi, le second terme de la différence ci-dessus, la quantité d'information globale du système reste constante.

Bref, pratiquement, on cherche un pivot dans tous les cas, même quand a_{ii} n'est pas nul, et on le choisit comme étant le plus grand en valeur absolue des termes a_{ki}, k variant entre i et n. C'est ce qu'on appelle la méthode du pivot partiel (il existe un autre procédé, dit du pivot total, plus compliqué à mettre en œuvre et pas plus efficace).

Puisque nous sommes à nous poser des questions, posons-nous en une dernière (c'est du vice) : et si l'on n'arrive pas à trouver un pivot? C'est-à-dire, si tous les a_{ki}, pour k compris entre i et n, sont nuls?

Reprenons un exemple : nous sommes arrivés à

(1) $x + y + 5z = 8$
(4) $-16z = -24$
(5) $-3z = -7$.

Sur l'exemple, on voit que le système est impossible, puisque (4) et (5) donnent deux valeurs différentes pour z. Sans entrer dans les détails, si l'on n'arrive pas à trouver de pivot cela signifie qu'il y aura un terme nul sur la diagonale de la matrice triangulaire. Or le déterminant d'une matrice triangulaire est égal au produit des termes de sa diagonale : par conséquent, son déterminant est nul, elle n'est pas inversible et le système ne peut être résolu.

Si nous voulons résumer tout ce qui précède dans un organigramme, nous obtenons

♯ Triangularisation (III et dernière)

<table>
<tr><td colspan="3">Supposer la matrice inversible</td></tr>
<tr><td colspan="3">♯ Tant que la matrice a l'air d'être inversible et
que l'on n'est pas arrivé au bout</td></tr>
<tr><td colspan="3">Rechercher le pivot</td></tr>
<tr><td colspan="3">♯ Si on a trouvé un pivot</td></tr>
<tr><td></td><td>Alors</td><td>Echanger la ligne du pivot et la ligne courante</td></tr>
<tr><td></td><td></td><td>Modifier toutes les lignes en dessous comme il a été indiqué</td></tr>
<tr><td></td><td>Sinon</td><td>La matrice n'est pas inversible et l'on ne peut pas résoudre le système</td></tr>
<tr><td colspan="3">Si ♯</td></tr>
<tr><td colspan="3">Passer à la ligne suivante</td></tr>
<tr><td colspan="3">Tant que ♯</td></tr>
</table>

Triangularisation ♯

Sous forme plus détaillée nous obtiendrons ce qui suit :

♯ Triangularisation

<table>
<tr><td>Initialiser à 0 un indicateur NONINV et I à 1</td></tr>
<tr><td>♯ Tant que NONINV = 0 et que $I < N$</td></tr>
</table>

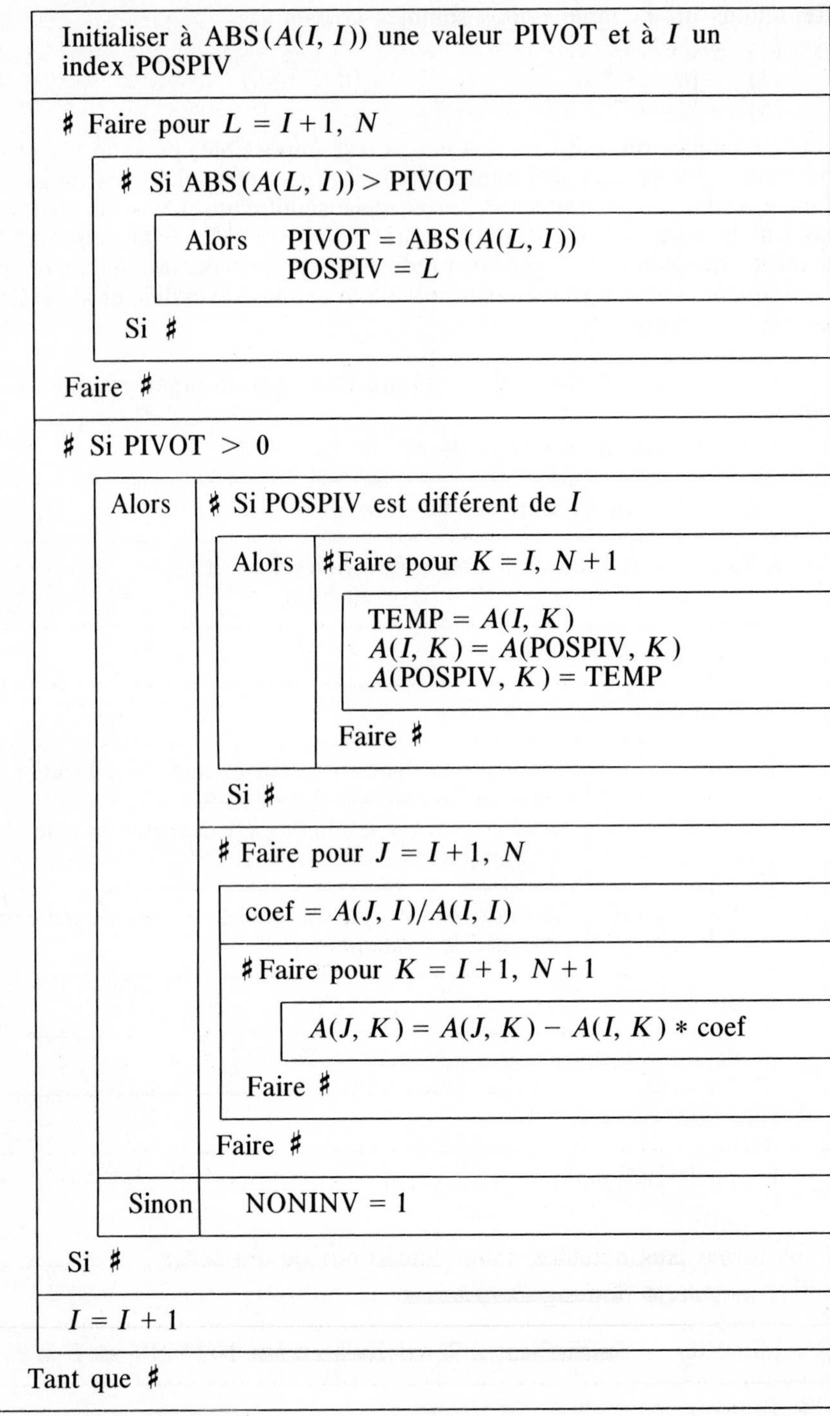

Triangularisation #

Par rapport aux organigrammes précédents, on a éliminé le test qui vérifiait que le coefficient coef n'est pas nul; en effet, un test est une opération ralentissante. Mieux vaut, même si c'est absurde, effectuer une fois, exceptionnellement, une série d'opérations inutiles, que de tester chaque fois.

En ce qui concerne le retour inverse, son principe est très simple et l'organigramme est assez immédiat; une astuce particulière : plutôt que d'utiliser un vecteur $X(N)$ pour recevoir les solutions des n inconnues du système, on range ces solutions dans la $n+1^{\text{ième}}$ colonne-à-tout-faire de A.

♯ Retour inverse

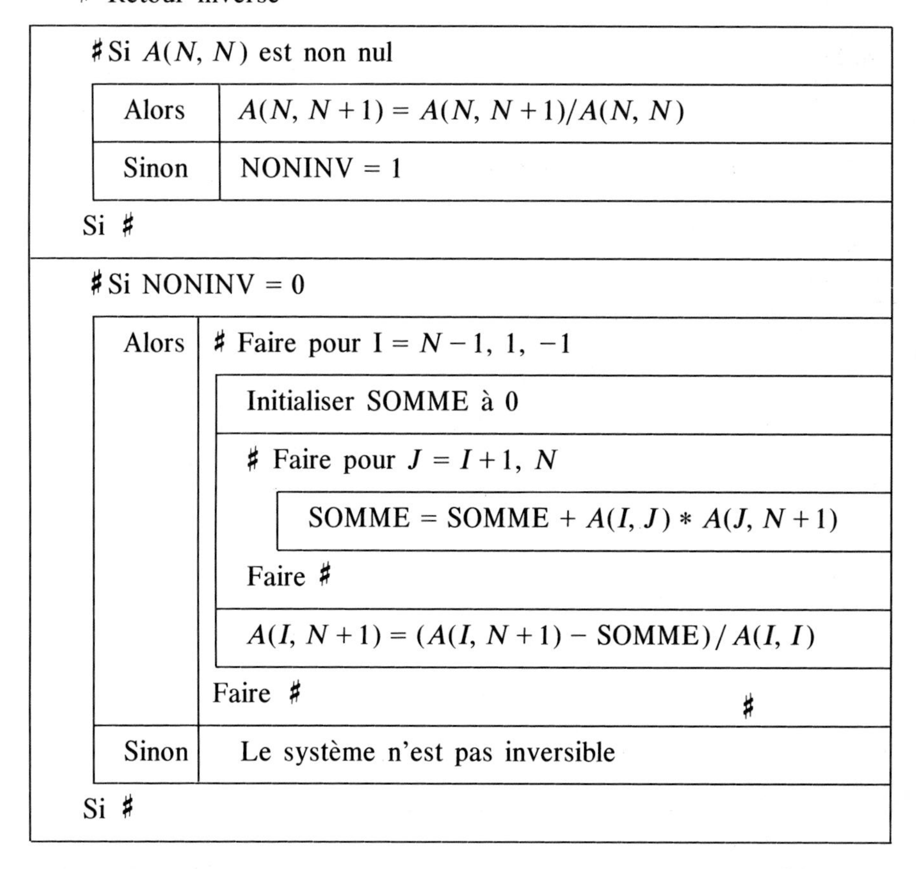

Retour inverse ♯

Pour conclure, la méthode de Gauss de résolution d'un système d'équations linéaires se ramène donc à :

♯ Gauss

♯ Triangularisation ♯
♯ Retour inverse ♯

Gauss ♯

Pour la résolution d'un système de n équations à n inconnues par la méthode de Gauss, on effectue

* $\frac{n(n-1)(2n+5)}{6}$ multiplications.
* Le même nombre d'additions
* $\frac{n(n+1)}{6}$ divisions.

Pour n grand (> 20), le nombre d'additions et de multiplications est de l'ordre de

$$\frac{n^3}{3}.$$

Il existe d'autres méthodes, dépendant souvent de certaines particularités des systèmes, mais la méthode de Gauss est de loin la plus employée.

18

L'inversion des matrices

« Il y a des maux effroyables et d'horribles malheurs où l'on n'ose penser, et dont la seule vue fait frémir. S'il arrive que l'on y tombe, l'on se trouve des ressources que l'on ne se connaissait point, l'on se roidit contre son infortune, et l'on fait mieux qu'on ne l'espérait. »

La Bruyère, *Les Caractères*

Vouloir inverser une matrice peut sembler une drôle d'idée. Pourtant, cela intervient, dans des calculs intermédiaires, en beaucoup de domaines. Là où l'inversion de matrice intervient le plus directement, c'est dans la résolution de plusieurs systèmes d'équations linéaires qui ne sont différenciés que par leurs seconds membres; pour reprendre les notations du chapitre précédent, la matrice A reste constante et l'on cherche à résoudre avec plusieurs vecteurs B différents. Par exemple, on cherche les intensités dans différentes branches d'un réseau électrique où les résistances ne changent pas mais seulement les différentes tensions appliquées dans le réseau.

On peut bien sûr résoudre tous les systèmes comme indiqué précédemment. Seulement, comme les problèmes changent peu, c'est assez idiot de repartir chaque fois comme si tout était entièrement nouveau. En fait, pour résoudre

$$AX = B,$$

on peut calculer A^{-1} et, chaque fois que B changera, il suffira de calculer $A^{-1}B$ pour obtenir la solution.

Ce procédé est plus rentable (c'est-à-dire demande moins d'opérations globalement) que les résolutions séparées de systèmes à partir de trois systèmes similaires à résoudre.

Néanmoins, comme il l'a déjà été indiqué, c'est surtout dans des calculs intermédiaires que l'on a à inverser des matrices. A tel point que lorsque l'on veut choisir un ordinateur pour du calcul scientifique, statistique, pétrolier, sismique, météorologique ou nucléaire, on compare souvent la vitesse d'exécution d'un programme d'inversion de matrice (ou de résolution de système d'équations différentielles) sur les différents modèles de machines entre lesquels on hésite (on appelle cela la méthode des kernels ou parfois, par abus de langage, un bench-mark, en informatique)... Au moins, vous saurez quels sont les secteurs à éviter dans votre carrière future.

A quoi correspond l'inversion de matrice? C'est tout d'abord une notion qui ne s'applique qu'à des matrices carrées.

Rappelons-nous qu'une matrice est associée à une application linéaire f, et qu'elle est constituée des composantes des images (ou transformées) par f des vecteurs de la base. Pour un vecteur X quelconque, on pourra ensuite écrire que les composantes de son image X' par f sont données par :

$$X' = AX.$$

Inverser A, c'est trouver A^{-1} permettant d'obtenir les composantes de X à partir de celles de X' :

$$X = A^{-1}X'$$

ce qui exige que l'on puisse trouver un X unique. Cela n'est pas possible avec toutes les applications linéaires : prenons par exemple celle qui à un vecteur d'un espace de dimension 3 associe sa projection sur le plan (O, x, y).

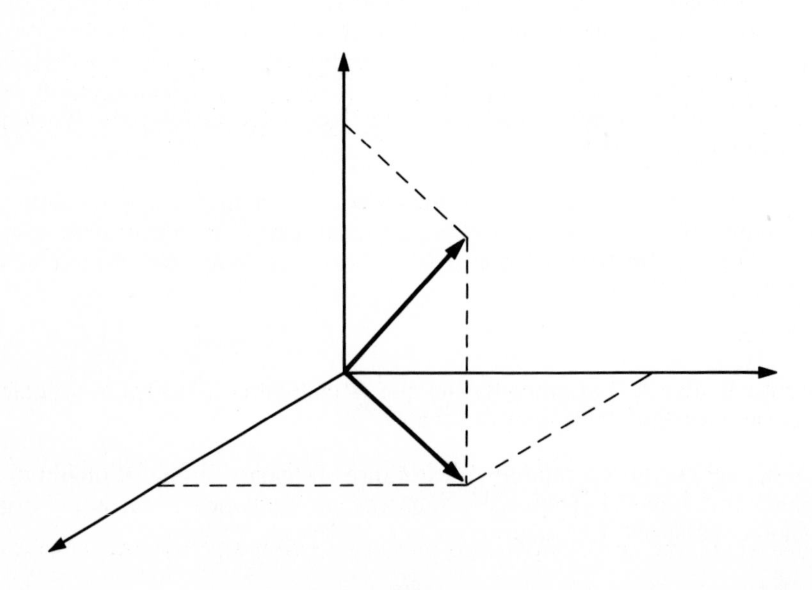

L'image par cette transformation des vecteurs de base I, J et K sera respectivement I, J et 0 et la matrice associée sera donc

$$\begin{bmatrix} 1 & 0 & 0 \\ 0 & 1 & 0 \\ 0 & 0 & 0 \end{bmatrix}$$

Comme tous les vecteurs qui ne diffèrent que par la troisième composante ont la même image, on ne peut exprimer d'application inverse et la matrice n'est pas inversible. Cela, sur le plan des déterminants, se traduit par le fait que son déterminant est nul et peut être interprété comme la conséquence de ce que l'image d'une base de l'espace vectoriel n'est pas une autre base du même espace vectoriel.

Supposons donc que A est une matrice carrée d'ordre n, inversible jusqu'à preuve du contraire. Il nous faut déterminer les n^2 coefficients qui composent A^{-1}. Dans ce qui suit, nous noterons a_{ij} un coefficient de A et a_{ij}^{-1} un coefficient de A^{-1}.

On sait que, si l'on note E_1 le premier vecteur de la base utilisée, la première colonne de A nous donne les composantes de son image E'_1, soit (a_{i_1}), i variant de 1 à n.

$E_1 = A^{-1}E'_1$ et de même pour les autres vecteurs de la base.

Donc

$$1 = \sum_{k=1}^{n} a_{1k}^{-1} a_{k_1}.$$

et

$$0 = \sum_{k=1}^{n} a_{1k}^{-1} a_{ki} \text{ pour } i \neq 1.$$

Nous obtenons ainsi un système de n équations à n inconnues, qui permet, par la méthode de Gauss, de déterminer tous les coefficients de la première ligne de A^{-1}. En prenant tous les vecteurs E_j et en écrivant successivement que

$$1 = \sum_{k=1}^{n} a_{jk}^{-1} a_{k_j}$$

et

$$0 = \sum_{k=1}^{n} a_{jk}^{-1} a_{k_i} \text{ pour } i \neq j.$$

On obtient au total n systèmes de n équations à n inconnues que l'on peut résoudre (si l'on y tient vraiment).

L'inconvénient de la méthode est que l'on s'inflige n triangularisations, alors que l'on pourrait très bien n'en faire qu'une.

L'idée est la suivante : supposons que l'on veuille inverser une matrice A

d'ordre 2. On va partir avec, à gauche, cette matrice, et à droite, l'identité :

$$\begin{bmatrix} 3 & 4 \\ 4 & 2 \end{bmatrix} \quad \begin{bmatrix} 1 & 0 \\ 0 & 1 \end{bmatrix}.$$

(N.B. : Le lecteur est sensé, pour l'ambiance, applaudir les protagonistes.)

Nous allons trianguler la matrice de gauche, en modifiant simultanément celle de droite, tout comme dans la résolution de système on modifie simultanément le vecteur constituant les seconds membres des équations.

Divisons par 4 la ligne (2) de chaque matrice :

$$\begin{bmatrix} 3 & 4 \\ 1 & 1/2 \end{bmatrix} \quad \begin{bmatrix} 1 & 0 \\ 0 & 1/4 \end{bmatrix}$$

Multiplions ces deux lignes (2) par 3 :

$$\begin{bmatrix} 3 & 4 \\ 3 & 3/2 \end{bmatrix} \quad \begin{bmatrix} 1 & 0 \\ 0 & 3/4 \end{bmatrix}$$

Soustrayons leur les lignes (1) :

$$\begin{bmatrix} 3 & 4 \\ 0 & -5/2 \end{bmatrix} \begin{bmatrix} 1 & 0 \\ -1 & 3/4 \end{bmatrix}$$

Comme nous avions $A\ A^{-1} = I$, si l'on appelle A' la nouvelle matrice de gauche (triangulaire supérieure) et S la nouvelle matrice de droite (triangulaire inférieure), la conscience d'avoir appliqué des transformations identiques pour passer de A à A' et de I à S nous permet d'affirmer sereinement que

$$A'A^{-1} = S.$$

Si nous cherchons A^{-1} sous la forme

$$\begin{bmatrix} a & b \\ c & d \end{bmatrix}$$

cela nous donne

$$\begin{bmatrix} 3 & 4 \\ 0 & -5/2 \end{bmatrix} \begin{bmatrix} a & b \\ c & d \end{bmatrix} = \begin{bmatrix} 1 & 0 \\ -1 & 3/4 \end{bmatrix}$$

soit

$$\begin{bmatrix} 3a+4c & 3b+4d \\ -5c/2 & -5d/2 \end{bmatrix} = \begin{bmatrix} 1 & 0 \\ -1 & 3/4 \end{bmatrix}.$$

Comme A' était triangulaire, cela revient pratiquement à résoudre deux systèmes distincts par retour inverse :

$$3a + 4c = 1$$
$$-5c/2 = -1$$

d'où $c=2/5$ et $a=-1/5$
et

$$\begin{aligned} 3b+4d&=0 \\ -5d/2&=3/4 \end{aligned}$$

d'où $d=-3/10$ et $b=2/5$.

On obtient finalement pour A^{-1} :

$$\begin{bmatrix} -1/5 & 2/5 \\ 2/5 & -3/10 \end{bmatrix}.$$

Cette méthode s'appelle, comme la méthode de résolution de système d'équations linéaires que nous avons vue, la méthode de Gauss.

Une autre méthode existe, qui est plus utilisée : la méthode de Jordan. En effet, pourquoi s'ennuyer à trianguler la matrice plutôt que de directement chercher à la transformer en l'identité, tout en répétant ces transformations sur l'identité parallèlement?

Repartons de notre position initiale :

$$\begin{bmatrix} 3 & 4 \\ 4 & 2 \end{bmatrix} \quad \begin{bmatrix} 1 & 0 \\ 0 & 1 \end{bmatrix}$$

Pour changer (l'ennui naquit un jour de l'uniformité), nous allons opérer sur les colonnes plutôt que sur les lignes. Par exemple, multiplions les deux colonnes (2) par 2 :

$$\begin{bmatrix} 3 & 8 \\ 4 & 4 \end{bmatrix} \quad \begin{bmatrix} 1 & 0 \\ 0 & 2 \end{bmatrix}$$

Remplaçons les deux colonnes (1) par $[(1)-(2)]$:

$$\begin{bmatrix} -5 & 8 \\ 0 & 4 \end{bmatrix} \quad \begin{bmatrix} 1 & 0 \\ -2 & 2 \end{bmatrix}$$

Divisons les deux colonnes (1) par -5 :

$$\begin{bmatrix} 1 & 8 \\ 0 & 4 \end{bmatrix} \quad \begin{bmatrix} -1/5 & 0 \\ 2/5 & 2 \end{bmatrix}$$

Divisons les deux colonnes (2) par 4 :

$$\begin{bmatrix} 1 & 2 \\ 0 & 1 \end{bmatrix} \quad \begin{bmatrix} -1/5 & 0 \\ 2/5 & 1/2 \end{bmatrix}$$

Soustrayons aux deux colonnes (2) deux fois la colonne (1) :

$$\begin{bmatrix} 1 & 0 \\ 0 & 1 \end{bmatrix} \quad \begin{bmatrix} -1/5 & 2/5 \\ 2/5 & -3/10 \end{bmatrix}$$

Et voilà, nous retrouvons l'inverse cherchée. On fait avec cette méthode autant d'opérations qu'avec la méthode de Gauss, mais elle est plus simple et peut demander moins de mémoire.

Essayons d'en écrire l'algorithme. Comme avec la méthode de Gauss de résolution de systèmes, nous allons regrouper toutes nos données dans une seule matrice puisque l'on applique toujours les mêmes opérations. Nous aurons donc une matrice A à n lignes et $2n$ colonnes contenant initialement la matrice à inverser dans les colonnes 1 à n et l'identité dans les colonnes $n+1$ à $2n$.

$$\begin{bmatrix} a_{11} & a_{12} & \dots & a_{1n} & 1 & 0 & 0 & \dots & 0 \\ a_{21} & a_{22} & \dots & a_{2n} & 0 & 1 & 0 & \dots & 0 \\ . & & . & . & & & & & . \\ a_{n1} & & \dots & a_{nn} & 0 & & & \dots & 1 \end{bmatrix}$$

Lorsque nous effectuons nos transformations, nous plaçons des 0 et des 1 à gauche et nous modifions les 0 et les 1 à droite.

C'est un peu comme si nous avions un gros bloc de valeurs partant de gauche, se déplaçant vers la droite et ne laissant que des 0 et des 1 derrière lui.

Allons-y calmement : supposons que nous en sommes arrivés à la situation suivante :

$$\begin{array}{r} \\ \\ \\ \\ \\ k> \\ \\ \\ \end{array} \left[\begin{array}{ccccccccccccc} 1 & 0 & 0 & .. & 0 & & & & 0 & 0 & .. & 0 & 0 \\ 0 & 1 & 0 & .. & 0 & & \text{Ici, des valeurs} & & 0 & 0 & .. & 0 & 0 \\ 0 & 0 & 1 & .. & 0 & & & & 0 & 0 & .. & 0 & 0 \\ . & & & & . & . & \text{absolument} & . & . & & & & . \\ 0 & 0 & 0 & .. & 1 & & & & 0 & 0 & .. & 0 & 0 \\ 0 & 0 & 0 & .. & 0 & & \text{quelconques} & & 1 & 0 & .. & 0 & 0 \\ . & & & & . & & & & . & & & & . \\ 0 & 0 & 0 & .. & 0 & \cdot & & \cdot & 0 & 0 & .. & 0 & 1 \end{array}\right]$$

$$\hat{k} \qquad\qquad\qquad n\hat{+}k$$

(Les valeurs quelconques sont celles obtenues après un traitement brutal.)

Pour mettre un 1 à la place du terme en $k^{\text{ième}}$ ligne et $k^{\text{ième}}$ colonne, nous pouvons supposer que nous divisons toute la ligne k (de 1 à $2n$) par a_{kk}, si nous notons ainsi la valeur qui se trouve présentement en cette position; il faudra simplement faire attention au fait que si l'on ne sauvegarde pas la valeur de a_{kk}, on risque de diviser a_{kj} par 1 pour $j>k$.

Ensuite, nous voulons avoir $a_{ik}=0$ pour $i \neq k$. On peut donc modifier toutes les autres lignes de manière à placer un 0 dans leur $k^{\text{ième}}$ colonne; il suffit pour cela de remplacer

a_{ij} par $a_{ij} - a_{ik} * a_{kj}$.

Il faudra encore faire attention à sauvegarder la valeur antérieure de a_{ik} : puisque maintenant a_{kk} vaut 1, cela mettra en effet 0 à la place de a_{ik}.

Écrivons donc une première version de l'organigramme :

```
♯ Inversion de Jordan
┌──────────────────────────────────────────────────────────────┐
│ Ranger la matrice à inverser dans les N premières colonnes   │
├──────────────────────────────────────────────────────────────┤
│ ♯ Faire pour I = 1, N                                        │
│    ┌─────────────────────────────────────────────────────────┤
│    │ ♯ Faire pour J = N+1, 2*N                               │
│    │    ┌────────────────────────────────────────────────────┤
│    │    │ A(I, J) = 0                                        │
│    │    └────────────────────────────────────────────────────┤
│    │ Faire ♯                                                 │
│    ├─────────────────────────────────────────────────────────┤
│    │ A(I, I+N) = 1                                           │
│    └─────────────────────────────────────────────────────────┤
│ Faire ♯                                                      │
├──────────────────────────────────────────────────────────────┤
│ ♯ Faire pour K = 1, N                                        │
│    ┌─────────────────────────────────────────────────────────┤
│    │ COEF = A(K, K)                                          │
│    ├─────────────────────────────────────────────────────────┤
│    │ ♯ Faire pour J = 1, 2*N                                 │
│    │    ┌────────────────────────────────────────────────────┤
│    │    │ A(K, J) = A(K, J) / COEF                           │
│    │    └────────────────────────────────────────────────────┤
│    │ Faire ♯                                                 │
│    ├─────────────────────────────────────────────────────────┤
│    │ ♯ Faire pour I = 1, N                                   │
│    │    ┌────────────────────────────────────────────────────┤
│    │    │ COEF = A(I, K)                                     │
│    │    ├────────────────────────────────────────────────────┤
│    │    │ ♯ Si I < > K                                       │
│    │    │    ┌───────┬───────────────────────────────────────┤
│    │    │    │ Alors │ ♯Faire pour J = 1, 2*N                │
│    │    │    │       │    ┌──────────────────────────────────┤
│    │    │    │       │    │ A(I, J) = A(I, J) - COEF*A(K, J) │
│    │    │    │       │    └──────────────────────────────────┤
│    │    │    │       │ Faire ♯                               │
│    │    │    └───────┴───────────────────────────────────────┤
│    │    │ Si ♯                                               │
│    │    └────────────────────────────────────────────────────┤
│    │ Faire ♯                                                 │
│    └─────────────────────────────────────────────────────────┤
│ Faire ♯                                                      │
└──────────────────────────────────────────────────────────────┘
Inversion de Jordan ♯
```

Nous ne nous poserons pas pour l'instant de questions sur la recherche des pivots, plus compliquée que dans le cas de la résolution de systèmes d'équations, et sur laquelle nous reviendrons plus tard.

Regardons ce que cela donne sur un exemple moins trivial que le précédent, par exemple l'inversion de la matrice :

$$\begin{bmatrix} 5 & 5 & 16 \\ 62 & 40 & 85 \\ 40 & 5 & 5 \end{bmatrix}$$

La première partie du programme nous complète la matrice avec l'identité, ce qui nous donne :

$$\begin{bmatrix} 5 & 5 & 16 & 1 & 0 & 0 \\ 62 & 40 & 85 & 0 & 1 & 0 \\ 40 & 5 & 5 & 0 & 0 & 1 \end{bmatrix}$$

Première opération, division de la ligne (1) par $a_{11}=5$:

$$\begin{bmatrix} 1 & 1 & 3.20 & 0.20 & 0 & 0 \\ 62 & 40 & 85 & 0 & 1 & 0 \\ 40 & 5 & 5 & 0 & 0 & 1 \end{bmatrix}$$

Comme nous bouclons jusqu'à 6 ($2n$), nous divisons aussi par 5 les deux zéros du bout de la ligne, ce qui n'était pas vraiment indispensable.

Deuxième opération, placement d'un 0 en colonne 1 pour toutes les lignes autres que la première. Pour faire cela dans la deuxième, on lui soustrait 62 fois ($62=a_{21}$) la première :

$$\begin{bmatrix} 1 & 1 & 3.20 & 0.20 & 0 & 0 \\ 0 & -22 & -113.40 & -12.40 & 1 & 0 \\ 40 & 5 & 5 & 0 & 0 & 1 \end{bmatrix}$$

Là encore, ôter 62 fois zéro aux deux dernières colonnes n'apporte pas grand'chose.

Même manipulation sur la troisième ligne, à qui l'on ôte 40 fois la première :

$$\begin{bmatrix} 1 & 1 & 3.20 & 0.20 & 0 & 0 \\ 0 & -22 & -113.40 & -12.40 & 1 & 0 \\ 0 & -35 & -123 & -8 & 0 & 1 \end{bmatrix}$$

On poursuit ainsi l'algorithme, jusqu'à finalement aboutir à

$$\begin{bmatrix} 1 & 0 & 0 & 0.04 & -0.01 & 0.03 \\ 0 & 1 & 0 & -0.49 & 0.10 & -0.09 \\ 0 & 0 & 1 & 0.20 & -0.03 & 0.02 \end{bmatrix}$$

Penchons-nous donc sur l'impressionnante quantité d'opérations inutiles que nous effectuons :

— Boucle de division par a_{kk} : n'oublions pas que lorsque l'on s'occupe de la ligne k, elle contient déjà, à cause des opérations précédentes, des 0 dans les colonnes 1 à $k-1$ (voir la représentation hautement symbolique de la matrice en cours de mutation plus haut).

De plus, elle contient encore les 0 de la matrice unité du départ dans les colonnes $n+k+2$ à $2n$. Voilà un nombre de divisions inutiles qui s'élève à $k-1+(2n-(n+k+2))$, soit $n-3$.

— Boucle de placement de 0 en $k^{\text{ième}}$ colonne des autres lignes : comme il y a déjà des 0 dans les $k-1^{\text{ièmes}}$ premières colonnes de la ligne k, entre 1 et $k-1$ on remplace consciencieusement a_{ij} (qui vaut 0 ou 1) par

$a_{ij} - 0 * a_{ik}$. On fait le même style de bêtises entre les colonnes $n+k+2$ et $2n$. Encore $n-3$ opérations inutiles.

Si l'on élimine les opérations sur les 0, est-il encore utile d'abord de placer les 0 de la matrice unité du départ qui se trouvent après la diagonale principale, et ensuite d'effectivement calculer les zéros que l'on place au fur et à mesure dans la matrice du départ? Niet!

En fait, certaines initialisations du départ sont inutiles, et quant à la transformation véritable de la matrice du départ en identité, on s'en moque tant que l'on récupère l'inverse à l'autre bout.

Tant que nous sommes dans les purges, des questions similaires se posent quant aux '1' qui se trouvent un peu partout, et l'on finit par se rendre compte qu'il était totalement inutile d'initialiser la matrice unité du départ.

Ainsi, en évitant toutes les opérations qui ne s'imposent pas, on aboutit à l'organigramme suivant qui, vous êtes invités à l'étudier pour vous en persuader, fait la même chose que le précédent plus efficacement, sans transformer jusqu'au bout la matrice initiale. Puisque l'on ne la modifie plus que partiellement, plus besoin de variables intermédiaires pour conserver les valeurs.

Inversion de Jordan II

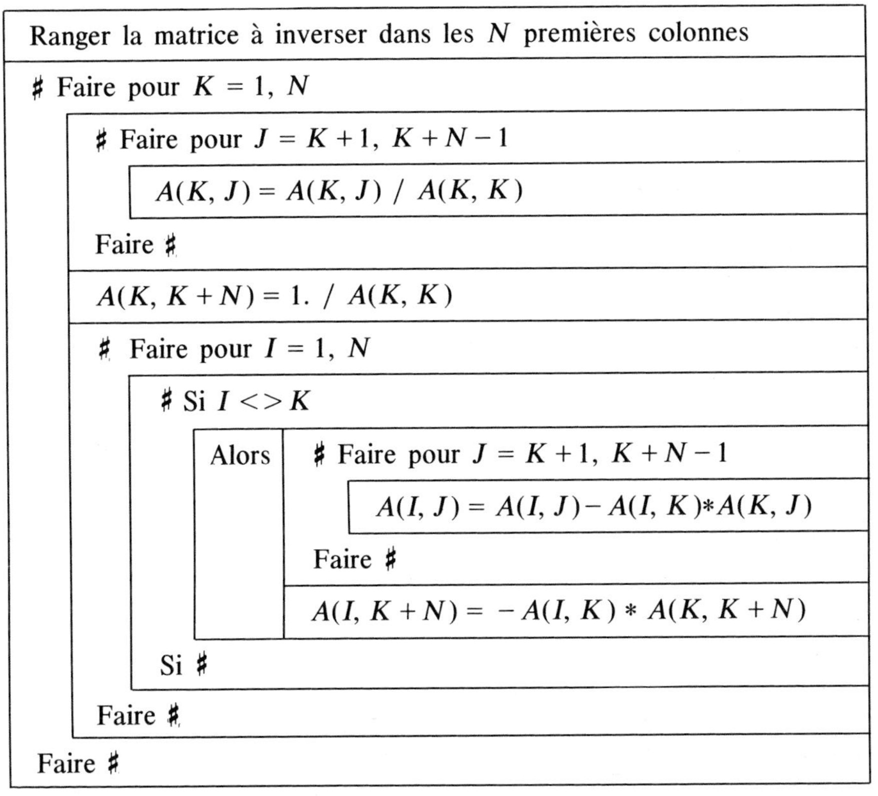

Inversion de Jordan II #

Pour mieux comprendre ce qui se passe, reprenons l'exemple précédent (N. B. : les éléments modifiés sont en caractères plus maigres et le point d'interrogation représente une valeur non définie).

Position initiale :

$$\begin{bmatrix} 5 & 5 & 16 & ? & ? & ? \\ 62 & 40 & 85 & ? & ? & ? \\ 40 & 5 & 5 & ? & ? & ? \end{bmatrix}$$

Tout d'abord « on fait comme si l'on plaçait un 1 en première colonne de la première ligne » :

$$\begin{bmatrix} 5 & 1 & 3.20 & 0.20 & ? & ? \\ 62 & 40 & 85 & ? & ? & ? \\ 40 & 5 & 5 & ? & ? & ? \end{bmatrix}$$

Ensuite « on fait comme si l'on plaçait un 0 en première colonne de la deuxième ligne » :

$$\begin{bmatrix} 5 & 1 & 3.20 & 0.20 & ? & ? \\ 62 & -22 & -113.40 & -12.40 & ? & ? \\ 40 & 5 & 5 & ? & ? & ? \end{bmatrix}$$

Même chose pour la troisième ligne :

$$\begin{bmatrix} 5 & 1 & 3.20 & 0.20 & ? & ? \\ 62 & -22 & -113.40 & -12.40 & ? & ? \\ 40 & -35 & -123 & -8 & ? & ? \end{bmatrix}$$

On fait comme si l'on plaçait un 1 en deuxième ligne, deuxième colonne :

$$\begin{bmatrix} 5 & 1 & 3.20 & 0.20 & ? & ? \\ 62 & -22 & 5.15 & 0.56 & -0.05 & ? \\ 40 & -35 & -123 & -8 & ? & ? \end{bmatrix}$$

etc.

On obtient finalement :

$$\begin{bmatrix} 5 & 1 & -1.95 & 0.04 & -0.01 & 0.03 \\ 62 & -22 & 5.15 & -0.49 & 0.10 & -0.09 \\ 40 & -35 & 57.41 & 0.20 & -0.03 & 0.02 \end{bmatrix}$$

On n'obtient pas vraiment l'identité à gauche, mais qu'est-ce que cela peut bien faire puisque nous récupérons la matrice inverse à droite!

Sur le plan du nombre d'opérations, nous sommes arrivés au minimum; mais il est remarquable que, dans l'exemple plus haut, on n'a jamais que n valeurs modifiées dans la ligne, et que nous gaspillons tout un tas de bonne place en mémoire en stockant des valeurs « consommables », qui servent une fois et que l'on n'utilise plus.

Par exemple, lors de la pseudo-mise d'un 1 à la place de a_{11}, on a besoin de connaître cette valeur pour savoir par quoi il faut ensuite diviser. Ensuite on n'en a plus besoin.

C'est là que l'algorithme devient particulièrement osé : puisque cette opération fait intervenir une valeur précédemment indéfinie ($1/a_{11}$ en $n+1^{\text{ième}}$ colonne), pourquoi ne pas ranger cette nouvelle valeur à la place de celle qui ne nous servira plus?

En fait, on va faire ce genre de chose chaque fois (à grands coups de modulos), et l'on va ainsi réussir à inverser la matrice dans elle-même. Whaaa!

L'organigramme devient :

♯ Inversion de Jordan III

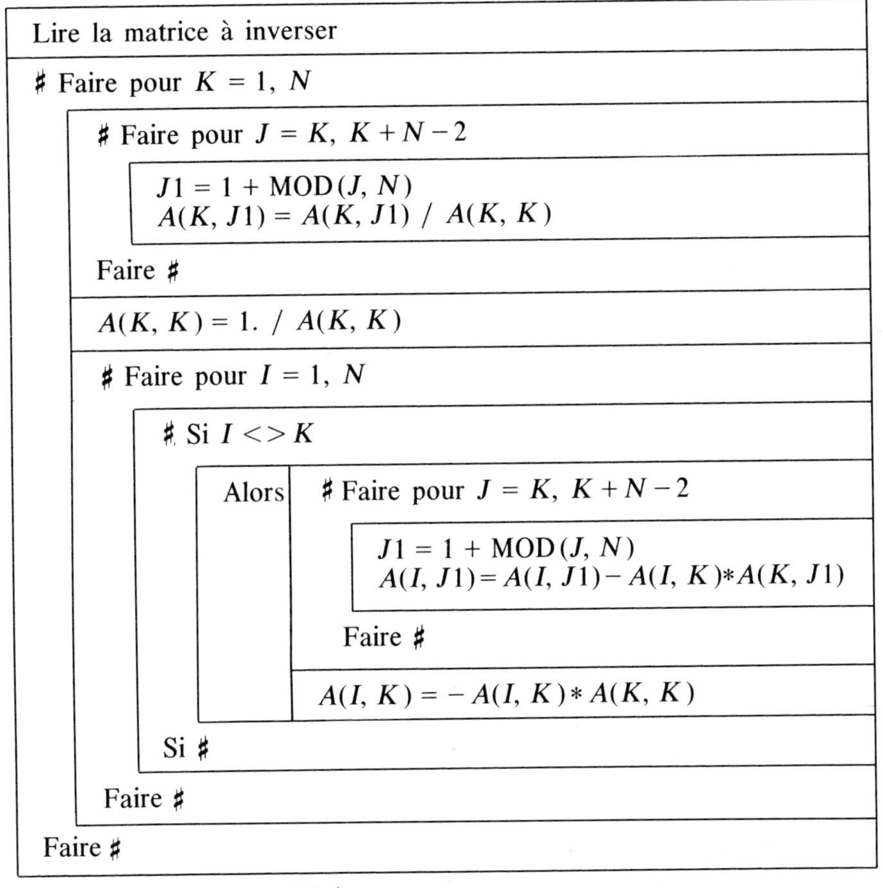

Inversion de Jordan III ♯

Ne résistons pas à la tentation de voir ce qui se passe sur la matrice précédente. Vous allez avoir le privilège d'assister à la transformation du gentil Dr Matrice en horrible Mr Inverse. Les personnes sensibles sont priées de passer une page.

Dans ce qui suit, ce qui sort à un bout est imprimé normalement, ce qui rentre par l'autre (et était antérieurement dans les colonnes $n+1$ à $2n$) est en caractères plus maigres.

Chaque fois que l'on traite une ligne (ce qui correspond à la boucle sur K), on imprime ensuite ce que l'on obtient après les divisions par a_{kk}, puis ce que l'on obtient après le traitement de chacune des deux autres lignes.

Dr Matrice :

$$\begin{bmatrix} 5 & 5 & 16 \\ 62 & 40 & 85 \\ 40 & 5 & 5 \end{bmatrix}$$

Et hop, c'est parti pour la transformation infernale :

$k=1$

$$\begin{bmatrix} 0.20 & 1 & 3.20 \\ 62 & 40 & 85 \\ 40 & 5 & 5 \end{bmatrix}$$

$$\begin{bmatrix} 0.20 & 1 & 3.20 \\ -12.40 & -22 & -113.40 \\ 40 & 5 & 5 \end{bmatrix}$$

$$\begin{bmatrix} 0.20 & 1 & 3.20 \\ -12.40 & -22 & -113.40 \\ -8 & -35 & -123 \end{bmatrix}$$

$k=2$

$$\begin{bmatrix} 0.20 & 1 & 3.20 \\ 0.56 & -0.05 & 5.15 \\ -8 & -35 & -123 \end{bmatrix}$$

$$\begin{bmatrix} -0.36 & 0.05 & -1.95 \\ 0.56 & -0.05 & 5.15 \\ -8 & -35 & -123 \end{bmatrix}$$

$$\begin{bmatrix} -0.36 & 0.05 & -1.95 \\ 0.56 & -0.05 & 5.15 \\ 11.73 & -1.59 & 57.41 \end{bmatrix}$$

$k=3$

$$\begin{bmatrix} -0.36 & 0.05 & -1.95 \\ 0.56 & -0.05 & 5.15 \\ 0.20 & -0.03 & 0.02 \end{bmatrix}$$

$$\begin{bmatrix} 0.04 & -0.01 & 0.03 \\ 0.56 & -0.05 & 5.15 \\ 0.20 & -0.03 & 0.02 \end{bmatrix}$$

Mr Inverse :

$$\begin{bmatrix} 0.04 & -0.01 & 0.03 \\ -0.49 & 0.10 & -0.09 \\ 0.20 & -0.03 & 0.02 \end{bmatrix}$$

On regarderait les matrices s'inverser pendant des heures...

Le cas douloureux des pivots nuls

Dans l'exemple précédent, choisi avec une habileté diabolique, nous n'avons pas rencontré de pivot nul. Or, le problème du pivot nul ou petit se pose avec autant d'acuité que pour les résolutions de systèmes d'équations : la machine aime toujours aussi peu les divisions par zéro.

Dans le cas du système, nous échangions deux lignes, et « va bene ».

Replaçons-nous dans le cas où nous avons la matrice initiale à gauche, et la matrice identité à droite. Si dans ce cas nous permutons deux lignes, les deux matrices sont modifiées simultanément, ce qu'il faut. Mais, si nous appliquons l'algorithme tel qu'il a été exposé, avec une matrice identité virtuelle, rien ne va plus : en effet, c'est de savoir que l'on travaille dans telle ou telle ligne qui nous permet de faire un nombre minimal d'opérations dans le minimum de place; si l'on échange des lignes, il faudra revenir à un algorithme faisant beaucoup d'opérations et demandant beaucoup de place en mémoire.

Une autre possibilité est d'échanger des colonnes (qui n'ont pas encore été modifiées) à la place des lignes. Il est difficile de se rendre compte sur la version III de l'organigramme que l'opération est relativement innocente, mais on imagine mieux, sur la version I, que seule la matrice de gauche est modifiée et qu'ainsi les choses vont se passer sans anicroche. Le seul ennui est qu'en modifiant cette matrice, on va obtenir une matrice inverse également modifiée!

Essayons de voir comment cette matrice inverse est modifiée. Plaçons-nous en dimension 3 par exemple, avec une base (I, J, K) transformée par une application linéaire f (isomorphisme) en une autre base $(f(I), f(J), f(K))$.

La matrice de f sera faite ainsi :

composantes de

$f(I)$ $f(J)$ $f(K)$

sur I
sur J
sur K

et la matrice de f^{-1}, qui sera la matrice inverse :

composantes de

I J K

sur $f(I)$
sur $f(J)$
sur $f(K)$.

Si l'on permute les composantes de $f(I)$ et de $f(K)$ dans la matrice initiale, c'est comme si l'on rebaptisait différemment les vecteurs de la seconde base, qui devient $(f(K), f(J), f(I))$. Par conséquent, la différence entre la matrice inverse obtenue à partir de la matrice modifiée et la « bonne » matrice inverse est que les lignes correspondant aux composantes sur $f(I)$ et $f(K)$ seront inversées.

Voilà le point important : si l'on permute des colonnes, il faudra permuter les lignes correspondantes de la matrice inverse obtenue pour avoir le bon résultat.

Pour nous y retrouver, nous allons utiliser un vecteur INDEX de dimension N, initialisé à

INDEX $(I) = I$

qui nous permettra de mémoriser les positions initiales si on le modifie en même temps que l'on permute les colonnes.

Si l'on tient compte de la recherche des pivots, nous obtenons l'algorithme final de l'inversion de Jordan, donné ici avec l'impression de la matrice inverse pour montrer l'emploi du vecteur INDEX :

♯ Inversion de Jordan IV (et dernier)

Lire la matrice à inverser

♯ Faire pour $I = 1, N$

INDEX (I) = I

Faire ♯

Initialiser un indicateur NONINV à 0 et K à 1

♯ Tant que NONINV = 0 et que $K <= N$

♯ Recherche du pivot ♯

♯ Si PIVOT <> 0

Alors ♯ Si $K <> PV$

Alors ♯ Echanger ♯

Si ♯

♯ Opérations habituelles ♯

Sinon NONINV = 1

Si ♯

$K = K + 1$

Tant que ♯

Inversion de Jordan IV ♯

♯ Impression du résultat

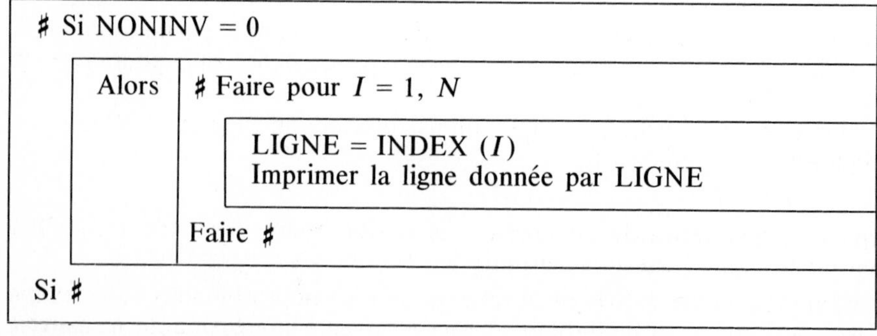

♯ Impression du résultat

♯ Recherche du pivot

<table>
<tr><td colspan="3">Initialiser PIVOT et PV à 0</td></tr>
<tr><td colspan="3">♯ Faire pour $I = K, N$</td></tr>
<tr><td></td><td colspan="2">♯ Si ABS $(A(K, I))$ > PIVOT</td></tr>
<tr><td></td><td>Alors</td><td>PIVOT = ABS $(A(K, I))$
$PV = I$</td></tr>
<tr><td></td><td colspan="2">Si ♯</td></tr>
<tr><td colspan="3">Faire ♯</td></tr>
</table>

Recherche du pivot ♯

♯ Echanger

<table>
<tr><td colspan="2">ITEMP = INDEX (PV)
INDEX (PV) = INDEX (K)
INDEX (K) = ITEMP</td></tr>
<tr><td colspan="2">♯ Faire pour $I = 1, N$</td></tr>
<tr><td></td><td>ATEMP = $A(I, K)$
$A(I, K) = A(I, PV)$
$A(I, PV)$ = ATEMP</td></tr>
<tr><td colspan="2">Faire ♯</td></tr>
</table>

Echanger ♯

```
♯ Opérations habituelles
┌─────────────────────────────────────────────────────────────┐
│ ♯ Faire pour J = K, K + N - 2                               │
│   ┌─────────────────────────────────────────────────────────┤
│   │ J1 = 1 + MOD(J, N)                                      │
│   │ A(K, J1) = A(K, J1) / A(K, K)                           │
│   └─────────────────────────────────────────────────────────┤
│ Faire ♯                                                     │
├─────────────────────────────────────────────────────────────┤
│ A(K, K) = 1. / A(K, K)                                      │
├─────────────────────────────────────────────────────────────┤
│ ♯ Faire pour I = 1, N                                       │
│   ┌─────────────────────────────────────────────────────────┤
│   │ ♯ Si I <> K                                             │
│   │   ┌───────┬─────────────────────────────────────────────┤
│   │   │ Alors │ ♯ Faire pour J = K, K + N - 2               │
│   │   │       │   ┌─────────────────────────────────────────┤
│   │   │       │   │ J1 = 1 + MOD (J, N)                     │
│   │   │       │   │ A(I, J1) = A(I, J1) - A(I, K)*A(K, J1)  │
│   │   │       │   └─────────────────────────────────────────┤
│   │   │       │ Faire ♯                                     │
│   │   │       ├─────────────────────────────────────────────┤
│   │   │       │ A(I, K) = -A(I, K) * A(K, K)                │
│   │   └───────┴─────────────────────────────────────────────┤
│   │ Si ♯                                                    │
│   └─────────────────────────────────────────────────────────┤
│ Faire ♯                                                     │
└─────────────────────────────────────────────────────────────┘
Opérations habituelles ♯
```

19

La résolution d'équations différentielles

« Lasciate ogni speranza, v'oi che intrate. »
« Abandonnez toute espérance, vous qui entrez ici. »

Dante, *Inferno*

Les équations différentielles, plus familièrement connues sous le nom d'équas diffs, sont des relations entre une variable x, l'image $f(x)$ de cette variable par une fonction, et une ou plusieurs dérivées de f au point x.

$$F(x, y, y', \ldots, y^{(n)}) = 0$$
$$\big(y = f(x)\big).$$

L'ordre de l'équation est par définition l'ordre le plus élevé des dérivées successives qui y interviennent.

Les équations différentielles sont une véritable plaie et il est difficile de leur échapper : tout ce qui varie, pour une raison ou une autre, est susceptible de donner lieu à une équation différentielle.

Les plus fréquentables parmi les équations différentielles sont les équations différentielles linéaires, qui s'écrivent sous la forme :

$$a_0(x) + a_i(x)\,y + \ldots + a_{n+1}(x)\,y^{(n)} = 0.$$

Parmi celles-ci, les seules vraiment agréables sont celles pour lesquelles tous les $a_i(x)$ sont des constantes. Dans ce cas, on est toujours capable de fournir une solution sous forme de combinaison linéaire d'exponentielles complexes, soit pratiquement un infâme mélange de cosinus, sinus, cosinus et sinus hyper(dia)boliques et exponentielle, plus polynôme éventuellement. Sinon il faut faire des prières pour que les variables se séparent, ce qui signifie que l'on arrive à mettre tout ce qui est en y et dérivées d'un côté de l'équation, tout ce qui est en x de l'autre, et intégrer séparément; encore qu'on ne soit pas toujours capable de calculer les intégrales, mais enfin...

En faisant des changements de variables inspirés $\left(\text{comme par exemple } z = \frac{y}{x}, \text{ etc.}\right)$, on parvient parfois à retrouver des coefficients constants ou des variables séparables. Un certain nombre de mathématiciens, à la suite de déboires sentimentaux (il n'y a pas d'autre explication possible), se sont acharnés à résoudre quelques formes particulières d'équations différentielles auxquelles leurs noms sont restés attachés, mais c'est tout.

Pour résumer la situation, ce n'est pas brillant dans l'ensemble.

Il n'est pas besoin d'aller chercher des problèmes très compliqués pour trouver des équations différentielles qui le sont. Ainsi, prenons un cas aussi bête que celui du pendule simple, masse m oscillant sans enthousiasme au bout d'un fil de longueur l et dont la position est repérée par l'angle θ par rapport à la verticale.

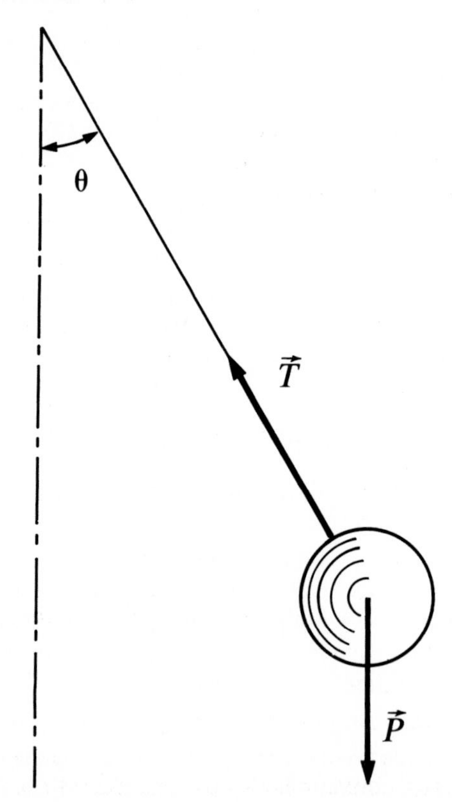

Lorsque l'on applique le principe fondamental de la dynamique on trouve :

$$mgl \sin\theta = -ml^2 \frac{d^2\theta}{dt^2}$$

d'où

$$\frac{d^2\theta}{dt^2} = -\frac{g}{l} \sin \theta.$$

Traditionnellement, on dit alors que si θ est petit, on peut confondre θ et $\sin\theta$, ce que l'on se dépêche de faire. On a ainsi une équation différentielle linéaire, à coefficients constants qui plus est, et n'importe qui sait la résoudre.

Le seul ennui, c'est que l'équation est parfaitement valable même si θ est grand. Seulement, là, on ne sait plus la résoudre!

On peut tout de même l'améliorer un peu, en multipliant les deux côtés de l'équation par θ'. On a alors :

$\left(\text{On pose } -\frac{g}{l}=K\right)$

$$\theta''\theta' = \mathrm{K} \sin\theta\,\theta'$$

$$\Longrightarrow \theta'^2 = -2\mathrm{K}\cos\theta + \mathrm{C^{te}}$$

et l'on arrête là les frais. Si l'on dit que l'on a lâché le pendule à $\theta=90$ degrés avec $\theta'=0$, on déduit que la constante est nulle. Dans ce cas particulier, puisque le temps t n'apparaît pas explicitement dans l'équation, le problème se ramène à une intégration, que l'on ne saura calculer que numériquement. Ce n'est pas toujours le cas : si au lieu d'avoir $\cos\theta$ on avait eu $\cos(\theta t)$ les méthodes d'intégration numérique auraient été inappliquables.

Encore un cas où les méthodes numériques vont devoir frapper.

On suppose donc que l'on a à résoudre une équation différentielle et que l'on connaît les conditions initiales (pour le pendule par exemple, son angle et sa vitesse à $t=0$).

Une équation différentielle de la forme :

$$y^{(n)} = g(x, y, y', \ldots, y^{(n-1)})$$

peut se transformer en un système de n équations différentielles du premier ordre :

$$\frac{\mathrm{d}y}{\mathrm{d}x} = y_1$$

$$\frac{\mathrm{d}y_1}{\mathrm{d}x} = y_2$$

$$\ldots$$

$$\frac{\mathrm{d}y_{n-2}}{\mathrm{d}x} = y_{n-1}$$

$$\frac{\mathrm{d}y_{n-1}}{\mathrm{d}x} = g(x, y, y_1, y_2, \ldots, y_{n-1}).$$

Pour reprendre l'exemple du pendule, nous pouvons remplacer son équation différentielle :

$$\theta'' = -\mathrm{K}\sin\theta$$

par

$$\frac{\mathrm{d}\theta}{\mathrm{d}t} = \theta_1$$

$$\frac{d\theta_1}{dt} = -K \sin \theta$$

Par conséquent nous nous bornerons à l'étude de :

$$\frac{dy}{dx} = g(x, y)$$

connaissant la condition initiale : pour $x = x_0$, $y = y_0$.

En fait, résoudre numériquement l'équation différentielle revient à calculer y à intervalles réguliers, et tabuler ainsi la fonction solution de l'équation.

On calcule y en $x_1 = x_0 + h$, puis en $x_2 = x_0 + 2h$, etc., et comme dans le cas des calculs d'intégrales h est appelé le pas d'intégration.

Par convention, nous noterons y_n la valeur de y calculée au point $x_n = x_0 + nh$.

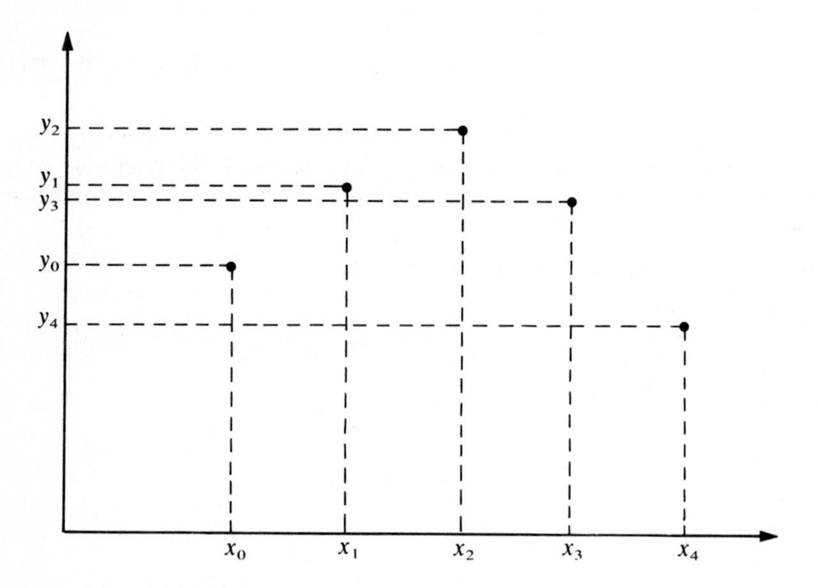

On distingue deux grandes familles de méthodes :
— celles pour lesquelles y_{n+1} est calculé uniquement en fonction de y_n; ce sont les méthodes à pas séparés;
— celles pour lesquelles y_{n+1} est calculé en fonction de y_n, y_{n-1}, ..., y_{n-p}; ce sont les méthodes à pas liés de rang p.

En général, les méthodes à pas liés sont les plus précises et demandent moins de calculs; leur inconvénient est qu'avant de calculer une valeur il faut connaître les $p+1$ qui précèdent : au démarrage, cela s'annonce mal. Aussi utilise-t-on souvent les deux à la fois : pas séparés pour amorcer les calculs, puis pas liés ensuite.

19.1. Les méthodes à pas séparés

Notre problème est le suivant : nous connaissons y_n et y'_n (par l'équation différentielle $y' = g(x, y)$) en $x_n = x_0 + nh$, comment calculer y_{n+1} en x_{n+1}? Le réflexe sauveur en analyse numérique est souvent de se raccrocher à la formule de Taylor. Nous pouvons écrire :

$$y_{n+1} = y_n + hy'_n + \frac{h^2}{2} y''_n + \ldots$$

soit

$$y_{n+1} = y_n + hg(x_n, y_n) + \frac{h^2}{2}\left[\frac{\partial g}{\partial x} + g(x_n, y_n)\frac{\partial g}{\partial y}\right] + \ldots$$

en appliquant $y' = g(x, y)$

et $\quad dg = \frac{\partial g}{\partial x}\,dx + \frac{\partial g}{\partial y}\,dy$ (fonctions de plusieurs variables)

d'où $\quad y'' = \frac{dy'}{dx} = \frac{dg}{dx} = \frac{\partial g}{\partial x} + \frac{\partial g}{\partial y}\frac{dy}{dx} = \frac{\partial g}{\partial x} + g\frac{\partial g}{\partial y}.$

Une fois la formule de Taylor obenue, on la tronque à l'ordre que l'on veut, en négligeant un $o(h^p)$.

Le seul inconvénient est que les différentes dérivées partielles successives de g sont (dans le meilleur des cas) difficiles ou (si son expression analytique est inconnue) impossibles à obtenir. Drame. Il faut donc renoncer, la mort dans l'âme, à l'application directe de la formule de Taylor.

Une approximation brutale serait de considérer que la courbe est une droite sur $[x_n, x_{n+1}]$, ce qui revient à ne conserver que les deux premiers termes (sans dérivées de g) de la formule de Taylor :

Dans ce cas on peut écrire
$$\begin{aligned} y_{n+1} &= y_n + hy'_n \\ &= y_n + hg(x_n, y_n). \end{aligned}$$

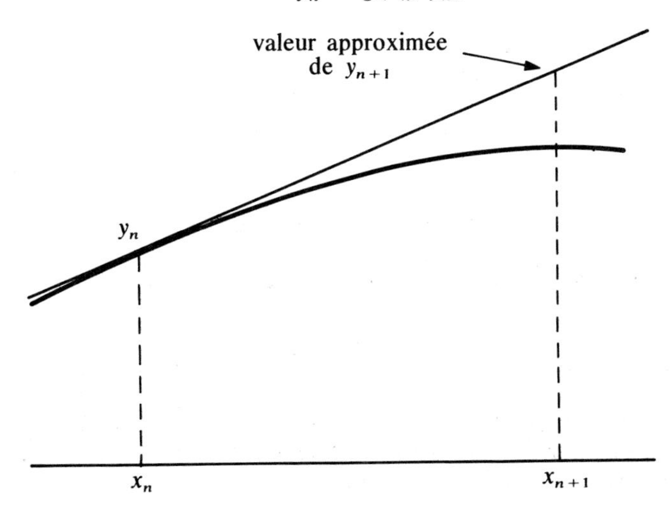

En général, l'approximation de y_{n+1} ainsi obtenue sera très grossière. Or, lorsque l'on calculera y_{n+2} on repartira de y_{n+1} et de $g(x_{n+1}, y_{n+1})$; non seulement y_{n+1} sera approché, mais pour peu que la dépendance de g par rapport à y soit grande, il se peut que la dérivée soit complètement fausse. Au bout de quelques pas, on risque de se retrouver en train d'errer absolument n'importe où.

Comme avec les méthodes d'intégration, diviser le pas par 2 améliorera la précision; dans ce cas, essayons plutôt de calculer d'abord $y\left(x_n + \frac{h}{2}\right)$ à partir de y_n, puis y_{n+1} à partir de $y\left(x_n + \frac{h}{2}\right)$ en appliquant la même formule que ci-dessus :

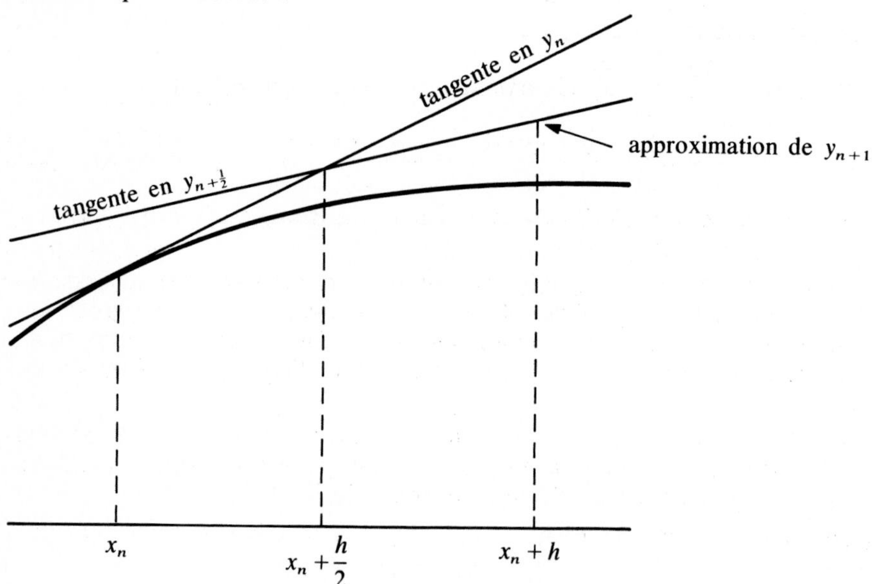

$$y\left(x_n + \frac{h}{2}\right) = y_n + \frac{h}{2}\, g(x_n, y_n)$$

$$y_{n+1} = y\left(x_n + \frac{h}{2}\right) + \frac{h}{2}\, g\left(x_n + \frac{h}{2}, y\left(x_n + \frac{h}{2}\right)\right)$$

$$= y_n + \frac{h}{2}\, g(x_n + y_n) + \frac{h}{2}\, g\left(x_n + \frac{h}{2}, y_n + \frac{h}{2}\, g(x_n, y_n)\right).$$

Cela ne suffit pas, et il faudrait encore recommencer. En général on va avoir :

$$y\left(x_n + (k+1)\,\frac{h}{2^p}\right) = y\left(x_n + k\,\frac{h}{2^p}\right) + \frac{h}{2^p}\, g\left(x_n + k\,\frac{h}{2^p}, y\left(x_n + k\,\frac{h}{2^p}\right)\right).$$

Lorsque p tend vers l'infini, on va tendre vers le résultat exact pour y_{n+1}; néanmoins, le calculer comme dans le cas de l'intégration numérique est impossible, à cause de la dépendance de g en y.

On peut toutefois remarquer que, puisque le fond des méthodes numériques est de trouver des solutions approchées, on peut se contenter de la somme d'un nombre fini de termes semblables au précédent, sachant que les sommations vont faire intervenir des coefficients un peu partout.

C'est la base des méthodes de Runge-Kutta, qui recherchent a priori, une expression de y_{n+1} sous la forme :

$$y_{n+1} = y_n + \sum_{i=0}^{p} \alpha_i K_i$$

(méthode de Runge-Kutta à $p+1$ approximations) avec

$$K_0 = hg(x_n, y_n)$$
$$K_1 = hg(x_n + \beta_1 h, y_n + \mu_{10} K_0)$$
$$K_2 = hg(x_n + \beta_2 h, y_n + \mu_{20} K_0 + \mu_{21} K_1)$$

etc.

La difficulté est maintenant de déterminer les différents coefficients.

Ce serait faire injure à la mémoire de Taylor que de ne pas utiliser, tout de même, sa formule dans ce chapitre. En fait, on va développer selon cette formule l'expression que l'on cherche.

La formule de Taylor appliquée aux fonctions de plusieurs variables est une généralisation de la formule que nous connaissons, dans laquelle, si l'on développe en $(x+h, y+k)$ au lieu de $x+h$ avec une variable, au lieu d'appliquer à $f(x)$

$$h \frac{d}{dx}$$

on applique à $F(x, y)$

$$h \frac{\partial}{\partial x} + k \frac{\partial}{\partial y}.$$

Faisons le pour $p = 1$; pour ne pas traîner des quantités invraisemblables d'indices, on note $x_n = x$ et $y_n = y$.

On a donc $K_0 = hg(x, y)$

et $K_1 = hg(x + \beta_1 h, y + \mu_{10} K_0)$

$$= hg\big(x + \beta_1 h, y + \mu_{10} hg(x, y)\big).$$

On peut noter h' l'expression $\beta_1 h$

et k' l'expression $\mu_{10} hg(x, y)$.

Si l'on applique la formule indiquée plus haut pour développer K_1 on obtient alors

$$K_1 = h\left[g(x, y) + h' \frac{\partial g}{\partial x} + k' \frac{\partial g}{\partial y} + o(h)\right]$$

$$K_1 = h\left[g(x, y) + h\beta_1 \frac{\partial g}{\partial x} + \mu_{10} hg(x, y) \frac{\partial g}{\partial y}\right] + o(h^2)$$

d'où, en reportant cela dans la formule sous laquelle on cherche à exprimer y_{n+1}

$$y_{n+1} = y + (\alpha_0 + \alpha_1) hg(x, y) + h^2 \left(\alpha_1 \beta_1 \frac{\partial g}{\partial x} + \alpha_1 \mu_{10} g(x, y) \frac{\partial g}{\partial y}\right) + o(h^2)$$

Par identification avec la formule de Taylor obtenue directement telle qu'elle était donnée au début de ce chapitre, soit :

$$y_{n+1} = y_n + hg(x_n, y_n) + \frac{h^2}{2}\left[\frac{\partial g}{\partial x} + g(x_n, y_n)\frac{\partial g}{\partial y}\right] + \dots$$

on trouve

$$\alpha_0 + \alpha_1 = 1$$

$$\alpha_1\beta_1 = \frac{1}{2}$$

$$\alpha_1\mu_{10} = \frac{1}{2}$$

On a trois équations et quatre inconnues, donc on peut en choisir une arbitrairement (il y a toujours plus d'inconnues que d'équations avec les méthodes de Runge-Kutta, quel que soit le nombre d'approximations). Pour un nombre d'approximations donné, on trouve donc plusieurs formules de Runge-Kutta; avec deux approximations, on trouve souvent :

$$y_{n+1} = y_n + hg\left(x_n + \frac{h}{2}, y_n + \frac{h}{2}\, g(x_n, y_n)\right)$$

et

$$y_{n+1} = y_n + \frac{h}{2}\left[g(x_n, y_n) + g\left(x_n + h, y_n + hg(x_n, y_n)\right)\right].$$

On peut, en poussant plus loin les développements, obtenir des formules de Runge-Kutta avec un nombre d'approximations plus élevé; les plus utilisées sont les formules à 4 approximations (pour les gens tentés par leur démonstration, sans vouloir doucher leur enthousiasme, autant prévenir qu'on arrive à un système de 11 équations à 13 inconnues) et parmi le nombre infini de formules à 4 approximations la plus courante est :

$$y_{n+1} = y_n + \frac{1}{6}(K_0 + 2K_1 + 2K_2 + K_3)$$

avec $K_0 = hg(x_n, y_n)$

$$K_1 = hg\left(x_n + \frac{h}{2}, y_n + \frac{1}{2}\, K_0\right)$$

$$K_2 = hg\left(x_n + \frac{h}{2}, y_n + \frac{1}{2}\, K_1\right)$$

$$K_3 = hg(x_n + h, y_n + K_2).$$

Lorsque l'on utilise cette formule, l'erreur (systématique, due à la méthode) faite provient de «l'oubli» de ce qui constitue $o(h^4)$ dans la formule de Taylor. Le principal terme de $o(h^4)$ sera $h^4 *$ quelque chose, le quelque chose en question pouvant être considéré constant entre y_n et y_{n+1}. Si l'on divise h par 2, on divisera donc le terme négligé, donc l'erreur, par $2^4 = 16$. En revanche, comme on calculera y en deux fois plus de points, on aura une erreur d'arrondi double.

En pratique, il faut avoir une erreur systématique petite, mais grande par rapport à l'erreur d'arrondi.

19.2. Les méthodes à pas liés

19.2.1. Méthodes explicites

Les méthodes à pas liés consistent donc à rechercher y_{n+1} connaissant $y_{n-p}, \ldots, y_{n-1}, y_n$. Voilà qui sonne comme de l'extrapolation.

Quelle est la différence principale entre l'extrapolation d'une fonction et le cas qui nous préoccupe? Ici, nous disposons d'un renseignement supplémentaire : la valeur de la dérivée en chacun des points, donnée par l'équation différentielle.

En fait, nous pouvons appliquer le même critère d'évaluation des méthodes que pour les méthodes d'intégration (résolution d'équation différentielle et intégration sont très liées), à savoir quand f ($y=f(x)$, rappelons-le) est un polynôme, quel peut être au maximum son degré pour l'obtention d'un résultat exact?

Si nous extrapolions y_{n+1} à partir des $p+1$ valeurs antérieures y_n, y_{n-1}, ..., y_{n-p}, le polynôme d'extrapolation serait de degré p.

Considérons ce qui se passe si, plutôt que d'extrapoler y, nous extrapolons g par un polynôme, et l'intégrons : comme nous connaissons aussi $p+1$ valeurs pour y', nous obtiendrons un résultat exact si y' est un polynôme de degré p et donc si y est un polynôme de degré $p+1$. En rusant de manière éhontée, nous avons gagné un degré sur le polynôme de degré le plus élevé pour lequel le résultat est exact, et donc nous aurons un meilleur approximant pour f dans le cas général.

Plaçons-nous dans le cas où nous voulons calculer y_{n+1} à partir de y_n, et de y_{n-1}. L'équation différentielle nous fournit donc y'_n et y'_{n-1}. Avec ces deux points on va pouvoir approximer y' par un polynôme de degré 1, soit :

$$y' = ax + b$$

d'où

$$y = \frac{a}{2} x^2 + bx + c.$$

Ceci permet de calculer y_{n+1}. En fait, on ne va pas l'obtenir par cette formule, qui fait intervenir un nombre de calculs respectable pour pouvoir obtenir les coefficients. Il ne faut pas oublier que les y_i connus la vérifient aussi, et que les deux premiers coefficients sont exprimés en fonction des y'_i. En fait, on peut éviter le calcul explicite de ces coefficients :

$$y'_n = a(x_0 + nh) + b \qquad (1)$$

$$y'_{n-1} = a\left(x_0 + (n-1)h\right) + b \qquad (2)$$

$$y_{n+1} = \frac{a}{2}\left(x_0 + (n+1)h\right)^2 + b\left(x_0 + (n+1)h\right) + c \qquad (3)$$

$$y_n = \frac{a}{2}(x_0 + nh)^2 + b(x_0 + nh) + c \qquad (4)$$

$$y_{n-1} = \frac{a}{2}(x_0 + (n-1)h)^2 + b(x_0 + (n-1)h) + c. \tag{5}$$

De (4) on peut tirer c

$$c = y_n - \frac{a}{2}(x_0 + nh)^2 - b(x_0 + nh)$$

expression que l'on peut reporter dans (3) pour obtenir :

$$y_{n+1} = \frac{a}{2}\left[(x_0 + (n+1)h)^2 - (x_0 + nh)^2\right] + b\left[(x_0 + (n+1)h) - (x_0 + nh)\right] + y_n$$

qui donne, en factorisant :

$$y_{n+1} = \frac{a}{2}\left[(2(x_0 + nh) + h)h\right] + bh + y_n. \tag{6}$$

D'après (1) $x_0 + nh$ vaut $\frac{1}{a}(y'_n - b)$, et la différence des équations (1) et (2) donne $y'_n - y'_{n-1} = ah$; en reportant tout cela dans (6), on trouve finalement, après simplifications :

$$y_{n+1} = y_n + \frac{h}{2}(3y'_n - y'_{n-1}).$$

Cette formule est appelée formule d'Adams (de rang 1).

Il a été ici choisi d'éliminer le terme constant en l'exprimant en fonction de y_n. On aurait tout aussi bien pu l'exprimer en fonction de y_{n-1}, ce qui aurait passablement modifié la formule; cela l'aurait même tellement traumatisée, cette pauvre formule, que cela aurait induit en elle des troubles de la personnalité : en effet, nous ne l'aurions plus appelée formule d'Adams mais formule de Milne. Surprise!

Ce que nous venons de faire peut se généraliser, et l'on peut montrer que pour le rang p la formule d'Adams s'écrit

$$y_{n+1} = y_n + h \sum_{i=0}^{p} k_i y'_{n-i}$$

et la formule de Milne

$$y_{n+1} = y_{n-p} + h \sum_{i=0}^{p} k'_i y'_{n-i}.$$

Au niveau qui nous intéresse, ces deux formules sont quasiment équivalentes, mais (voir ci-dessous), les coefficients des formules de Milne sont plus simples. Avec les formules de Milne, il vaut mieux prendre un rang impair car alors le coefficient du dernier y' (y'_{n-p}) est nul, ce qui permet de boucler jusqu'à $p-1$ au lieu de p.

Donnons quelques coefficients :
(A = Adams, M = Milne)

Rang	1		2		3	
	A	M	A	M	A	M
y'_n	3/2	2	23/12	9/4	55/24	8/3
y'_{n-1}	−1/2	0	−16/12	0	−59/24	−4/3
y'_{n-2}	—	—	5/12	3/4	37/24	8/3
y'_{n-3}	—	—	—	—	− 9/24	0

Ces formules sont donc exactes pour un polynôme de degré $p+1$.

Le démarrage d'une méthode à pas liés

Le principal inconvénient des méthodes à pas liés est qu'elles demandent de connaître p valeurs avant de pouvoir en calculer une.

Il faut donc utiliser une méthode à pas séparés comme celle de Runge-Kutta pour calculer ces p valeurs.

Mais ici se pose une question : quelles valeurs va-t-on calculer? En effet, initialement, on ne connaît que y_0.

Le réflexe normal est de se dire que l'on va calculer $y_1, y_2, y_3, \ldots, y_{p-1}$.

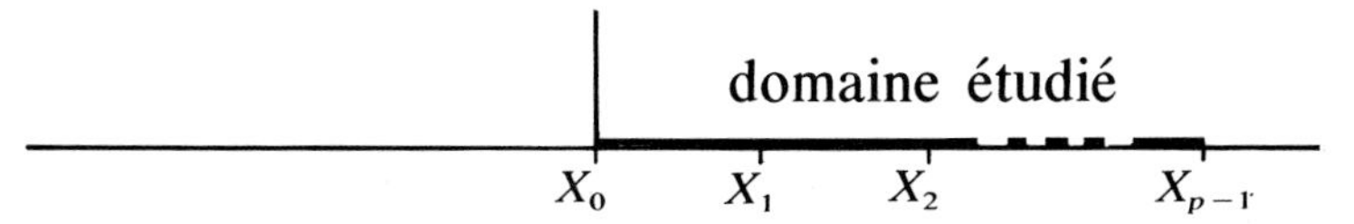

L'ennui, c'est que si l'on emploie une méthode à pas liés, c'est que l'on souhaite une plus grande précision que par une méthode à pas séparés sur le domaine où l'on calcule.

Si l'on fait comme indiqué, on ne va avoir une bonne précision qu'à partir de y_p.

D'où la seconde idée : puisque l'on veut une grande précision le plus tôt possible, pourquoi ne pas calculer les valeurs nécessaires au démarrage en dehors du domaine qui nous intéresse?

C'est-à-dire, pourquoi ne pas calculer plutôt y_{-1} (associé à $x_0 - h$), y_{-2}, ..., y_{-p-1}?

Il est fort possible que ces valeurs de y n'aient pas de signification physique : par exemple, dans le cas du pendule, l'angle avant $t=0$ ne correspond à rien.

Cependant, mathématiquement c'est calculable : on peut donc parfaitement utiliser cet artifice pour raccrocher la réalité à partir de x_0 et des valeurs de y qui nous intéressent.

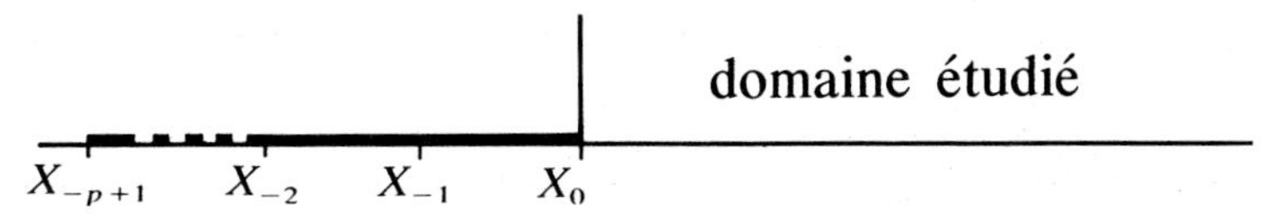

Toutefois, cette méthode n'est pas encore tout à fait satisfaisante. En effet, comme la méthode à pas séparés est moins précise, les valeurs à partir desquelles nous allons tout calculer seront globalement entachées d'une erreur non négligeable : pourquoi alors vouloir utiliser une méthode raffinée? En termes bibliques, on est en train de construire un colosse aux pieds d'argile.

Quelle est la valeur que l'on connaît avec précision? y_0, et c'est tout. Intuitivement, on sent bien que plus l'on s'éloigne de cette valeur dans un calcul à pas séparés, plus on accumule d'erreurs, puisque l'on calcule chaque fois avec une valeur un peu plus erronée que la précédente.

D'où la troisième (et bonne) idée : pourquoi ne pas mélanger les deux idées précédentes et calculer la moitié des valeurs nécessaires dans le domaine, et l'autre moitié en dehors? Ainsi on minimise l'écart de l'ensemble des valeurs calculées avec y_0 et l'on obtient un ensemble de valeurs globalement plus précis.

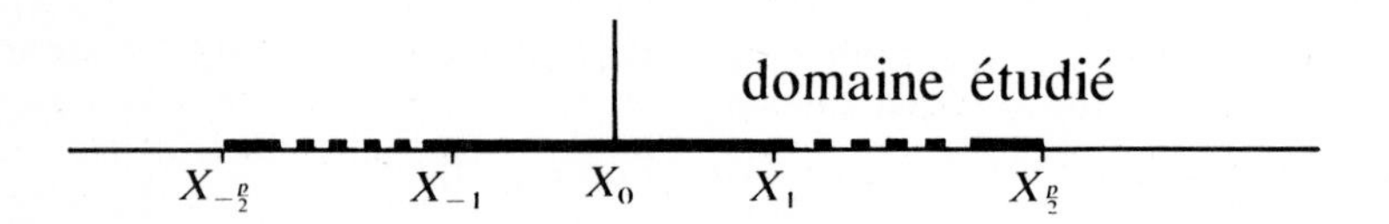

L'algorithme d'une méthode à pas liés peut donc se mettre sous la forme :

Y = vecteur des *p* valeurs nécessaires au démarrage,
YD = vecteur des dérivées (obtenues par l'équation) des valeurs contenues dans *Y*

Y et *YD* ont en fait une dimension $p+1$. En première position on mettra la valeur que l'on va calculer. En deuxième sera celle que l'on vient juste de calculer, etc.

Pas liés

Calculer par Runge-Kutta $Y(p+1)$ = Valeur en $x_0 - h * p/2$ etc. jusqu'à $Y(2)$ = Valeur en $x_0 + h * p/2$.
En déduire les *YD*.

Faire pour le nombre de valeurs que l'on veut

Calculer $Y(1)$ par une méthode à pas liés
L'imprimer, ou n'importe quoi d'autre
Calculer $YD(1)$

$Y(p+1) = Y(p)$
$YD(p+1) = YD(p)$

```
        # Faire pour I = p, 2, -1
            Y(p) = Y(p-1)
            YD(p) = YD(p-1)
        Faire #
    Faire #
    Pas liés #
```

Remarque
Il est possible d'éviter les mises à jour (avec décalage global) des vecteurs Y et YD en utilisant des modulos $p+1$.

19.2.2. Méthodes implicites

Il a été souligné dans le chapitre sur l'interpolation et l'extrapolation que l'extrapolation était parfois légèrement hasardeuse, surtout à cause des effets de bord (mais pas seulement à cause d'eux).

En fait, on aurait une estimation plus précise de y_{n+1} si la valeur de y'_{n+1} était connue pour le calcul du polynôme d'interpolation de y' : d'abord, on disposerait de $p+2$ points pour calculer y', et donc sa formule serait exacte pour un polynôme de degré $p+1$; en l'intégrant, on obtiendrait une formule exacte pour y lorsque y est un polynôme de degré $p+2$: on gagnerait encore un degré.

Les méthodes implicites supposent que l'on connaît y'_{n+1}. Si c'est le cas, on peut alors écrire, comme précédemment, après élimination de tous les coefficients entre les différentes équations :

$$y_{n+1} = y_n + h \sum_{i=-1}^{p} k_i y'_{n-i} \text{ (Adams)} \qquad y_{n+1} = y_{n-p} + h \sum_{i=-1}^{p} k'_i y'_{n-i} \text{ (Milne)}$$

La seule difficulté est de trouver y'_{n+1}!

En fait, il suffit de trouver une estimation de y_{n+1} par une méthode explicite, c'est-à-dire utilisant une formule ne faisant pas intervenir y'_{n+1}, d'en déduire une estimation de y'_{n+1}, et d'obtenir y_{n+1}. Oui, mais il a été obtenu à l'aide d'un y'_{n+1} un peu douteux! Qu'à cela ne tienne, la nouvelle valeur de y_{n+1} est meilleure que la première estimation, donc si l'on recalcule y'_{n+1} avec cette nouvelle valeur, on va obtenir un meilleur y'_{n+1}.

Et voilà, on est parti pour boucler de y_{n+1} en y'_{n+1} meilleur, d'où y_{n+1} meilleur, d'où y'_{n+1} encore meilleur, d'où ... et l'on s'arrête quand deux valeurs successives de y_{n+1} ne diffèrent en pourcentage que de « pas grand'chose », le « pas grand'chose » ayant été déterminé au préalable.

Cette merveilleuse méthode s'appelle prédiction-correction, et n'est pas sans rappeler, en plus élaboré, certains raisonnements de chimie des solutions où l'on néglige a priori certaines concentrations pour en calculer d'autres, qui permettent ensuite de vérifier que ce qui été négligé était bien négligeable. Beaucoup d'automatismes industriels fonctionnent aussi de cette manière.

Son algorithme peut se donner sous la forme
Prédiction-Correction

Préparation du terrain par Runge-Kutta pour avoir
le nombre de valeurs nécessaire

Faire pour le nombre de valeurs que l'on doit calculer

PRED = Valeur de $Y(1)$ obtenue par la méthode explicite

Calcul, à l'aide de PRED, de $YD(1)$

Calcul de $Y(1)$ par la méthode implicite

Tant que ABS $((\text{PRED} - Y(1))/Y(1)) > \text{epsilon}$

PRED = $Y(1)$
Calcul de $YD(1)$ à l'aide de PRED
Calcul de $Y(1)$ par la méthode implicite

Tant que #

Décaler les valeurs dans Y et YD

Faire #

Prédiction-Correction #

Évidemment les coefficients des méthodes implicites d'Adams et de Milne ont été calculés par des enthousiastes, et sont les suivants :
(A = Adams, M = Milne).

Rang	1		2		3	
	A	M	A	M	A	M
y'_{n+1}	5/12	1/3	9/24	3/8	251/720	14/45
y'_n	8/12	4/3	19/24	9/8	646/720	64/45
y'_{n-1}	−1/12	1/3	−5/24	9/8	−264/720	24/45
y'_{n-2}	–	–	1/24	3/8	106/720	64/45
y'_{n-3}	–	–	–	–	−19/720	14/45

Comme avec les méthodes explicites, les coefficients des méthodes de Milne sont plus simples. Il n'y a plus de coefficient nul pour les rangs impairs, mais celles-ci sont toutefois celles à utiliser; en effet elles sont exactes pour un polynôme de degré $p+3$ (c'est assez comparable à ce que l'on avait avec la formule de Simpson). Toutes les autres formules (Milne avec un rang pair et Adams) sont exactes pour un polynôme de degré $p+2$, comme prévu.

Annexes

Nécessaire de mathématiques

« On doit vivre avec une connaissance appropriée au train des choses et du monde. »
Chrysippe, cité par Stobée

Cette annexe a pour but de rappeler (soyons optimistes) un certain nombre de définitions et de propriétés mathématiques. Il n'est pas impossible, et même au contraire fort probable, que certaines notions relativement avancées seront découvertes ici pour la première fois. Néanmoins, ces notions ne sont qu'introduites; la présentation, qui mériterait sans doute les foudres d'un mathématicien orthodoxe, est volontairement assez désinvolte, et surtout destinée à établir de légères fondations théoriques à des algorithmes qui sans cela sembleraient tomber du ciel.

A.1. Rappels d'algèbre

A.1.1. Espaces vectoriels et applications linéaires

Un mathématicien auquel on confie un ensemble d'objets (généralement abstraits) s'empresse d'ordinaire de trouver des opérations applicables à ces objets, et d'étudier aussitôt les propriétés de ces opérations.

Il aboutit ainsi, à l'aide de ces ensembles munis d'opérations, à ce que l'on appelle des structures. Les propriétés sont codifiées, on donne différents noms aux structures suivant ce dont elles sont composées, et l'on est bien parti pour échafauder d'horribles théories.

La plupart des ensembles mathématiques connus (entiers, réels, complexes, ...) munis des opérations courantes (addition, multiplication) se voient ainsi attribuer des structures.

L'une des structures les plus complètes est la structure de corps. Un corps est un ensemble affligé de deux lois de composition internes (c'est-à-dire que le résultat d'une opération sur deux éléments du corps est un élément du corps) munies de propriétés malsaines. Les détails ne nous intéressant pas, il suffira de dire que :
— l'ensemble des réels muni de l'addition et de la multiplication est un corps;
— l'ensemble des complexes muni de l'addition et de la multiplication aussi.

Dans le cadre de cet ouvrage, on se limitera aux réels, et pire encore, au sous-ensemble des réels qu'un ordinateur est capable de représenter (car il est toujours limité à un nombre maximum de chiffres après le point décimal).

Une autre structure qui suscite beaucoup de passions enflammées est celle d'espace vectoriel.

Ingrédients pour faire un espace vectoriel :
— Un ensemble d'animaux mathématiques appelés *vecteurs :* le plus souvent, on les écrit en mettant une flèche au-dessus de leur nom. C'est assez joli, mais comme le logiciel de traitement de texte utilisé pour rédiger le présent livre ne s'y prête pas, il n'y aura pas de flèche dans ce qui suit.
— Un corps, dont les éléments sont couramment appelés *scalaires.*
— Deux lois de composition, l'une interne, notée d'habitude +, qui permet d'obtenir un vecteur à partir de deux vecteurs, l'autre externe, souvent noté •, qui permet d'obtenir un vecteur à partir d'un vecteur et d'un scalaire. Ces deux lois ont des propriétés passionnantes.

Quand on fait le compte, on se retrouve avec deux ensembles et quatre opérations (deux par ensemble). Il est intéressant de remarquer que, bien que les notations traditionnellement adoptées portent à confusion dans ce domaine, ces quatre opérations sont parfaitement distinctes : l'addition de deux scalaires n'a rien à voir avec l'addition de deux vecteurs, à part le symbole utilisé pour la représenter.

Faisons plus amplement connaissance avec notre espace vectoriel; quand on sélectionne un certain nombre de vecteurs, on peut trouver à cette collection, que l'on appelle partie, deux propriétés principales :
— La partie peut être *génératrice*, c'est-à-dire que tout vecteur de l'espace vectoriel peut être obtenu par ce qu'on appelle une combinaison linéaire des vecteurs de cette partie.

Par exemple, si notre partie est V_1, V_2, V_3, V_4, ..., V_n, elle sera génératrice si pour tout vecteur U de l'espace on est capable de trouver n scalaires k_1, k_2, k_3, ..., k_n tels que :

$$U = \underbrace{k_1 \cdot V_1 + k_2 \cdot V_2 + \ldots + k_n \cdot V_n}_{\text{combinaison linéaire}}$$

— La partie est *libre* si aucun vecteur de cette partie ne peut s'exprimer comme une combinaison linéaire des autres vecteurs de la partie.

Maintenant, on appelle *base* une partie à la fois libre et génératrice; on peut trouver un nombre infini de bases. Mais leur propriété remarquable est qu'elles sont toujours composées du même nombre n de vecteurs. Ce nombre est appelé la dimension de l'espace vectoriel (nous nous limiterons aux dimensions finies!).

Lorsqu'une base est donnée, cela devient drôlement sympathique pour donner l'expression d'un vecteur.

En effet, tout vecteur peut, par définition de la base, s'exprimer comme une combinaison linéaire des vecteurs de la base. On démontre (facilement) que les coefficients k_i de la combinaison sont uniques pour une base donnée.

On appelle composantes du vecteur ces coefficients, et l'on peut maintenant écrire le vecteur :

$$U : (k_1, k_2, k_3, \ldots, k_n)$$

ou encore $$U : \begin{pmatrix} k_1 \\ k_2 \\ k_3 \\ \vdots \\ k_n \end{pmatrix}$$

On remarquera bien que les composantes *dépendent de la base.* Quand on change de base, les composantes changent.

Une chose que les mathématiciens adorent, c'est créer des *applications linéaires*, que l'on trouve aussi désignées sous le doux nom de *morphismes*, dans un espace vectoriel.

Qu'est-ce qu'une application? C'est une opération qui permet, à tout élément d'un espace vectoriel, d'associer un élément d'un autre espace vectoriel : cette opération, que nous désignerons par f, a de plus l'avantageuse propriété suivante :

$\forall$ U et V pris dans l'espace vectoriel de départ,

$\forall$ α et β pris dans l'ensemble des scalaires,

$$f(\alpha \cdot U + \beta \cdot V) = \alpha \cdot f(U) + \beta \cdot f(V).$$

On définit f le plus souvent analytiquement, c'est-à-dire en décrivant les opérations à accomplir sur les composantes de U pour obtenir $U' = f(U)$.

Plaçons-nous pour l'exemple en dimensions 3 et 2.

Si U : (x, y, z) par rapport à une base donnée de l'espace vectoriel de départ E et U' : (x', y') par rapport à une base donnée de l'espace vectoriel d'arrivée E' on peut définir une application linéaire f comme étant la transformation qui à tout vecteur U de E associe U' de E', dont les composantes sont calculées par :

$$x' = 3*x + 2*y$$
$$y' = 5*y - z.$$

Quelle serait l'image par f du vecteur (1, 0, 1)?

C'est à propos des applications linéaires que les matrices vont faire irruption dans notre vie, pourtant si tranquille jusque-là.

A.1.2. Les matrices, leur vie, leurs mœurs

En effet, les propriétés de l'application linéaire sont telles que, une base étant donnée, l'application est parfaitement déterminée par la connaissance des vecteurs obtenus en appliquant f à chacun des vecteurs de la base.

Car que se passe-t-il lorsque l'on applique f au vecteur V :

$$V = x \cdot I + y \cdot J + z \cdot K.$$

$\big((I, J, K)$ est la base donnée de $E\big)$

on obtient $f(V) = f(x \cdot I + y \cdot J + z \cdot K)$
$= x \cdot f(I) + y \cdot f(J) + z \cdot f(K)$

d'après les propriétés de l'application linéaire.

D'où l'idée géniale : pourquoi ne pas associer à l'application un tableau, que l'on baptisera *matrice,* dans laquelle on mettra en colonnes les composantes de $f(I)$, $f(J)$ et $f(K)$, et qui caractérisera f de manière unique?

Pour l'exemple d'application linéaire donné plus haut, si l'on utilise les bases

I : (1, 0, 0) I' : (1, 0)
J : (0, 1, 0) et J' : (0, 1)
K : (0, 0, 1) dans E dans E'

On obtient la matrice $\begin{bmatrix} 3 & 2 & 0 \\ 0 & 5 & -1 \end{bmatrix}$.

C'est une matrice dite (2, 3), c'est-à-dire qui a 2 lignes (cela correspond à la dimension de l'espace vectoriel d'arrivée) et 3 colonnes (dimension de l'espace vectoriel de départ).

Nous nous bornerons le plus souvent à ces morphismes, dits endormorphismes, qui à un vecteur de l'espace vectoriel E associent un vecteur dans le même espace vectoriel E. Du coup, il est naturel de conserver la même base pour exprimer un vecteur et son image. De plus, puisque l'on reste dans le même espace, l'espace de départ et celui d'arrivée ont évidemment la même dimension, et donc la matrice a le même nombre n de lignes et de colonnes.

On dit que l'on a affaire à une *matrice carrée d'ordre n.*

Nous avons, avec la matrice, créé un nouveau monstre mathématique, et s'il y a quelque chose dont ne peut s'empêcher un mathématicien, c'est bien de définir des opérations et des structures sur l'ensemble des matrices.

On notera $A : (a_{ij})$ la matrice de dimension (n, p) suivante

$$\begin{bmatrix} a_{11} & a_{12} & a_{13} & a_{14} & \dots & a_{1p} \\ a_{21} & a_{22} & a_{23} & & & \\ a_{31} & & & & & \\ \vdots & & & & & \\ a_{n1} & \dots & & & & a_{np} \end{bmatrix}$$

(i est l'indice de la ligne, j celui de la colonne).

On définit d'abord une loi interne, notée + par :

$$C = A + B$$

signifie

$c_{ij} = a_{ij} + b_{ij}$ pour tout i entre 1 et n, et
pour tout j entre 1 et p.

Évidemment, on ne peut pas additionner deux matrices absolument quelconques : il faut qu'elles aient le même nombre n de lignes et le même nombre p de colonnes.

On définit ensuite une loi externe, notée ., sur le corps des réels, par

$$B = \alpha \cdot A$$

signifie

$b_{ij} = \alpha * a_{ij}$ pour tout i entre 1 et n, et
pour tout j entre 1 et p.

Le mathématicien s'aperçoit alors avec ravissement que l'ensemble des matrices de dimension (n, p) muni de ces deux lois a une structure d'espace vectoriel.

Continuant sur sa lancée, il peut définir une seconde loi interne, notée $\times$, par

$$C = A \times B$$

signifie

$$c_{ij} = \sum_{k=1}^{n} a_{ik} * b_{kj}.$$

Il se pose ici une difficulté particulière due aux dimensions : on ne peut pas multiplier une matrice quelconque par une matrice quelconque. On ne peut même pas, en général, multiplier une matrice (n, p) par une matrice (n, p) : il faut que le nombre de colonnes de la première matrice corresponde au nombre de lignes de la deuxième. La matrice produit aura pour nombre de lignes le nombre de lignes de la première matrice, et pour nombre de colonnes le nombre de colonnes de la deuxième matrice. Ainsi, le produit d'une matrice (r, s) par une matrice (s, t) (qui est possible) donnera une matrice (r, t).

Cette notion de multiplication de matrices est très avantageuse pour représenter les systèmes d'équations; en effet, un système comme

$$\begin{array}{l} 3 * x + 4 * y + 5 * z = 2 \\ \qquad\qquad y - \quad z = 1 \\ 2 * x \qquad\quad - 3 * z = 0 \end{array}$$

peut parfaitement être représenté par le produit d'une matrice (3, 3) par une matrice (3, 1), produit qui donne une matrice (3, 1) :

$$\begin{bmatrix} 3 & 4 & 5 \\ 0 & 1 & -1 \\ 2 & 0 & -3 \end{bmatrix} \times \begin{bmatrix} x \\ y \\ z \end{bmatrix} = \begin{bmatrix} 2 \\ 1 \\ 0 \end{bmatrix}$$

Lorsque l'on travaille avec des matrices carrées d'ordre n, il n'y a plus à se poser de question de compatibilité des dimensions, et l'on peut calculer aussi bien $A \times B$ que $B \times A$; mais on remarquera qu'en général $A \times B$ est différent de $B \times A$.

Restreignons-nous maintenant au cas des matrices carrées d'ordre n, qui sont donc liées à des applications linéaires qui associent à un vecteur de l'espace de dimension n un autre vecteur du même espace.

Quelles sont les deux matrices les plus remarquables?
— La matrice nulle, qui n'est composée que de zéros et est l'élément neutre pour l'addition. Elle est associée à l'application linéaire qui à tout vecteur fait correspondre le vecteur nul (dont toutes les composantes valent 0).
— La matrice identité (ou unité), qui a des 1 sur la diagonale principale (d'en haut à gauche jusqu'en bas à droite) et des 0 partout ailleurs. On la note généralement I. Elle est associée à l'application linéaire qui à tout vecteur fait correspondre lui-même.

Une matrice A est dite inversible s'il existe une matrice notée A^{-1} telle que

$$A \times A^{-1} = A^{-1} \times A = I.$$

Nous étions partis des applications linéaires pour arriver aux matrices; il est intéressant de remarquer que le produit de deux matrices correspond à la composition de deux applications linéaires. Il est également intéressant de souligner qu'une matrice inversible correspond à une application linéaire qui transforme une base de l'espace vectoriel en une autre base.

Certaines formes de matrices sont particulièrement plaisantes :
— Les *matrices diagonales,* ainsi nommées parce que leurs seuls termes non nuls se trouvent sur la diagonale principale. Les calculs avec ces matrices sont extrêmement simples. De plus, d'un point de vue informatique, on peut les ranger en mémoire sous la forme de leur diagonale principale seulement, et l'on gagne ainsi de la place.
— Les *matrices triangulaires,* dont tous les termes, soit au-dessus, soit au dessous de la diagonale principale, sont nuls. Elles aussi présentent de sérieux avantages dans les calculs.

On appelle *matrices semblables* deux matrices A et B telles qu'il existe C inversible :

$$A = C^{-1} \times B \times C.$$

Deux matrices semblables ont un tas de propriétés en commun; sur le plan application linéaire, elles correspondent à la même application linéaire exprimée dans deux bases différentes.

Le problème ressemble ainsi à certains problèmes de physique, mécanique en particulier : lorsque l'on se place dans le mauvais repère, on se retrouve avec des équations très compliquées alors que la même chose exprimée dans un autre repère paraît d'une limpidité cristalline (parfois); le problème avec les matrices est de trouver la bonne base, dans laquelle la matrice sera la plus simple possible, diagonale ou à la rigueur triangulaire.

Toute cette transformation des matrices s'appelle *diagonalisation* ou *triangularisation,* et a donné lieu à un certain nombre d'algorithmes.

La diagonalisation (quand elle est possible) des matrices passe souvent par la recherche des *valeurs propres.*

Un scalaire non nul α est appelé valeur propre s'il existe un vecteur non nul U de l'espace vectoriel tel que :

$$f(U) = \alpha \cdot U.$$

f désigne bien entendu l'application linéaire associée à la matrice. U est alors appelé vecteur propre associé à la valeur propre α.

Bien d'autres choses sont à raconter sur les matrices, mais on ne peut faire que cela...

A.2. Rappels d'analyse

On appelle fonction une relation entre un ensemble de départ et un ensemble d'arrivée telle que tout élément de l'ensemble de départ a au plus une image dans l'ensemble d'arrivée. Nous nous limiterons dans ce qui suit au cas où l'ensemble de départ est égal à l'ensemble d'arrivée et est l'ensemble des réels R.

Le *domaine de définition* de la fonction est l'ensemble des valeurs de R qui ont une image par la fonction.

Ainsi $f(x) = 1/x$ a pour domaine de définition R privé de 0.

Lorsqu'une fonction n'est pas définie en un point, on aime se poser la question de sa *limite* en ce point, c'est-à-dire la valeur vers laquelle on tend lorsque l'on se rapproche dangereusement de ce point. Il faut remarquer que, suivant le « côté » par lequel on se rapproche de l'endroit non défini, la limite peut être différente : sur l'exemple précédent, si x est positif et tend vers 0, $f(x)$ tend vers $+\infty$, et vers $-\infty$ si x est négatif. On parle alors de *limite à droite* et de *limite à gauche.*

On remarquera également que l'on peut appliquer la notion de limite en un point où la fonction est définie, et aussi à l'infini.

Lorsqu'en tout point d'un intervalle la limite à droite de ce point est égale à la limite à gauche du même point et est égale à la valeur de la fonction en ce point, on dit que la fonction est *continue* sur l'intervalle considéré.

L'étude d'une fonction passe toujours par l'étude de ses variations; il est important de savoir si quand x augmente, y augmente aussi, et si y varie beaucoup ou pas beaucoup pour une variation donnée de x.

Un exemple d'application pratique d'une étude de fonction pourrait être en électricité l'étude de l'impédance Z d'un circuit en fonction de la pulsation ω du courant alternatif qui passe dans ce circuit. Les résultats de la loi d'Ohm avec des courants et différences de potentiel constants se généralisent aux grandeurs alternatives sous la forme :

$$u = Z * i$$

où u et i représentent les valeurs, variables dans le temps (sinusoïdales le plus souvent), de la différence de potentiel et de l'intensité.

Ainsi, la différence de potentiel aux bornes d'un circuit contenant une résistance R, une inductance L et une capacité C en série dans lequel on fait passer un courant de pulsation ω sera :

$$u = \sqrt{R^2 + (L * \omega - 1/(C * \omega))^2} * i$$

Supposons maintenant que vous ayez à concevoir un appareil électrique, et que l'on vous demande de choisir les différents composants; certains d'entre eux (les capacités, en particulier) ne supportent pas les tensions qui dépassent une certaine limite. Si vous ne voulez utiliser votre appareil qu'en Amérique du Nord, vous pouvez faire vos calculs avec une pulsation correspondant à une fréquence de 60 Hz. Mais si vous voulez qu'il soit utilisable dans d'autres parties du monde, par exemple en Europe où les fréquences utilisées sont de 50 Hz, il faut que vous étudiiez les variations de Z en fonction de ω : est-ce que une variation de 10 Hz fait augmenter ou diminuer Z? Si Z diminue, est-ce que cela ne risque pas de produire des valeurs trop grandes pour u?

Moralité : étude des variations.

Pour calculer les variations, on a recours à ce qui est connu sous le nom de (fonction) dérivée. La valeur de cette fonction en un point donné x_0 est définie comme la pente de la tangente en ce point. Cette valeur se calcule comme étant la limite de l'expression.

$$(f(x_0 + h) - f(x_0)) / h$$

lorsque h tend vers 0, et on la note $f'(x_0)$ ou encore $\left(\frac{df}{dx}\right)_{x_0}$ (une notation est due à Newton, l'autre à Leibniz).

Notons que comme c'est une limite, les notions mentionnées plus haut de limite à droite et de limite à gauche s'appliquent encore. La fonction ne sera dite dérivable en un point que si les limites à droite et à gauche de ce point existent et sont égales; la valeur commune des deux limites est par convention la valeur de la dérivée au point considéré. Quand la dérivée en un point vaut 0 et change de signe en passant par ce point, la fonction passe par un extrêmum (maximum ou minimum) en ce point.

Cette limite n'existe pas forcément en tout point du domaine de définition de f. Comme la dérivée est obtenue par des limites, on montre qu'une fonction qui est dérivable sur un intervalle donné (*ie* dont on peut calculer la dérivée en tout point) est également continue sur cet intervalle. La réciproque n'est pas vraie.

Comme la dérivée est elle-même une fonction, toutes les bêtises qui ont été précédemment racontées à propos des fonctions peuvent s'y appliquer, en particulier la dérivation.

On peut ainsi obtenir des dérivées d'ordre n d'une fonction, c'est-à-dire des fonctions produites par n dérivations successives de la fonction initiale.

On les note indifféremment : $f^{(n)}(x)$ ou $\frac{df^n x}{dx^n}$.

L'opération inverse de la dérivation est la recherche des primitives : si f' est la dérivée de f, on dit que f est une primitive de f'. On représente souvent par F une primitive de f. Notons que si la dérivée est parfaitement déterminée, les primitives ne sont connues qu'à une constante près (en effet les fonctions constantes ont une dérivée nulle), et donc toute fonction qui a une primitive en a une infinité.

Toute fonction n'admet pas forcément de primitive. Celles qui nous intéressent, si (les fonctions continues en particulier).

On appelle intégrale définie de f sur l'intervalle $[a, b]$ l'expression

$$\int_a^b f(x)\,dx$$

qui vaut $F(b)-F(a)$, F étant une primitive de f. Graphiquement, l'intégrale correspond à la surface comprise entre les deux droites d'équations $x=a$ et $x=b$, la courbe, et l'axe des abscisses.

Il est parfaitement possible de définir une fonction sous forme d'intégrale d'une autre fonction. Par exemple, la fonction Log (logarithme népérien) est simplement définie par :

$$\text{Log}(x)=\int_1^x \frac{1}{t}\,dt.$$

Aucune autre expression plus simple de cette fonction ne peut être donnée. Tout ce que l'on peut faire, c'est étudier les propriétés de cette fonction, et calculer point par point des approximations des valeurs qu'elle prend. Autrefois, on relevait soigneusement ces valeurs et on les reportait dans des tables à l'usage des scientifiques et des ingénieurs. Aujourd'hui, on ne conserve que les programmes permettant de calculer une bonne approximation de cette fonction en chaque point.

Les « bonnes » fonctions (c'est-à-dire continues, dérivables un grand nombre de fois, etc.) sont heureusement celles que l'on rencontre le plus souvent en génie. On peut souvent les écrire sous des formes particulières dont on fait grand usage en analyse numérique.

Une des formes les plus intéressantes est connue sous le nom de formule de Taylor. Nous passerons par deux théorèmes préliminaires avant cette formule.

Théorème de Rolle

Soit une fonction f continue sur un intervalle $[a, b]$ et dérivable sur $]a, b[$.

Si

$$f(a)=f(b)$$

alors il existe c dans $]a, b[$ tel que $f'(c)=0$.

Cela veut dire en pratique que si l'on a deux points au même niveau, pour les relier par un trait continu soit on trace une horizontale (fonction constante, de dérivée nulle en tout point de l'intervalle), soit on fait un trait qui monte, et qui devra bien redescendre, soit on fait un trait qui descend, et devra bien remonter : dans les deux cas, on passe par un extrémum, et donc un point où la dérivée s'annule.

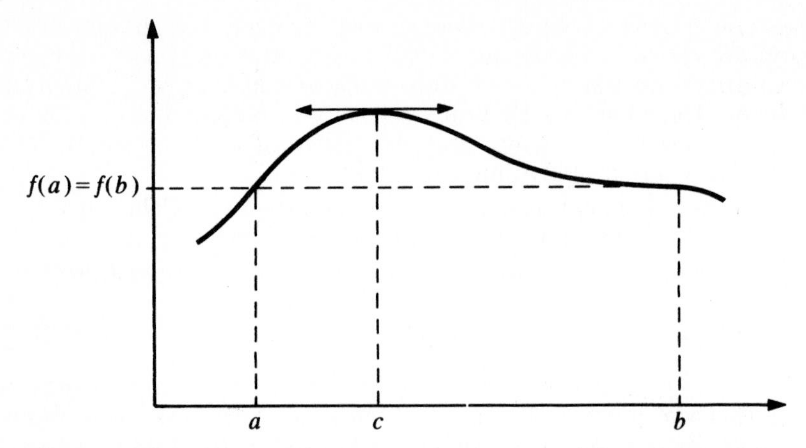

La démonstration (non intuitive) est simple et se fait par l'absurde.

Supposons que sur l'intervalle $f'(x)>0$, pour tout x.

Quand on intègre on obtient (propriétés de l'intégrale) :

$$\int_a^b f'(x)\,\mathrm{d}x = f(b)-f(a)>0$$

d'où $f(b)>f(a)$, ce qui est contraire aux hypothèses. On montre de la même manière qu'on ne peut avoir $f'(x)<0$. Ce qui veut dire que, nécessairement, ou la dérivée est nulle sur tout l'intervalle, ou elle change de signe.

Comme elle est continue (par définition de la dérivabilité sur un intervalle), si elle change de signe il existe au moins un point c de l'intervalle où elle s'annule.

Ce théorème de Rolle peut se généraliser sous la forme du théorème des accroissements finis qui prend la forme suivante :

Soit f continue sur $[a, b]$, et dérivable sur $]a, b[$ (a et b évidemment distincts); alors il existe c dans l'intervalle $]a, b[$ tel que :

$$f'(c)=\frac{f(b)-f(a)}{b-a}.$$

Cela veut dire géométriquement qu'il existe un endroit dans l'intervalle où la tangente (dont la pente correspond à la valeur de la dérivée) est parallèle à la droite passant par les points de coordonnées $(a, f(a))$ et $(b, f(b))$.

Ce théorème n'a pas l'air facile, comme ça, à démontrer. En fait, si, moyennant une astuce :

On utilise la fonction g définie par :

$$g(x)=f(x)-x*\frac{f(b)-f(a)}{b-a}.$$

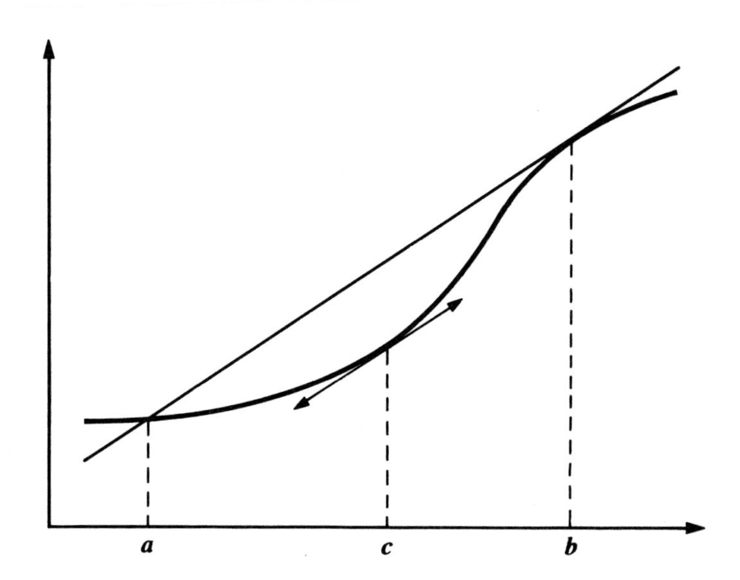

Quelles sont les propriétés de cette belle fonction g?
— elle est continue sur $[a, b]$ et dérivable sur $]a, b[$, puisque f l'est (c'est assez facile à montrer);
— mais surtout :

$$g(a)=\frac{b*f(a)-a*f(b)}{b-a}=g(b).$$

On peut donc lui appliquer le théorème de Rolle, et dire qu'il existe c dans $]a, b[$ tel que

$$g'(c)=f'(c)-\frac{f(b)-f(a)}{b-a}=0.$$

Tirez-en vous-mêmes vos conclusions, et merci Rolle.

Considérons maintenant une fonction f bien sous tous rapports (*ie* vérifiant toutes les hypothèses de dérivabilité et de continuité nécessaires) sur l'intervalle $[a, b]$.
On peut essayer de généraliser encore plus le théorème des accroissements finis en faisant intervenir des dérivées d'ordre supérieur; l'interprétation géométrique devient alors délicate. Comme dans la démonstration du théorème des accroissements finis, faisons intervenir une autre fonction h :

$$h(x)=f(b)-f(x)-(b-x)f'(x)-\ldots-\frac{(b-x)^n}{n!}f^{(n)}(x)-\frac{(b-x)^{n+1}}{(n+1)!}\alpha$$

où α est déterminé par l'égalité $h(a)=0$.

Comme il est évident que $h(b)=0$, on peut comme précédemment appliquer le théorème de Rolle et dire qu'il existe c dans $]a, b[$ tel que

$$h'(c)=0$$

la dérivation de h demande un peu de calcul, et l'on aboutit à

$$f(b)=f(a)+(b-a)f'(a)+\dots+\frac{(b-a)^n}{n!}f^{(n)}(a)+\frac{(b-a)^{n+1}}{(n+1)!}f^{(n+1)}(c).$$

C'est cette formule que l'on appelle formule de Taylor. En dépit de son apparence exotique, elle est fondamentale en analyse, numérique en particulier. Comme a et b sont quelconques, elle peut prendre diverses formes. En particulier, si l'on remplace a par x et b par $x+h$:

$$f(x+h)=f(x)+h*f'(x)+\frac{h^2}{2!}*f''(x)+\dots+\frac{h^n}{n!}*f^{(n)}(x)+o(h^{n+1})$$

le terme $o(h^{n+1})$, appelé le reste de Taylor (le dernier terme de l'expression précédente), représente une fonction qui, lorsque h tend vers 0, est négligeable devant tout ce qui la précède.

Le reste de Taylor peut être écrit de différentes façons, y compris sous forme d'intégrale; suivant les mathématiciens qui ont fourni l'expression, on l'appelle alors reste de Lagrange, reste de Maclaurin, etc.

On peut encore donner d'autres expressions de la formule :

Si l'on remplace par exemple a par 0 et b par x, on obtient :

$$f(x)=f(0)+\frac{x^2}{2!}*f'(0)+\dots+\frac{x^n}{n!}*f^{(n)}(0)+o(x^{n+1}).$$

Si la fonction est dérivable un nombre infini de fois, on obtient ce qu'on appelle le développement en série de Taylor de la fonction, qui, sur un intervalle bien choisi, dit intervalle de convergence, est rigoureusement égal à la fonction. Sans aller jusqu'à l'infini, on peut obtenir une approximation sous forme de polynôme de la fonction avec la précision désirée.

C'est ainsi que sont calculées par exemple sur un ordinateur ou une calculatrice les valeurs de fonctions comme sinus ou cosinus, exponentielle, ou Log (dans ce dernier cas, on remplace dans la formule initiale x par 1 et h par $x-1$).

Fonctions de plusieurs variables

On peut très bien définir des fonctions de plusieurs variables. Par exemple, en thermodynamique la pression P d'un gaz parfait est une fonction de deux variables : le volume V et la température T. On peut écrire :

$$P=F(V,T)=\frac{nRT}{V}.$$

Toutes les notions définies sur les fonctions d'une variable peuvent s'étendre aux fonctions de plusieurs variables, moyennant quelques précautions.

En particulier, la notion de dérivée se retrouve. Le problème, c'est que la dérivée mesure le degré de dépendance de la fonction par rapport à la variable, quand il n'y en a qu'une. Quand il y a plusieurs variables, on définit plusieurs dérivées, appelées dérivées partielles, qui mesurent la dépendance par rapport à chaque variable.

Quand on essaie d'étudier les variations d'une fonction par rapport à une variable, on fixe les autres variables, sans quoi on n'arrive à rien. Pour reprendre le gaz parfait, si vous voulez voir comment varie sa pression en fonction du volume, vous laisserez la température constante. Inversement, quand vous vous intéressez à ses variations de pression en fonction de la température, vous ne changez pas le volume dans lequel il est contenu.

Pour différencier les dérivées partielles des dérivées normales, on les note avec des ∂ à la place de d.

Ainsi, on écrira pour la pression du gaz parfait :

Dérivée partielle par rapport à V : $\frac{\partial P}{\partial V}$.

Dérivée partielle par rapport à T : $\frac{\partial P}{\partial T}$.

Pour les calculer, on calcule comme une dérivée normale en faisant comme si toutes les variables autres que celle par rapport à laquelle on dérive étaient des constantes :

$$P = \frac{nRT}{V} \Longrightarrow \frac{\partial P}{\partial V} = -\frac{nRT}{V^2}$$

$$\frac{\partial P}{\partial T} = \frac{nR}{V}.$$

Le gros problème avec les fonctions de plusieurs variables réside dans la recherche des points où elles sont extrémales : il faut alors que toutes les dérivées partielles soient nulles (condition nécessaire), mais ce n'est pas une condition suffisante, parce que le maximum pour une variable peut être le minimum d'une autre, ce qui fait que l'on ne peut rien dire globalement. Il existe naturellement des moyens pour résoudre ces problèmes, mais ils ne sont pas simples.

On remarquera au passage que la dérivée partielle par rapport à V dépend encore de T (et réciproquement). C'est donc une fonction de deux variables, que l'on peut dériver, non seulement encore une fois par rapport à V, mais également par rapport à T. Nous arrêterons là notre incursion parmi les fonctions de plusieurs variables, mais vous voyez qu'il y a là matière à s'amuser.

Les tracés de courbes

« Un petit croquis vaut mieux qu'un long discours. »

Napoléon Ier

Certains ingénieurs font une consommation importante de courbes et de graphiques : en génie civil et en mécanique générale, entre autres, où l'on fait de plus en plus appel à la C. A. O. (Conception Assistée par Ordinateur, Computer Aided Design en anglais) pour remplacer le bon vieux dessin industriel. Dans ces cas-là, on emploie des périphériques spécialisés : principalement des tables traçantes et des écrans graphiques. Pour les utiliser, on a recours à des fonctions ou sous-programmes particuliers, dont le but est de faire envoyer par l'ordinateur des signaux électriques au périphérique qui est câblé de telle manière qu'il sait les interpréter comme il faut.

D'habitude, on se sert beaucoup d'un sous-programme du style

TRACE (X, Y, POSITION)

où X et Y sont les coordonnées sur le papier du point où l'on souhaite se rendre, et POSITION est un entier qui indique la position de la « plume », généralement 1 pour 'abaissée' (donc on trace), et 0 pour 'levée' (on se déplace sans tracer).

De plus, il y a d'autres sous-programmes permettant d'indiquer la taille du graphique, l'échelle, inscrire du texte, etc. On peut également en avoir aussi qui sont plus « spécialisés », qui permettent par exemple de tracer un arc de cercle avec un angle et un rayon donnés, et ce genre de raffinement.

En fait, le programme en Fortran ne fait d'habitude que calculer les points les uns après les autres, puis appelle les sous-programmes pour tracer.

Donnons un exemple : supposons que l'on a appelé un ou des sous-programme(s) d'initialisation pour préciser que l'on allait tracer sur une feuille de papier de 297×210 mm à une échelle telle que l'on considérera que la feuille fait 380×250 et que l'on voulait avoir l'origine au milieu de la feuille, soit en (190, 125) (d'ordinaire, à l'initialisation l'origine est dans un coin de la feuille ou de l'écran).

Ce sous-programme a placé notre «plume» à la nouvelle origine. Ce que l'on veut, c'est tracer la fonction sinus entre −180 et +180 degrés.

Traçons d'abord l'axe des X :

```
...
call TRACE (-180,0,0)
call TRACE (180,0,1)
```

Traçons ensuite celui des Y :

```
...
call TRACE (0,-100,0)
call TRACE (0,100,1)
```

On peut maintenant tracer la courbe à proprement parler (toutes les variables sont supposées avoir été déclarées, PI initialisé à ce qu'il faut, etc.) :

```
X0 = -180
Y0 = 0
call TRACE (X0,Y0,0)
do I = 1, 360
   Y = X0+I
   Y = 100 * SIN(2 * PI * X / 360.)
    call TRACE (X,Y,1)
enddo
...
```

Les ingénieurs qui font une moins grande utilisation de graphiques utilisent en revanche couramment ce que l'on appelle les «semi-graphiques», pas très précis, moins esthétiques, mais qui permettent de donner une excellente idée générale d'un phénomène en venant par exemple en complément d'un tableau de chiffres. C'est ce genre de graphiques que nous utiliserons.

Alors qu'avec un périphérique spécialisé l'unité de base est le «point» (on peut tracer avec une grande précision), en semi-graphique, où l'on utilise des périphériques normaux, l'unité de base est le caractère.

Expliquons un peu ces notions. Un écran fait d'ordinaire 80 caractères de large, et 24 de haut; une imprimante n'est limitée qu'en largeur à 80 ou 132 caractères le plus souvent. Lorsqu'on les utilisera pour tracer un graphique on ne sera en mesure que de dire : 'dans telle colonne je mets un blanc' ou 'dans telle colonne je mets un point (ou une étoile)'. Il n'est plus question de tracer des lignes continues.

En semi-graphique on peut distinguer deux approches distinctes :

Le graphique 'orienté écran'

On présente le graphique avec l'axe des x horizontal et l'axe des y vertical, suivant une tradition bien établie.

Pour cela, on utilise une matrice de dimension 23 sur 80, dont chaque élément sera un caractère. Pourquoi 23 au lieu de 24? Quand on imprime une ligne, le curseur va se placer au début de la ligne suivante; donc si l'on imprimait une 24e ligne, on perdrait la première. C.Q.F.D.

Chaque élément de la matrice contient un caractère, soit blanc, soit autre chose. Le programme calcule tous les points, remplit la matrice aux bons endroits et l'imprime quand tous les points sont en place.

Avantages : C'est assez esthétique.

Inconvénients : On dispose d'un espace réduit, donc de peu de points.

Il ne faut pas oublier que généralement on trace des axes, on inscrit du texte, on indique des échelles, tout cela prenant beaucoup de place, au détriment de la courbe elle-même qui sera peut-être seulement tracée dans un coin de la matrice de 18 lignes sur 60 colonnes en fait. Évidemment cela ne favorise pas la précision du graphique.

De plus, il faut calculer les échelles et en *X*, et en *Y*, ce qui est pénible si l'on veut un sous-programme très général.

Enfin, et ce n'est pas le moindre inconvénient, c'est assez compliqué à programmer, et c'est gourmand en mémoire.

Le graphique 'orienté imprimante'

L'axe des *X* correspond au sens du déroulement du papier. Le principe est d'utiliser un vecteur de chaînes de caractères dont la dimension correspond au papier utilisé (80 ou 132), moins éventuellement une place laissée pour inscrire des valeurs.

A chaque '*X*' on calcule '*Y*', d'où l'on tire une position dans le vecteur. On place un caractère donné (étoile ou point d'habitude) à cette position, on imprime le vecteur, puis on n'oublie pas de remettre un blanc à la position calculée, de manière à être prêt pour la prochaine ligne.

Avantages : Ce procédé est plus simple que le précédent.

On n'a plus de limitation sur le nombre de points.

On n'a plus qu'une seule échelle (*Y*) à calculer.

Inconvénients : C'est un peu moins présentable que l'autre sorte.

La méthode suppose que les données sont lues dans le bon ordre.

Elle suppose également un espacement régulier entre les différentes valeurs de *X* (des méthodes permettent toutefois d'interpoler des points éventuellement manquants).

Réalisation pratique d'un sous-programme

Supposons que nous voulons voir s'afficher notre graphique sur notre écran, qui fait 80 caractères de large.

Il nous faut utiliser un vecteur LIGNE auquel nous allons attribuer une dimension de 70 de manière à nous réserver 10 positions pour inscrire les valeurs de X. Il est indispensable d'initialiser ce vecteur avec des blancs.

Il faudra transmettre à notre sous-programme la valeur de X (qu'il a à inscrire) et celle de Y.

Cela ne suffit pas : en effet, il faut être capable de calculer l'échelle en Y ; on peut donc supposer que l'on transmet également Y_{MIN} et Y_{MAX}, les valeurs minimale et maximale entre lesquelles va varier Y.

On a alors tout ce qu'il nous faut.

Si nous résumons la liste de nos paramètres nous avons donc :

— X, réel,
— Y, réel,
— Y_{MIN}, réel,
— Y_{MAX}, réel.

Si nous transmettons ceci, nous supposons implicitement que dans une boucle nous lisons ou calculons le couple (X, Y), puis que nous appelons le sous-programme.

Or, la première fois que nous l'appelons, il faut initialiser avec des blancs le vecteur LIGNE, comme il l'a été signalé.

Mais, si nous l'initialisons dans le sous-programme, nous le réinitialiserons à chaque appel, ce qui est inutile. Il faut donc, dans ce cas, initialiser LIGNE en dehors du sous-programme et le transmettre comme argument.

Une autre possibilité serait de ranger d'abord tous les couples (X, Y) dans deux vecteurs, et de transmettre ces vecteurs au sous-programme, qui ne serait ainsi appelé qu'une fois. Dans ce cas, rien ne s'oppose à l'initialisation de LIGNE dans le sous-programme.

Avant de donner l'algorithme, voyons comment, à partir de Y, Y_{MIN} et Y_{MAX} calculer dans quel élément de LIGNE nous allons placer une étoile pour tracer notre courbe.

Ce qu'il faut, c'est que cet élément (que nous appellerons POSIT) soit égal à 1 pour $Y = Y_{MIN}$ et à 70 pour $Y = Y_{MAX}$, la variation entre les deux étant linéaire. La formule va donc être du type

$$\text{POSIT} = \text{INT}(70 * (Y - Y_{MIN})/(Y_{MAX} - Y_{MIN})).$$

Néanmoins, elle n'est pas satisfaisante :

Pour $Y = Y_{MIN}$ on obtient 0 et non 1, ce qui causera une erreur car il n'y a pas de position 0 dans notre vecteur. Il va donc falloir ajouter 1 à la formule plus haut. Du coup, on va dépasser 70 pour $Y = Y_{MAX}$. Solution : multiplier, non par 70, mais par 69.

Formule deuxième version :

$$\text{POSIT} = \text{INT}(69 * (Y - Y_{MIN})/(Y_{MAX} - Y_{MIN})) + 1.$$

Nous n'avons plus de difficultés avec les valeurs extrêmes.

Il serait toutefois meilleur d'arrondir à l'entier le plus proche. Donc, plutôt que d'ajouter 1, on va ajouter 0.5.

D'où la troisième et dernière version :

$$POSIT = INT(69 * (Y - Y_{MIN})/(Y_{MAX} - Y_{MIN})) + 0.5.$$

Donnons maintenant l'organigramme, en supposant que nous sommes dans le cas où l'on appelle le sous-programme dans une boucle et que LIGNE a donc été initialisé à l'extérieur.

♯ Graphique

Calculer POSIT = INT(69 * ($Y - Y_{MIN}$)/($Y_{MAX} - Y_{MIN}$)) + 0.5
LIGNE (POSIT) = '*'
Imprimer X et LIGNE
LIGNE (POSIT) = ' '

Graphique ♯

Ce qui précède est une version particulièrement rustique, qui peut être améliorée en adjoignant par exemple un axe pour les zéros si l'on a des valeurs positives et négatives (dans ce cas il faut faire attention de ne pas remettre un blanc mais le caractère correspondant à l'axe si l'on vient d'inscrire une étoile à sa place), etc.
On peut parvenir à des résultats assez satisfaisants, du style :

```
                 0.0        1.0          2.0          3.0        4.0
                  +-----------+-------------+-------------+-----------+
      0           !                          *
      1           !                         *
      2           !                        *
      3           !                        *
      4           !                        *
      5           !                          *
```

Différences entre Fortrans

« Differing but in degree, of kind the same. »
« Ne différant que de degré, de la même espèce. »

Milton, *Paradise Lost*

Cette annexe résume les différences entre les Fortrans 77 présentés en ce qui concerne le domaine couvert par ce livre. Il existe d'autres différences... Nous suggérons aux personnes plus spécialement intéressées par un Fortran particulier de se référer à la bibliographie donnée en introduction.
On trouvera ci-après les indices principaux qui permettent au fortranologue distingué d'identifier au premier coup d'œil et à l'admiration générale dans quel dialecte est écrit un programme.
Pour les amateurs d'antiquités, on a ajouté Fortran IV, en indiquant comment réaliser les structures de ce livre avec un Fortran non structuré.

Rappel sommaire

	Fortran IV	Watfiv
Alphabet utilisable	Majuscules	
Note	: Les minuscules sont à éviter totalement. Elles sont parfois absentes des claviers.	
Position où doivent commencer les instructions	7ème (ou plus loin)	
Commentaire	C en 1ère position (1)	
Ligne de continuation	Caractère quelconque en 6ème position	
Longueur max d'un identificateur	6 caractères	

#SI cond
ALORS inst1
SINON inst2
SI#
	`IF ¬cond GOTO e1`
	`     inst1`
	`     GOTO e2`
	`e1   inst2`
	`e2 .................`
	(¬cond: condition inverse de cond)
		`IF cond`
		`   THEN DO inst1`
		`   ELSE DO inst2`
		`ENDIF`

#TANT QUE cond
inst
TANT QUE#
	`e1 IF ¬cond GOTO e2`
	`      inst`
	`      GOTO e1`
	`e2 ................`
		`WHILE cond  DO`
		`      inst`
		`ENDWHILE`

#FAIRE POUR ..
inst
FAIRE POUR#
	`DO e1 I = A, B [, C]`
	`      inst`
	`e1 CONTINUE`
	(A, B, C entiers positifs; C non nul)	

1. *Accepté par les Fortrans 77 à l'exception de Watcom-Fortran.*

	Fortran 77 (Norme)	VS Fortran
Alphabet utilisable	Majuscules	

Note : Les minuscules sont utilisables dans les commentaires et les chaînes de caractères

	Fortran 77 (Norme)	VS Fortran
Position où doivent commencer les instructions	7ème (ou plus loin)	ou 1ère
Commentaire	* en 1ère position	ou " en 1ère pos.
Ligne de continuation	Caractère quelconque en 6ème position	ou - fin ligne préc.
Longueur max d'un identificateur	6 caractères	
#SI cond ALORS inst1 SINON inst2 SI#	IF cond THEN inst1 ELSE inst2 ENDIF	
#TANT QUE cond inst TANT QUE#	e1 IF cond THEN inst GOTO e1 ENDIF	
#FAIRE POUR .. inst FAIRE POUR#	DO e1 I = A, B [, C] inst e1 CONTINUE (A, B, C réels; C non nul)	

	VAX Fortran	Watcom Fortran
Alphabet utilisable	Majuscules et minuscules	

Note : Watcom Fortran transforme en minuscules les mots-clés reconnus

	VAX Fortran	Watcom Fortran
Position où doivent commencer les instructions	7ème (ou plus loin)	1ère (ou plus loin)
Commentaire	* en 1ère position	
Ligne de continuation	Caractère en 6ème pos.	& en 1ère position
Longueur max d'un identificateur	31 caractères	79 caractères
#SI cond ALORS inst1 SINON inst2 SI#	IF cond THEN inst1 ELSE inst2 ENDIF	Les signes >, < et = peuvent être employés

#TANT QUE cond
inst
TANT QUE#
	Comme la norme Fortran 77 ou
	DO WHILE cond
	inst
	ENDDO
		WHILE cond DO
		inst
		ENDWHILE
		>, <, et = peuvent être employés

#FAIRE POUR .. inst FAIRE POUR#	Comme la norme Fortran 77 ou DO I = A, B [, C] inst ENDDO (A, B, C réels; C non nul)	

Exemple d'un même programme écrit dans les différentes versions

Organigramme

♯ Recherche du maximum

```
Initialiser INDICE à 0
Lire NOMBRE

♯ Tant que NOMBRE <> −1 et INDICE < 100
    INDICE = INDICE + 1
    ENTIER(INDICE) = NOMBRE
    Lire NOMBRE suivant
Tant que ♯

NBRENTIER = INDICE
MAX = ENTIER(1)

♯ Faire pour INDICE = 2, NBRENTIER
    ♯ Si MAX < ENTIER(INDICE)
            alors | MAX = ENTIER(INDICE)
    Si ♯
Faire pour ♯

Imprimer MAX, le maximum trouvé
```

Recherche de maximum ♯

Watfiv

```
$JOB
        INTEGER ENTIER(100), NOMBRE, INDICE, NBRENT, MAX
C
C       CE PROGRAMME EST ECRIT EN FORTRAN WATFIV
C
        INDICE = 0
        READ, NOMBRE
        WHILE (NOMBRE.NE.-1.AND.INDICE.LT.100) DO
                INDICE = INDICE + 1
                ENTIER(INDICE) = NOMBRE
                READ, NOMBRE
        ENDWHILE
        NBRENT = INDICE
        MAX = ENTIER(1)
        DO 10 INDICE = 2, NBRENT
              IF (MAX.LT.ENTIER(INDICE)) THEN DO
                    MAX = ENTIER(INDICE)
              ENDIF
10      CONTINUE
        PRINT, 'L''ENTIER LE PLUS GRAND EST ', MAX
        STOP
        END
$ENTRY
```

(suivent les différentes valeurs, une par ligne, avec −1 sur la dernière ligne).

Note : Watfiv, le Fortran structuré qui est le plus proche du Fortran IV de nos grands-pères, n'est pas du tout orienté « interactif », c'est-à-dire que les valeurs communiquées au programme ne peuvent l'être pendant que celui-ci s'exécute. Il faut les incorporer, à raison d'une ligne par READ rencontré, à la suite du programme comme indiqué ici.

Norme Fortran 77 et VS Fortran

```
      INTEGER ENTIER(100), NOMBRE, INDICE, NBRENT, MAX
*
*     Ce programme est ecrit en VS Fortran, sans utiliser
*     la possibilite de commencer en 1ere position
*
      INDICE = 0
      PRINT *, 'Entrez le premier nombre:'
      READ *, NOMBRE
10    IF (NOMBRE.NE.-1.AND.INDICE.LT.100) THEN
              INDICE = INDICE + 1
              ENTIER(INDICE) = NOMBRE
              PRINT *, 'Nombre suivant (-1 pour finir):'
              READ *, NOMBRE
              GOTO 10
      ENDIF
      NBRENT = INDICE
      MAX = ENTIER(1)
      DO 20 INDICE = 2, NBRENT
            IF (MAX.LT.ENTIER(INDICE)) THEN
                  MAX = ENTIER(INDICE)
            ENDIF
20    CONTINUE
      PRINT *, 'L''entier le plus grand est ', MAX
      END
```

VAX Fortran

```
        integer ENTIER(100), NOMBRE, INDICE, NBRENTIERS, MAX
*
*       Ce programme est ecrit en VAX Fortran
*
        INDICE = 0
        print *, 'Entrez le premier nombre:'
        read *, NOMBRE
        do while (NOMBRE.ne.-1.and.INDICE.lt.100)
                INDICE = INDICE + 1
                ENTIER(INDICE) = NOMBRE
                print *, 'Nombre suivant (-1 pour finir):'
                read *, NOMBRE
        enddo
        NBRENTIERS = INDICE
        MAX = ENTIER(1)
        do INDICE = 2, NBRENTIERS
              if (MAX.lt.ENTIER(INDICE)) then
                    MAX = ENTIER(INDICE)
              endif
        enddo
        print *, 'L''entier le plus grand est ', MAX
        end
```

Watcom Fortran

```
    integer ENTIER(100), NOMBRE, INDICE, NBRENTIERS, MAX
*
*   Ce programme est ecrit en Watcom Fortran
*
    INDICE = 0
    print *, 'Entrez le premier nombre:'
    read *, NOMBRE
    while (NOMBRE <> -1.and.INDICE < 100) do
            INDICE = INDICE + 1
            ENTIER(INDICE) = NOMBRE
            print *, 'Nombre suivant (-1 pour finir):'
            read *, NOMBRE
    endwhile
    NBRENTIERS = INDICE
    MAX = ENTIER(1)
    do INDICE = 2, NBRENTIERS
          if (MAX < ENTIER(INDICE)) then
                MAX = ENTIER(INDICE)
          endif
    enddo
    print *, 'L''entier le plus grand est ', MAX
    end
```

Corrigés d'exercices

« Experience is the name every one gives to their mistakes. »
« Expérience est le nom que chacun donne à ses erreurs. »

Wilde, *Lady Windermere's fan*

Dans cette annexe sont seuls corrigés les exercices de base. Ils assurent l'assimilation des connaissances indispensables à une bonne programmation. Freinez l'élan d'enthousiasme qui porte à lire trop vite une solution et à se dire « Bon sang, mais c'est bien sûr! » sans avoir activé ses neurones. Si un ordinateur traîne dans votre voisinage, n'hésitez pas à programmer ces exercices : rien ne vaut le verdict de la machine.

Chapitre 3 : Utilisation de la mémoire

1. Pour rester conforme aux différents FORTRANs utilisés dans ce livre, tous les identificateurs ont six caractères au maximum.

a) real MASSOL

b) real DISTFO

c) character ELEM*2

d) real TEMPMO(12)

e) integer NBELNU(2)

f) integer RESIST (ou real)

g) real DISTHV (ou integer)

h) character TABMEN(103)*2

2. a) Il manque une virgule entre A et AB, ou bien supprimer le blanc pour n'avoir qu'une variable appelée AAB.

b) reel n'est pas un mot-clé Fortran.

c) Le caractère . n'est pas autorisé dans la construction d'un identificateur.

d) Déclaration valide.

e) Le caractère * n'est pas autorisé dans un identificateur.

f) Un seul r suffit pour écrire integer.

g) real ne doit pas être suivi d'une virgule.

h) Un identificateur commence toujours par une lettre.

i) Déclaration valide.

j) Une virgule est nécessaire pour séparer les dimensions d'une matrice : MATRIX(10, 5).

k) TROIS ne correspond à aucune dimension : COORD(3).

l) Déclaration valide.

Chapitre 4 : Affectation et expressions arithmétiques

1. a) 3

b) 120.

c) b

d) 2

e) 5.

f) 16

2. a) Les opérations arithmétiques sont interdites sur les variables de type « chaîne de caractères »; déclarer PI comme réel.

c) Une expression est toujours dans la partie droite d'une affectation.

e) L'opérateur de multiplication a été omis entre 7 et la parenthèse.

g) L'affectation ne peut pas s'effectuer globalement dans une matrice, seulement élément par élément; par exemple :

MATINV(1, 2) = 1./MAT(2, 2).

3.

	R	R1	R2	R3
real R, R1, R2, R3				
R1 = 100	?	100.	?	?
R2 = 60	?	100.	60.	?
R3 = 40	?	100.	60.	40.
R = 1/R1 + 1/R2 + 1/R3	0.51	100.	60.	40.
R = 1/R	1.98	100.	60.	40.

Chapitre 5 : Communications avec l'extérieur

Faites tourner les exercices sur un ordinateur, vous verrez bien...

Chapitre 6 : Structure alternative

1. Le programme imprime :

5.00000...

2.b) 3.00000...

3. a) La variable NOMBRE n'est pas initialisée (par une lecture ou une affectation).

b) Il manque l'instruction end if

5. Nous appelons EXP l'expression

VAL1.gt.5.and.(VAL2.lt.3.or.VAL3.ne.2)

VAL1.GT.5	VAL2.lt.3 A	VAL3.ne.2 B	A.or.B	EXP
V	V	V	V	V
V	V	F	V	V
V	F	V	V	V
V	F	F	F	F
F	V	V	V	F
F	V	F	V	F
F	F	V	V	F
F	F	F	F	F

7.

```
*       Programme qui trouve la plus grande de 3 valeurs
*       entieres
*
        integer VAL1, VAL2, VAL3, MAX
*
* VAL1,VAL2, VAL3: 3 entiers donnes par l'utilisateur
* MAX         : maximum de ces trois valeurs
*
        print *, 'Entrez trois nombres entiers:'
        read *, VAL1, VAL2, VAL3
*
        if (VAL1.gt.VAL2) then
           if (VAL1.gt.VAL3) then
              MAX = VAL1
           else
              MAX = VAL3
           endif
        else
           if (VAL2.gt.VAL3) then
              MAX = VAL2
           else
              MAX = VAL3
           endif
        endif
        print *, 'Le plus grand est', MAX
        end
```

Chapitre 7 : Structure itérative

1. Les programmes impriment :

a) 1. (Il n'y a pas de goto, donc on ne boucle pas.)

b) 5
11

c) ERREUR ⟶ La variable SOMME n'a pas été initialisée

2. b) La variable N ne prendra jamais la valeur 10 et le programme boucle.

c) L'indice de la boucle ne peut pas être modifié.

3. a) Ce programme n'imprime rien!

b) Le programme imprime :

```
    1   1
    2   3
    3   3
    4   7
    5   7
```

5. Rajoutons une variable INDIC qui nous servira à indiquer si le calcul s'est effectué complètement ou s'il a dû être arrêté parce que P est devenu égal à F.

```
      ...
      integer INDIC
      ...
* INDIC : vaut 0 si P est toujours différent de F, 1 sinon.
      ...
      Q = 0
      I = 0
      INDIC = 0
      do while (I.ne.N)
                ...
                P = DIST - Q
                if (P.ne.F) then
                   Q = (F * P) / (P - F)
                   GRAND = - Q/P
                   HAUT = ...
                   ...
                   I = I + 1
                else
                   print *, 'L''image est rejetee a l''infini'
*                  pour arreter la boucle
                   I = N
                   INDIC = 1
             endif
      enddo
      if (INDIC.eq.0) then
            print *, 'L''image est a ...
      endif
      end
```

Chapitre 8 : Fichiers

1. a) Il est interdit de lire et d'écrire sur la même unité.

b) NOMFICH dans l'instruction open ne doit pas être mis entre apostrophes.

Chapitre 9 : Formats

1. Le programme imprime :

```
 93  1.737  FORMAT EXERCICES
  1.74  FORMAT
 ****  FORMAT ERRONE
```

Chapitre 10 : Fonctions et sous-programmes

1. Le programme imprime :

a)
```
 3
10
```

b)
```
2
2
2
```

2.
```
      integer A, VALABS
      A = 3
      print *, VALABS(A)
      A = - 10
      print *, VALABS(A)
      end
*
      integer function VALABS(X)
      integer X
      if (X.lt.0) then
           VALABS = - X
        else
           VALABS = X
      endif
      end
```

3. a)
```
      subroutine DIST(M, N, D)
      integer M, N, D
      if (M.lt.N) then
           D = N - M
        else
          D = M - N
      endif
      end
```

b)
```
      subroutine DIST(M, N, D)
      integer M, D, S, VALABS
      D = VALABS(M - N)
      end
```

Index

Imprimerie GAUTHIER-VILLARS, France
7388-86 Dépôt légal, Imprimeur, n° 3060
Dépôt légal : janvier 1987

Imprimé en France